Hannes Bachkönig

AF185690

Der Junge mit dem hellblauen Wolljäckchen

Roman

tredition

© Hannes Bachkönig, 2021

Autor, Umschlaggestaltung: Hannes Bachkönig

Verlag & Druck: tredition GmbH, Halenreie 40-44, 22359 Hamburg
978-3-347-27714-4

Das Werk, einschließlich seiner Teile, ist urheberrechtlich geschützt. Jede Verwertung ist ohne Zustimmung des Verlages und des Autors unzulässig. Dies gilt insbesondere für die elektronische oder sonstige Vervielfältigung, Übersetzung, Verbreitung und öffentliche Zugänglichmachung.

Der Junge mit dem hellblauen Wolljäckchen stand plötzlich da, wie von Zauberhand hingepustet. Niemand sah ihn kommen....

Der Roman erzählt vom Leben des Protagonisten Milo, eingebettet in die Geschichte seiner Familie vom Anfang des 20. Jahrhunderts bis in die Achtzigerjahre.

Er handelt von einem Jungen mit außergewöhnlichen Fähigkeiten, der abwechselnd dramatisch-traumatische und optimistisch-glückliche Phasen durchlebt. Milo wird hin- und hergerissen, darf die große Liebe seines Lebens erfahren. Das unerwartete Ende bringt den Leser wieder zurück auf den Boden der Realität.

Kriegswirren

Eszter, Milos Mutter, war das einzige Kind Marikas, einer fleißigen Frau, die in ihrem Haus eine kleine Strickerei in der Zwischenkriegszeit aufgebaut hatte, um ihrer Tochter eine bessere Zukunft zu ermöglichen. Marika hatte nie Wunschträume gehabt, war der harten und unsteten Zeit ihrer Jugend wegen immer Realistin geblieben, wohl wissend, dass die Chancen, aus ihrem Dorf nahe der ungarischen Grenze herauszukommen, gegen null gingen. Zu groß waren die Einschnitte des Ersten Weltkriegs in den Alltag der Menschen, da sie doch der Verlierermacht angehörten, die nach dem Krieg entzaubert wurde. Die Monarchie wurde von einem Tag auf den anderen ausradiert, in den Atlanten aller Welt gelöscht. Die Adeligen wurden ihres Standes und ihrer Würde beraubt. Der Friedensvertrag von Versailles und die Entscheidungen der Entente hatten sie entmachtet, armselig waren sie dem Untergang geweiht und gezwungen, sich dem Laufe des europäischen Schicksals zu ergeben.

Und so geschehen, wurden auch das Fußvolk und die Bürger, die schon vor dem Krieg nicht viel ihr Eigen nennen durften, nun noch um den Großteil ihres bescheidenen Vermögens beschnitten. Zu wenig, um überleben zu können, zu viel, um durch ihr Sterben vom Leid erlöst zu werden. Wie immer brachte der Krieg Tod, Verderben und Elend.

Doch das Leben fand nicht sein Ende, denn die Menschen waren einfallsreich. Glücklich, wer sein Dasein auf einem kleinen Polster des materiellen Wohlstands betten konnte. So geschah es, dass Milos Großmutter die kleine Familie gut durch die Jahre bringen konnte. Von ihrem Ehemann Sándor durfte sie kaum Unterstützung erwarten. Dieser war kurz nach Kriegsende mit seinen Brüdern aus dem ungarischen Teil der Monarchie nach Österreich geflüchtet, um hier Arbeit und sein Glück zu finden und konnte sich wie die wenigsten Immigranten eine unabhängige Existenz aufbauen. Der Lohn durch die Arbeit im kleinen Elektrizitätswerk am schmalen, mäandernden Grenzfluss ließ ihn überleben.

Dann verschlug es den Mann in die Arme von Marika, die von seiner Nikotin- und Spielsucht anfangs nichts ahnen konnte. In schlechten Zeiten war die Menschheit noch nie wählerisch gewesen, ja hatte es sich nie leisten können, wählerisch zu sein. Absicherung der Existenz und Fortbestand inklusive Fortpflanzung war schon immer die Antriebsfeder der Evolution gewesen.

So geschah es auch im Falle von Milos Großeltern. Marika fand jemanden, der allem Anschein nach ihrem Leben Sinn und Familiennachwuchs geben konnte. In der ersten Zeit mochte die Liebe noch groß gewesen sein, wie es halt immer war, wenn sich zwei Menschen ineinander verliebten. Milos Großmutter wollte sich an den immigrierten Mann binden, trotz aller mahnenden Worte ihrer beiden Schwestern. Liebe machte blind, Einsicht sehend. Doch diese sollte erst in den Jahrzehnten danach und daher zu spät kommen. Marika konnte es aussitzen, wie viele sagten, denn sie hatte nicht vor, einen Schlussstrich zu machen oder eine massive Kursänderung im Leben zu riskieren. Aussitzen war wie das feiste Verharren im Schützengraben der Feigheit. Und manche Ehen offenbarten sich nicht selten bereits nach kurzer Zeit als Kriegsgebiete, wo die beiden vor Sekunden noch innig vertrauten Liebenden aus jeweils ihrem eigenen Schützengraben in jenen ihres loszuwerdenden Hassbildes Wurfgeschoße mit oft verheerender Wirkung katapultierten. Milos Großmutter wollte es aussitzen! Sie war eine rational denkende, starke Frau voll geistiger Energie, belesen und gebildet. Nicht schulisch, nein, in dieser Zeit geboren und gefangen in einem Dorf der Österreichisch-Ungarischen Monarchie hatte es Anfang des zwanzigsten Jahrhunderts nur spärlich Bürger mit höherer Bildung gegeben. Jene, die es sich leisten konnten, wanderten aus in die großen Städte, wo sich den jungen Menschen bessere Chancen auftaten, eine höhere Schule oder gar Universität zu besuchen. Doch Marika zog es vor, unter einfachen Leuten im Dorf zu bleiben. Sie wollte ihrer Familie durch die eigene Strickerei, die sie in ihrem Hause einrichtete, eine Existenz aufbauen.

Die wirtschaftliche Lage des Landes nach dem Ersten Weltkrieg war eine deprimierende, unendlich schwierige und mit Hunger verbundene. Viele Männer mussten im unnützen Krieg ihr Leben lassen, hinterließen Frauen, die nicht wussten, wie sie ihre Sprösslinge zu vollwertigen Mitgliedern der Gesellschaft großziehen konnten, und Kinder, die nicht wussten, ob sie eine Zukunft hatten in diesem Land.

Trotz all der misslichen Gegebenheiten verstand es Marika, ihrer Familie eine Existenz aufzubauen, die ihnen ein für ländliche Verhältnisse überdurchschnittlich hohes Einkommen sicherte. Die Familie konnte sich ein klein wenig Luxus leisten. Manchmal fand sich mitten unter der Woche, nicht nur sonntags oder feiertags, ein köstlich duftender Schweinsbraten auf dem Mittagstisch stehend neben einer verlockenden Nachspeise der österreichungarischen Küche. Marika verstand sich aufs Kochen, was jedoch nicht außergewöhnlich war in dieser Zeit. Alle Frauen waren am Herd aufgewachsen. Schon auf Kindesbeinen wurde den Mädchen beigebracht, was es heißt, fiktive Ehemänner zu verwöhnen, wohlduftende Speisen aus spärlich vorhandenen Lebensmitteln zu kredenzen und den Familiensegen in die Vertikale zu bringen.

Acht Jahre nach der Vermählung mit ihrem damals noch geliebten Mann, im Alter von sechsunddreißig Jahren, gebar sie ihr Kind. Eszter kam im Elternhaus zur Welt, und alle Vorzeichen standen an diesem Tage schon dafür, dass sie dieses auch nie verlassen werde. Marika war in einem außergewöhnlich hohen Alter für die Geburt des ersten Kindes, und es sollte auch das einzige bleiben. Sie war von klein an gesundheitlich angeschlagen, die Nieren taten nicht wie geheißen, und auch manches andere machte ihr das Leben schwer in der harten Zeit. Doch nie verzagte sie, verließ sie der Mut und sie war wie alle Menschen getrieben vom Erbe der Jahrmillionen dauernden Evolution des Homo sapiens: Die Brut musste gedeihen.

Erschwerend kam hinzu, dass der Zweite Weltkrieg ausbrach, als Eszter drei Jahre alt war. Nicht lange zuvor hatte Hitler in Deutschland die Macht an sich gerissen, was in diesen Tagen noch keine Auswirkungen auf die Menschen im Osten Österreichs hatte, aber die Sterne sagten in Eszters Geburtsjahr nichts Gutes voraus. Sie war eineinhalb Jahre alt, als das Land sich wie von Teufelshand braun färbte. Es war ein schlechter Zauber, einer, der die Menschen verwünschte und ihre Gehirne wusch, damit der braune

Riese als Mure über das ostösterreichische Hügelland ziehen konnte.

Anfangs schien die Lage keineswegs besorgniserregend zu sein. Marika und Sándor ernährten die Familie so gut es ging. Ja, auch Marikas Ehemann trug mehr als einen Obolus dazu bei, hatte er doch im Elektrizitätswerk eine sichere Anstellung als Werkselektriker. Der Bedarf an Strickwaren war immer präsent, gab es doch kaum Bekleidungsgeschäfte in einem größeren Umkreis. Das Leben der Menschen war einfach, überschaubar und kalkulierbar. Die Grundbedürfnisse konnten meist gedeckt werden, Luxus aber war für den Großteil der Bevölkerung ein Fremdwort, das sie nur vom Hörensagen kannte. Milos Großeltern und seiner Mutter ging es hingegen etwas besser. Manchmal stand sogar unerwarteter Überschwang in Form eines schönen Spielzeugs für das kleine Mädchen vor der Tür. Oder ein Haustier, das mit Freude gepflegt und gehegt wurde. Eszter wuchs behütet auf. Die strenge Hand der Eltern kam von Zeit zu Zeit zum Vorschein, vor allem jene ihrer Mutter, denn Vater mischte sich tunlichst nicht in Erziehungsangelegenheiten ein, wohl aus Gründen der Feigheit vor dem Zepter schwingenden Weibe, aber der damals vorherrschende autoritäre Erziehungsstil, die Diktatur des Zwanges zur Unterordnung, Anpassung, Disziplin und Gehorsamkeit, fand nur in abgeschwächter Form Anwendung im Haus der Familie.

Die ersten Kriegsjahre empfand Eszter voller Frieden, da das Grauen fernab ihres Heimatortes grassierte. Kein Soldat verirrte sich jemals in ihre Straße, kein Panzer donnerte vorbei und riss die Dorfkinder aus dem Schlaf, vom Fluglärm der Bomber keine Spur. Diese Jahre verliefen friedlich in der üblichen und bekannten Manier. Spielen mit den Nachbarskindern, Schule und Mithilfe in der familieneigenen Strickerei standen an der Tagesordnung. Schuhe waren manchmal zu flicken, was der Schuster nebenan behände erledigte. Risse in Kleidern wurden sorgsam von Eszters Mutter wie von Zauberhand beseitigt und es mangelte nicht an regelmäßigen Mahlzeiten. Der Alltag verlief einige Jahre lang ohne besondere Vorkommnisse. Das Leben der kleinen Familie war im Großen und Ganzen akzeptabel gut, wohl auch wegen der Tatsache, dass Sándor aufgrund eines Amtsirrtums nicht zum Militär eingezogen wurde, da er als staatenlos galt. Worauf dieser Status beruhte, wusste er nicht, aber er nahm das Geschenk der Beamten dankend an, denn es blieb ihm eine schlimme Zeit an der Front, eine schwere Verletzung oder gar der Tod erspart.

Immer häufiger jedoch trübten Ereignisse innerhalb der Familie ihre Idylle. Der Haussegen hing gewaltig schief, gab es doch Spannungen zwischen den beiden Eheleuten, die auf Sándors Spielsucht beruhten. Marika hatte sich ihr Eheleben anders vorgestellt. Sie war gezwungen, den Haushalt, die Erziehung und den Familienbetrieb alleine zu schaukeln. Ihr Mann verbrachte wenig Zeit daheim. Kaum von der Arbeit zurück, steckte er die Schachtel Zigaretten in die Rocktasche und begab sich ins nahegelegene Wirtshaus, wo seine angeblichen Freunde und Kameraden tagtäglich darauf warteten, ihm Geld abzuknöpfen. Wohl vermochte er manchmal reicher heimzukommen, als er Stunden zuvor das Haus verlassen hatte, meist aber zog er den Kürzeren. Jahrelange Kartenspielsucht verringerten das Familienbudget um ein Maß, das von Marika schwer gutzuheißen war. Sie spürte förmlich, wie Schilling und Reichsmark stetig ihren Händen entglitten. Oft hatte sie versucht, auf ihren Mann in Gutem einzuwirken, ihm klar zu machen, dass es mit seiner Sucht so nicht weitergehen konnte. Oft hatte sie ihm mit dem Rauswurf aus dem Hause gedroht, das ja in ihrem Besitz stand. Er wurde zunehmend zum Schmarotzer, zur Plage, zum Mitesser, der auszudrücken war. Der Beruf des Ehekammerjägers war noch nicht erfunden worden, Milos Großmutter wäre dazu geneigt gewesen, dessen Dienste in Anspruch zu nehmen. Nach etlichen Jahren des Versuchs, ihren Gatten erdulden zu lernen, dem Vater ihrer Tochter noch eine weitere Chance zu geben, musste Marika sich eingestehen, versagt zu haben. Jeder strikte Versuch, ihn auf den rechten Weg zu geleiten, scheiterte kläglich, denn zu groß war seine Sucht. Marika hatte immer wieder versucht, Gutes in Sándor zu finden, positive Aspekte herauszupicken aus dem unverdaulichen Salat, in dem sie um die Existenz ihrer Familie schwamm. Mit wenig Erfolg. Die Attraktivität des Anfangs, die Initialzündung ihrer Beziehung, all das war schon bald nach ihrer Hochzeit verflogen. Milos Großvater war ein gertenschlanker, gar knöchriger Mann von ausgemergelter, geschundener Statur, es schien, als ob kein Gramm Fett zwischen Haut und Skelett Platz fand. Der dunkle Teint verschleierte ein klein wenig den Eindruck eines unterernährten Kriegsflüchtlings, aber er vermochte es immer wieder, Attraktivität wie die Strahlen der Sonne zu verstreuen. Allein, der Schein trog.

Was blieb, war die finanzielle Sicherheit in einer schwierigen Zeit, in der es den meisten Menschen an vielem mangelte. Der Mann steuerte durch seine Stelle im Elektrizitätswerk einen nicht zu vernachlässigenden Teil zum Haushaltsvermögen bei, und das wollte Marika nicht aufgeben. Zu viel Angst hatte sie vor der Zukunft ohne seinen Beitrag und sie nahm sich vor ihn zu erdulden, ihm jeden Abend das Bett im nach Süden ausgerichteten, kleinen Zimmer zu machen. Wenn er schon die physische Trennung durch die täglichen Befriedigungen seiner Spielsucht heraufbeschwor, dann sollte diese Trennung auch vollkommen sein, sie sollte auf perfekte Art und Weise in ihr Eheleben Einzug halten. Der Mann wurde ausgelagert, der Platz an der Seite im Bett seiner Frau wurde ihm versagt, fiktive Sperrbänder verhinderten sein Eintreten in den erotischen Bereich der Ehe. Er wurde nur mehr geduldet und es war ihm nicht erlaubt zu klagen. Kost und Logis, das hatte er auf Lebzeit gepachtet. Marika versuchte oft, ihm die Situation klarzumachen, dass er es in der Hand gehabt hätte, alles zum Guten zu wenden, dass er durch sein Fehlverhalten die Ehe desaströs ruiniert hatte, nicht nur mittlerweile schon ein ansehnliches Vermögen, sondern auch ihr Vertrauen verspielt hatte. Sie warf ihm unmissverständlich die Realität an den Kopf, dass die Ehe nur mehr am Papier bestand, dass die Liebe längst verpufft war, dass sie keine Sympathien mehr für den vor vielen Jahren heißgeliebten Mann hatte.

Sie sah sich dastehen als Betrogene, Beleidigte, hinters Licht Geführte, Bestohlene und Verschmähte, war das Leben leid. Sie sah sich aber nicht als Opfer, nein, denn sie wusste, dass es immer der Interaktion zweier Beteiligter bedurfte, wenn Eheleute einander in die Haare kriegten. Milos Großmutter aber machte keine Anstalten, auch in ihrem Verhalten auslösende Muster zu finden, die sie in ihr unlösbares Eheproblem gebracht hatten. Sie wusste, dass auch sie ihr Scherflein dazu beigetragen hatte, aber sie war sich zu stolz, um in die Tiefe zu gehen. Der Mann spielte in ihrem Leben nur mehr die Statistenrolle des Dauergastes. Sie fühlte sich neben ihrem Hauptberuf der Strickerin auch als Sommerfrischler Beherbergende, nur dass ihr Ehemann auch Winterfrischler war, ein Ganzjahresfrischler sozusagen, der für Kost und Logis mit lebenslänglicher Bleibe zu bezahlen hatte.

Natürlich wäre es ihm möglich gewesen, die Flucht aus dieser Beziehung anzutreten, einfach von einer Stunde auf die nächste seinen Koffer zu packen und das Haus für immer und ewig zu verlassen. Dazu aber war er zu feige, zu groß war die Angst vor der unsicheren Zukunft. Wohin sollte er denn gehen? Er wusste, er war das geschmähte Omega-Männchen in einem Wolfsrudel, das ihn als Mitglied gerade noch akzeptierte, ihn nicht verbannte, ihm aber auch keinen Platz an der Sonne erlaubte. Er musste das nehmen, was übrig geblieben war. Und er empfand seine Lage als gut genug, um für den Rest seines Lebens so weitermachen zu wollen. Ein Arrangement zweier Eheleute, nicht auf Papier mit Unterschrift besiegelt, auch nicht durch Worte vereinbart. Die beiden Unglückseligen mussten sich ab einem gewissen Augenblick unmissverständlich eingestehen, dass das Leben kein Honiglecken war, sondern nur ein die Existenz sichernder, schlechter Kompromiss.

Milos Großmutter hatte immer wieder versucht, sich ihre Lage schönzureden.

„Er trinkt wenigstens keinen Alkohol."

Das leierte sie abends mehrere Male vor sich hin, in der Hoffnung, irgendwann mal selbst zu glauben, dass sie ein perfektes Leben führte.

Nein, Alkohol trank er keinen, er war in dieser Hinsicht abstinent, aber Koffein, Nikotin und Spielsucht machten die eine hehre Tugend wieder zunichte. Oft hatte Marika sehen müssen, wie Alkoholiker in Ehen von Dorfleuten alles zerstörten, zum Scheitern gebracht und gar Schlimmeres verursacht hatten. Körperliche und seelische Grausamkeiten hatten sich in ihrer Nachbarschaft zugetragen, nur verursacht von Ehemännern, die im Rauschzustand nicht mehr Herr ihrer Sinne gewesen waren und Frau und Kinder an den Rand der Verzweiflung brachten oder gar in den Tod führten. Unzählige Beispiele gab es im Dorf, wo jeder sehen konnte aber schweigen musste.

Da hatte sie ja noch Glück, so sah es Milos Großmutter. Zigaretten und Kaffee zerstörten immer nur das eigene Leben des Süchtigen. Wohl war sie sich natürlich bewusst, dass die Spielsucht ihres Mannes das Leben ihrer Familie beeinträchtigte, gefährdete, ja im schlimmsten Fall sogar in den Ruin treiben könnte. Ihre Geschwister, mit denen sie keinen Kontakt mehr führte, hatten sie in früherer Zeit oft darauf hinweisen wollen, in welch misslicher Situation sie sich doch befände und sie dem Grauen endlich ein Ende setzen sollte. Marika aber hatte irgendwann mal die Schnauze voll von all den Bevormundungen und wohlgemeinten Ratschlägen. Sollten ihre Geschwister doch vor eigenen Türen kehren!

Es war dann der Tag gekommen, wo Marika Brüder und Schwestern um sich versammelte, um ihnen unmissverständlich klarzumachen, dass sie sich aus ihrem Leben doch verziehen sollten. Seit diesem Tag hatte sie weder mit ihnen gesprochen noch sie gesehen. Besser das Ende mit Schrecken als ein Schrecken ohne Ende. Obwohl, Milos

Großmutter musste sich eingestehen, dass das Ende des einen Schreckens das Fortbestehen des anderen mit sich brachte und es vielleicht doch besser gewesen wäre, den Ganzjahresfrischler vor die Tür zu setzen.

Sie sollte ihr ganzes Leben mit dieser ihrer eigenen Entscheidung hadern.

Albtraum

Eszter hatte lange gezögert, ihrem Sohn Milo etwas anzuvertrauen, das sie noch keinem anderen Menschen zu erzählen vermochte.

Als sie noch ein kleines Mädchen gewesen war, erhärtete die Beziehung zwischen ihren Eltern zusehends. Vater und Mutter gerieten einander immer öfter in die Haare und fochten dramatische Dispute aus, die auch zu Handgreiflichkeiten, ja Tätlichkeiten führten und beinahe in kriminelle Handlungen in Form von Angriff auf Leib und Leben. Die Gründe dafür konnte sie damals noch nicht verstehen. Es wird wohl die Tatsache gewesen sein, dass sich ihre Mutter vom Ehemann in Stich gelassen gefühlt hatte. Dieser verweigerte die familiäre Unterstützung und widmete sich hauptsächlich seiner Süchte.

Ein bestimmtes Ereignis, schlimmer als jeder Albtraum, angsteinjagend, furchterregend, hatte Eszters Psyche angeknackst. Was sie vor vielen Jahren beobachten musste, ließ sich nicht mit Worten beschreiben. Es vergingen Jahre, bis Milo kein kleines Kind mehr war, da fand es seine Mutter nur zu gerecht, ihm ihr düsteres Geheimnis zu offenbaren. Also nahm sie ihren Sohn eines Tages zur Seite, blickte ihm geheimnisschwanger ins Gesicht und rang um das erste Wort. Er bemerkte ihre Verzweiflung und ermunterte sie, mit fragendem Blick zu beginnen. Wartende Stille. Langsam begann Eszter sich zu öffnen.

„Ich weiß nicht, wie ich anfangen soll, zu schlimm war das Erlebnis, obwohl es schon einige Jahrzehnte hinter mir liegt."

Milo sah die Geburt von Tränen in ihren Augen. Langsam schoben sich die Tropfen entlang ihrer Wangen Richtung Kinn. Er nahm die Hand seiner Mutter, streichelte sie sanft in der Hoffnung, ihr Herz damit öffnen zu können.

Nach einer gefühlten Stunde fanden die ersten Worte zögerlich den Pfad über Mutters Lippen.

„Vor vielen Jahren, als ich ein kleines Mädchen war, ich glaube, der Krieg war noch nicht vorbei, da musste ich etwas mitansehen, was mein Leben veränderte, meinen Glauben an unsere Familie. Es hatte mein Vertrauen in meine Eltern bis ins Mark erschüttert, besonders jenes in meinen Vater. Ich wusste als Kind schon, dass so vieles in der Ehe meiner Eltern schiefgelaufen war. Keine Harmonie war mehr zu spüren, keine Gemeinsamkeit lag in der Luft der paar Zimmer unseres Hauses, meines Elternhauses. Bis zu diesem Ereignis vermochte ich die Gefühle nicht deuten, konnte sie nicht in klare Gedanken umwandeln."

Milo blickte seine Mutter verstört an und ahnte Schlimmes auf ihn zukommen.

„Es geschah an einem Montagabend, ich weiß es noch genau. Ich war im Wohnzimmer, spielte mit den Puppen. Dein Großvater kam heim, wohl wieder einmal vom Kartenspielen. Es war zu einem heftigen Streit gekommen. Meine Eltern gerieten einander in die Haare. Deine Groß-mutter machte ihm zum tausendsten Mal den Vorwurf, viel Geld verspielt zu haben."

Eszter schluckte, setzte dann mit der Schilderung der Situation nach einer kurzen Pause fort.

Ihre Eltern standen einander gegenüber, bewarfen sich mit Vorwürfen, Beschimpfungen und Pöbeleien. Garstige, nicht für Kindesohren geeignete Worte fielen. Eszter konnte dies von einem abgeschiedenen Platz unentdeckt beobachten. Hätten ihre Eltern geahnt, dass deren Tochter Zeuge des Disputs war, es wäre wohl kaum zur Eskalation gekommen. Doch so nahm das Unheil seinen Lauf. Schreie, Drohungen, Beschimpfungen, Marika zog ein Messer aus einer Küchenlade und fuchtelte eine Haaresbreite vor ihrem Ehemann umher, der beinahe Blut lassen musste. Eszter brach in geheime Tränen aus, flüchtete vor der grausamen Szene in der Hoffnung, Vater und Mutter nicht verlieren zu müssen, wenn sie all das nicht mitansehen würde.

Es konnte nicht mehr so weitergehen, schrie Marika. Sándor kippte vor Schwäche zu Boden, kauerte vor der Messerspitze um sein Leben bangend und glaubte seine letzte Stunde herbeigekommen. Er weinte, bettelte um Gnade, die Hände über dem Kopf wie ein des Mordes Verdächtigter vor den gezogenen Waffen der Gendarmerie.

Sekunden vergingen wie Minuten. Stille. Milos Mutter hatte sich bereits in der Speisekammer verschanzt, um ja nichts mehr von diesem Albtraum mitbekommen zu können. Sie hörte aber noch ihren Vater versprechen, dass das nie mehr vorkommen sollte.

„Wie oft hast du mir das schon gesagt! Ich glaube dir kein Wort, du bist ein Schwächling, ein mieser Feigling, der sich einen Dreck um seine Familie schert. Ich hasse dich!"

Marika zog das Messer zurück, legte es wieder in die Lade und ging ins Obergeschoß, als ob nichts gewesen wäre. Ihr Mann aber kauerte noch minutenlang in der Küche und hoffte auf Einsicht und Gnade. Eine Lache von Schweiß und Tränen sammelte sich am Fußboden. Diesmal noch Schweiß und Tränen, beim nächsten Vorfall würde es wohl eine Blutlache sein, befürchtete Sándor, erhob sich, verließ

schwachen Fußes das Haus und ging in den Garten zu seinen
geliebten Bienen, bei denen er sich in Sicherheit wähnte.
Die Ehe war an einem Tiefpunkt angelangt. Von diesem Tage an
hatte das Leben der Familie eine andere Richtung eingeschlagen.
Marika hatte keine Zweifel mehr, sie wusste nun, was zu tun war.
Die seelische Verabschiedung von ihrem Ehemann ging nahtlos über
in dessen Existenz als geduldeter Gast im Hause seiner Frau, ohne
Mitspracherecht, ohne Recht sich einmischen zu dürfen, nicht
einmal in all die familiären Alltagsbanalitäten.

Eszter stöhnte, da ihr eine große Last abgefallen war.

„Nun weißt du, was mich schon so lange belastet hat.
Nun kannst du dir selbst ein Bild von der familiären Situation
machen und sehen, wie ich leiden musste. Jeden Tag
befürchtete ich, Ähnliches wieder zu erleben. Meine
Depression begann, als ich neun Jahre alt war."

‚Deine Depression?', wunderte sich Milo insgeheim.

„Die hab ich übrigens von deinem Großvater geerbt",
fuhr seine Mutter aufklärend fort.

‚So, so, deine Depression', wiederholte Milo in Gedanken,
während er sich von seiner Mutter abwendete. Er wusste
nichts dieser Beichte zu entgegnen und verschwand in sein
Zimmer.

Jahrzehntelang war Milos Mutter unfähig gewesen, über
diesen Albtraum zu reden, da sie glaubte, selbst die Ursache
des Streits gewesen zu sein und deshalb Schuldgefühle hatte.
Es kam die Zeit, als Marika bereits schwer krank ihrem Ende
entgegenblicken musste. Eines Tages brachte Eszter all den
Mut auf ihrer Mutter zu verzeihen. Diese brach in Tränen
aus, als sie die Worte aus dem Munde ihrer Tochter
vernahm, bat um Verzeihung und wollte ihr Leben erklären.

Eszter aber legte einen Finger über die Lippen der alten, bettlägerigen Frau, die verstummte und um Gnade bittend stöhnte. Der verzeihende Blick der Tochter machte ihr tonlos verständlich, dass nun alles gut wäre. Alles hätte sich zum Besseren gewendet, kein Groll, keine Wut oder Verzweiflung war mehr in Eszter. Sie hatte schon seit langem verstanden, in welch aussichtsloser Situation ihre Mutter damals festgesteckt war.

Für Sándor war es reichlich spät gekommen, denn er weilte schon mehr als zehn Jahre nicht mehr auf Erden. Er sollte aber in Himmel oder Hölle, wo immer er gerade gewesen sein mochte, seinen Seelenfrieden gefunden haben.

Milo hatte die Beichte seiner Mutter nicht sonderlich überrascht, er nahm es nüchtern auf, so als ob er es erwartet hätte. Seine ersten vier Lebensjahre zusammen mit beiden Großeltern hinterließen in ihm Vermutungen, die sich durch Mutters Schilderungen bestätigten. Es wird wohl damals, kurz nach Kriegsende, in vielen Familien so gewesen sein. Alles war zusammengebrochen, die Menschen hatten gerade das Notwendigste zum Überleben und ein mehr oder weniger zerstörtes Dach über dem Kopf. Manche Familien hielten zusammen und versuchten am Aufbau des eigenen Hauses, der Gemeinde, ja des Staates Österreich mitzuhelfen, manche jedoch waren verzweifelt genug, das Handtuch zu werfen und aufzugeben. Eben diese Familien waren immer wieder Herde von Verzweiflung und Gewalt. Es tat dabei nichts zur Sache, ob die Familie bettelarm oder wohlhabend gewesen war. Der psychische Kollaps hing nicht ab von Vermögen, sondern war ein Resultat einer langen, schwierigen Vorgeschichte, und das Endergebnis waren zerrüttete Verhältnisse, die nach außen so gut wie möglich verschwiegen werden mussten. Wer wohl mochte sich dies anmerken lassen, wer wollte die familiären Schandtaten an die große Glocke hängen? Schon immer seit der Geburtsstunde der Menschheit hat der Homo sapiens es nicht vermocht, Schwächen zuzugeben, speziell die männliche Ausgabe dieser Spezies.

Milo fiel eine Szene ein, ein Bild aus sehr frühen Tagen seines Lebens, das früheste seiner Kindheit und zugleich das einzige Bild von seinem Großvater, das er aus der Erinnerung abrufen konnte. Er war damals vier Jahre alt gewesen, es war der vorletzte Tag im Leben seines todkranken Großvaters. Milo ging die hundertachtzig Grad nach rechts drehende Treppe hoch in den ersten Stock des von seinen Großeltern gebauten Einfamilienhauses. Das Holz unter ihm gab knarrend nach, obgleich er doch nur fünfzehn Kilo wog. Kurz vor der letzten Stufe verharrte Milo und blickte durch die offene Tür in Großvaters Zimmer. Drei Menschen standen Milo den Rücken zuwendend vor dem Bett, seine Eltern und Großmutter. Die bedrückende Dunkelheit war ein Zeichen dafür, dass Großvaters letzter Tag geschlagen hatte. Dieser lag im Bett, abgemagert bis auf die Knochen, keuchte und röchelte vor sich hin, Lungenkarzinom, ein armes Häufchen Elend. Dem unbändigen Zigarettenkonsum über eine Zeitspanne von fünfzig Jahren geschuldet, hatte der Großvater die letzten sieben Monate oft vor Schmerzen schreiend gelitten.

Minutenlang starrte Milo auf die Szenerie, ein Stillleben gemacht für ein Ölgemälde aus Barockzeiten. Der Sterbende vor den Beobachtern, die sich alle dessen Tod wünschten, einerseits, um das physische Leiden des Kranken zu beenden, andererseits, um dem psychischen Leiden anderer Einhalt zu gebieten. Milo wusste diesen Moment nicht einzuordnen. Sollte er froh sein, dass Großvater bald vom irdischen Leiden erlöst sein würde? Sollte er traurig sein Großvaters Abschieds wegen? Dieser hatte sich um Milo kaum gekümmert, konnte mit kleinen Kindern sowieso nichts anfangen und war auch fast nie zu Hause gewesen.

Milo beschloss, das an diesem Tag Gesehene und Gefühlte als erste Lektion Gottes zu deuten, der ihm zeigen wollte, dass das Leben unweigerlich mit dem Tod Hand in Hand ging, dass man vom Tage der Geburt an stets den Tod vor Augen hatte und sich nie sicher sein durfte, am nächsten Tag noch zu leben.

Aufprall

Milo hatte schon immer den Verdacht, dass sein Dasein auf ungewöhnlichen Fakten basierte. Von Kindheit an machte sich ein Gefühl in seiner Magengrube bemerkbar, ein wohliges Gefühl voll Wärme und Sehnsucht nach Abermillionen von Kilometern entfernten Orten. Er vermochte es lange nicht deuten, dann aber war eine Phase seines Lebens gekommen, er wird mitten in der Pubertät gesteckt sein, als Milo begann es zu verstehen.

Es gab ein Foto von ihm, auf dem er, ein oder zwei Jahre alt, wie vom Himmel heruntergefallen, herausgeputzt und reingestopft in ein hellblaues Wollhöschen, ummantelt von einem hellblauen Wolljäckchen in der staubigen Straße vor dem Einfamilienhaus stand. Die Mutter hätte gewollt, dass das Jäckchen ihr Werk gewesen wäre, in der familieneigenen Strickerei gefertigt.

Dieses Foto leitete Milo zur Einsicht, zur Weissagung, ja hin zum Bekenntnis seiner Herkunft. Milo wusste von damals an, dass er nicht wie alle anderen Menschen, die er kannte und die je auf dem Planeten Erde gelebt hatten, auf übliche und herkömmliche Art und Weise geboren wurde. Seine Existenz musste er einer gänzlich anderen Entstehung verdanken, denn er wurde geschaffen, um anders zu sein, von wem auch immer.

Alles machte nun für Milo Sinn, all seine Erlebnisse der Kindheit und der Jugend. Was immer ihm widerfuhr, konnte diese Besonderheit erklären: *Milo war vom Himmel gefallen!*

An dem Tag, an dem das älteste Foto geschossen wurde, auf dem Milo zu sehen war, an dem Tag war er vom Himmel gefallen, just in dem Augenblick, als seine Mutter in der Einfahrt zum Hof stand. Es geschah ohne großes Aufsehen, ohne Tamtam und Getöse, ohne Vorwarnung. Die Mutter stand in der Einfahrt, zuerst alleine, und plötzlich war da in der nächsten Sekunde ein kleines Kind neben ihr. Sie hatte es von keiner Richtung kommen gesehen, es war einfach da! Und Milos Mutter stufte dies als nicht ungewöhnlich ein, kein Anflug von ‚Ooooh!‘ oder ‚Das gibt es ja nicht!‘. Für sie war es der ganz normale Wahnsinn von Familiennachwuchs. Milo war also vom Himmel gefallen, stand plötzlich neben seiner Mutter. Er trug ein hellblaues Jäckchen aus Schafwolle, dazu eine hellblaue Hose aus Schafwolle und eine Haube, möglicherweise auch aus Schafwolle, ziemlich sicher sogar aus Schafwolle. Etwa zwei Sekunden nach dem Aufprall auf der Erde, der sich für Milo gar nicht nach Aufprall angefühlt hatte, denn er stand gegen alle Gesetze der Physik ruhig und sicher auf seinen kurzen Beinchen, spürte er Mutters Hand an der seinen. Sie tat, als ob nichts Außergewöhnliches passiert wäre, und stand in der Einfahrt Hand in Hand mit einem kleinen Buben, den sie bis vor zwei Sekunden noch nicht gekannt hatte, jetzt aber glaubte, ihn schon seit neun Monaten vor dessen Geburt zu kennen.

Die schlüssigste Erklärung für all das, was Milo widerfahren ist, was aus ihm wurde, wie er war und welche Einschränkungen und auch außergewöhnliche Fähigkeiten er hatte, war schlicht und einfach die Tatsache, dass er vom Himmel gefallen war. Es konnte gar nicht anders gewesen sein. Hinzu kam noch, Milo fuhr dieser Gedanke blitzartig in den Sinn, dass es noch einen weiteren, absichernden Hinweis gab, der nun aber auch wirklich alle Zweifel aus dem Weg räumen musste. Milos Mutter hatte ihn abends, wenn es an der Zeit war, ins Bett zu kriechen und er dann umhüllt von weichen Daunendecken und bereit für das Land der Träume war, nach einer kurzen Gute-Nacht-Geschichte immer ermuntert, ja fast aufgefordert, die Schäfchen am Himmel zu zählen. Milo hatte nie den Sinn dieser mathematischen Handlung verstanden, hatte auch nie im Bett liegend Schäfchen am Himmel gesehen, da ja der Plafond und darüber auch noch das Dach des Hauses die Sicht auf den Himmel verbaute. Wozu also Mutters Aufforderung? Hatte sie etwa von ihrem Zimmer freie Sicht auf den Himmel? Als Milo an dem Tag, nachdem er zum ersten Mal Schäfchen hätte zählen sollen, einen Kontrollgang in das Schlafzimmer seiner Eltern machte, musste er sich selbst diese Frage mit einem klaren Nein beantworten.

Allem Zweifel zum Trotz folgte Milo aber immer dem Geheiß der Mutter und versuchte, inständig mit geschlossenen Augen irgendwo Schäfchen zu entdecken. Die Suche war an keinem Abend seines Lebens erfolgreich, Milo aber klopfte sich gratulierend auf die Schulter und tat dies als eine barmherzige Tat ab, um seiner Mutter ihren Wunsch zu erfüllen. Sollte sie doch ihren Frieden haben. Milo aber war die Aufforderung seiner Mutter verdächtig vorgekommen. Schäfchen zählen, warum sollte er das bloß tun? Lange nach dem ersten gescheiterten Zählversuch schoss ihm die Erklärung in den Kopf. Seine Mutter wusste, dass es im Himmel Schäfchen gab, woher auch immer ihr Wissen stammte, und Müttern können Kinder vertrauen. Also nahm Milo diese These als unumstößlich und leitete daraus den allzeit gültigen Beweis ab, dass er einst vom Himmel gefallen war, schließlich kam er ja in ein Wolljäckchen gekleidet auf der Erde an. Und dieses Jäckchen war aus Schafwolle!

Da Schafe im Himmel wohnten und daher Geschöpfe des Himmels waren, musste Milo selbst auch ein Geschöpf des Himmels sein, zumal er ja auch von dort gefallen war. Milo war ein kosmisches Kind!

Jahrelang hatte Milo an dieser doch recht schlüssigen Ableitung seiner Herkunft gezweifelt, aber sie schien der Wahrheit zu entsprechen, da kein anderer Mensch oder keine Beobachtungen ihm je vom Gegenteil überzeugen vermochten. Bestärkt hatte Milo auch Mutters Reaktion, kurz nach seinem Aufprall auf der Erde von ihm ein Foto zu schießen. Sie hatte ohne zu zögern in ihre Handtasche gegriffen, den Fotoapparat herausgezogen, ihn auf die kaum befahrene Straße gestellt, die unerwartete Ankunft ihres Sohnes auf Filmspule gemeißelt und für die Ewigkeit festgehalten. So etwas machte man nur, wenn etwas Absurdes, Außergewöhnliches, absolut Unerwartetes passierte, nicht aber während eines gewöhnlichen Spaziergangs.

Hinzu kam noch ein Hinweis aus der Bevölkerung, den Milo Jahre später, als er mit Freunden Fußball spielte, aufschnappen konnte. Einer seiner Freunde fragte Milo, ob es denn stimmte, dass er von seinen Eltern adoptiert wurde. Der Freund hätte am Tag davor ein Gespräch seiner Eltern belauscht und dies vernommen.

Als Milo das hörte, fiel er aus allen Wolken. Wieder einmal. Das war nun der letzte fehlende Baustein im fast fertiggestellten Puzzle der Ursachenforschung seiner Herkunft. Er war ein Adoptivkind! Milo hopste umher vor Freude, ließ es allen anmerken, dass er ein immaterielles Geschenk erhalten hatte, auf das er lebenslang schon warten musste. Er wurde von seinen Eltern adoptiert! Zu Hause angekommen, wollte Milo seine Erkenntnis sofort Vater und Mutter mitteilen, hielt sich dann aber doch zurück, denn er wollte sehen, ob, wann und wie sie ihm die Tatsache, dass er ein Adoptivkind war, beichten würden. Milo musste noch sehr lange auf einen offiziellen Beweis warten, und dieser kam nicht von seinen Eltern selbst, sondern von einer Adoptionsurkunde, die er Jahre später in einer verstaubten Dokumentenmappe finden konnte.

Mit seinen Eltern hatte Milo nie darüber gesprochen, auch nicht nach dem Fund der Urkunde. Er wollte sie nicht verletzen, keine alten Wunden aufbrechen, denn für viele Adoptivkinder dieser Erde war die Nachricht, einst adoptiert worden zu sein, eine Schreckensnachricht, ein Stoß in unsichere Zeiten, verbunden mit der Suche nach Identität und Herkunft. Nicht aber für Milo. Er sah sich als glücklichstes Kind der Welt, das nun den endgültigen Beweis erfahren durfte, vom Himmel gefallen zu sein. Und wer konnte das von sich schon behaupten!

Milo beschloss, sein Geheimnis mit ins Grab zu nehmen, sollte er seine letzte Ruhestatt in der Erde finden, oder aber mit in die Urne, sollte er bei eintausendzweihundert Grad Celsius Abschied von irdischen Gelüsten feiern. Es hieß, dass jeder Mensch mindestens ein Geheimnis auf ewig für sich behalten müsse, um seinen Frieden und die ewige Ruhe zu finden. Aber wollte Milo denn ewige Ruhe finden? Diese Frage wühlte ihn auf. Ewige Ruhe, das klang pathetisch, mystisch und für ihn auch etwas fragwürdig. Es klang endgültig, jeder Aussicht auf noch ein klitzekleines Quäntchen Spaß nach dem Tode beraubt und .... wirklich beschissen. Wer will schon ewige Ruhe. Aber, Milo dachte an seinen Großvater, der dahinröchelnd die letzten Wochen, gar Monate im Bett verbringend musste, versorgt von seiner Frau, die ihn hasste, bemitleidet von seiner Tochter, die nie eine enge Bindung zu ihm aufbauen konnte, ignoriert von seinem Schwiegersohn, dem er völlig wurscht gewesen war, und unverstanden angestarrt von seinem Enkelsohn, der damals noch zu jung gewesen war, um den Sinn des Lebens zu verstehen. Sein Großvater musste sich wohl die ewige Ruhe gewünscht haben, damals, am Ende seiner Kräfte. Ja, es ging um die Kräfte, denn Menschen, die ihre Kräfte noch nicht gänzlich verlassen hatten, würden sich wohl nie die ewige Ruhe wünschen.

Also beschloss Milo, niemals, aber auch wirklich niemals die ewige Ruhe zu suchen, und dabei wird es auch bis zu seinem Tode geblieben sein.

Fügung des Schicksals

Da stand er nun, der seiner Mutter in den Schoß gefallene Bub. Eszter nahm ihn an der Hand und ging langsamen Schritts zurück ins Haus, zeigte Milo alle Zimmer, Bad und Klo, die Speisekammer und den Keller, damit er sich sogleich alles einprägen könne. Außer ihnen war niemand daheim. Ehemann war zur Arbeit, Mutters Mutter einkaufen, und Mutters Vater war, der Vater war – kurzes Innehalten – der Vater war weiß Gott wo. Milo wurde auf den Küchentisch gesetzt und bekam ein Glas Milch in die Hand, das artig in einem Satz ausgetrunken wurde.

Welch glückliche Fügung des Schicksals, dachte Eszter. So ersparte sie sich die ersten eineinhalb Jahre der Aufzucht und Hege des Nachwuchses, was ja wohlweislich die schwierigste Zeit war, voller Schlafentzug, wenn es Eltern ernst und gut meinten, eineinhalb Jahre des Kompostierens von Scheiße und Urin, eineinhalb Jahre Mühsal und Plage.

Milo saß vor seiner Mutter und grinste wie von einem anderen Stern. Vermutlich hatte er schon damals verstanden, dass sein größter Wunsch in Erfüllung gegangen war, seine Adoption.

„Wieso hast du mir nicht gesagt, dass du dich für eine Adoption angemeldet hast?", fragte Ernö seine Frau, die ihm Milo voller Stolz entgegenhielt, als er von der Arbeit heimgekommen das Haus betrat. Eszter rang nach erklärenden Worten, versuchte ihren Mann zu beruhigen.

„Ich beschloss, das für mich alleine zu organisieren, da du vielleicht etwas dagegen haben könntest."

„Mag schon sein, aber das ist Überrumpelung."

„Sieh ihn doch an, den Wonnebrocken!"

Sie grinste übers ganze Gesicht, war voller Stolz und Freude auf zukünftige Zeiten mit ihrer nun kompletten Familie. So hatte sie sich ihr Leben gewünscht, mit Mann und Kind in trauter Dreisamkeit und Glück. Wäre da nicht ein Gedanke, eine Befürchtung, die Milos Mutter sauer aufstieß. Befürchtungen hatten schon immer ihr Leben geprägt, sie war die Verkörperung von bis ins Tiefste ihres Leibes kriechendem Pessimismus. Die ständige Angst an all die möglichen schiefgehenden Lebenswege zwang sie seit dem prägenden Ereignis, da sie als junges Mädchen erleben musste, wie ihre Mutter deren Ehemann fast erstochen hätte, in ein Leben, das sie nicht gewählt hatte. Wann immer es Entscheidungen gegeben hatte, und deren gab es naturgemäß viele, hatte sie sich schon auf dem absteigenden Ast, auf dem Wege des Untergangs gesehen. Menschen hatten es den Tieren voraus, in die Zukunft sehen und denken zu können. Lebensplanung und an Gott oder andere Mächte gerichtete Wünsche unterschieden Menschen von Tieren. Wenn aber, wie in Eszters Fall, alle Gedanken in eine düstere und finstere Richtung zielten, in den Hades eines Menschenlebens, so wünschte man sich ein Tier zu sein. Tiere planten nicht, freuten sich nicht auf die Zukunft, fürchteten sich aber auch nicht vor der Zukunft. Sie lebten im Hier und Jetzt und versuchten durch meist instinktive Handlungen ihre eigene und die Existenz des Nachwuchses zu sichern. Da hatte die Evolution keinen Platz vorgesehen für Sorgen um unsichere Zeiten und Zeiten waren nie sicher gewesen. In jedem

Augenblick konnte etwas Schlimmes passieren, konnte man an den Rand seiner Existenz gedrängt werden oder sein Leben lassen. Der Evolution war das völlig egal gewesen, denn sie dachte kollektiv kommunistisch. Individuen spielten in ihr keine Rolle, einzig die Gesamtheit einer Spezies oder Art war am Leben zu erhalten oder besser zu vermehren. Einzelschicksale waren durch die Evolution für null und nichtig erklärt worden. Starb ein Geschöpf, ging das Leben der anderen in der nächsten Sekunde weiter, so als ob nichts geschehen wäre.

Nicht aber so der Homo sapiens, denn dieser musste immer planen, sich Sorgen machen, sich freuen oder andere evolutionär unnütze Emotionen spüren. Und wenn ein Individuum das Pech hatte, ein Pessimist zu sein und immer das Schlimmste annehmen zu müssen, hatte es die Arschkarte gezogen. Zugegeben, jeder war seines Glückes oder Unglückes Schmied, jeder war grundsätzlich mit der Fähigkeit ausgestattet, sein Leben zu ändern und alles daran setzen zu können, um des eigenen Weges Richtung zu steuern, jedoch sind nicht alle Menschen dazu in selbem Maße fähig. Es war auch immer eine Frage der Genetik gewesen. Glücklich, wer positive, gesunde und stärkende Eigenschaften mit auf den Weg bekommen hatte. Unglücklich und verdammt, wer die vernichtenden Eigenschaften vererbt bekommen hatte, jene Eigenschaften, die das Leben schwer machten, seelisch, geistig oder körperlich.

Eszter war eine seelische Veranlagung der letzten Kategorie, eine Frau, die die Depression ihres Vaters in sich trug. Dieser war immer dem Kartenspiel verfallen gewesen, und das in einer zerstörerischen Art, die seinen Depressionen geschuldet war. Nur durch die ständig am Leben erhaltene Hoffnung auf Besseres hatte er sich selbst am Leben erhalten können, und das im wahrsten Sinne des Wortes. Die depressive Kunst der Selbstverneinung war die Prämisse von Milos Großvater, obgleich dies ein Todesurteil für die Familie gewesen war. Er konnte nicht raus aus seinem seelischen Korsett, wusste sich selbst nicht zu helfen und auch nicht bei anderen Hilfe zu suchen. Seine Frau hatte in den ersten Jahren der Gemeinsamkeit unzählige Versuche gestartet, ihn aus seiner Bredouille zu ziehen, ihm seelischen Beistand zu leisten, hatte es dann aber aufgegeben. Zu viel Kraft hatte ihr all das gekostet, Kraft, die sie für Anderes gebraucht hatte, für die Aufzucht ihrer Tochter, für familienerhaltende Maßnahmen. Sie hatte ihren Mann schlussendlich als den akzeptiert, der er in seinem Innersten auch war: ein Verlierer, ein Schwächling, ein depressiver Familienvater, der keiner seiner Pflichten nachkommen konnte.

All das hatte Eszter von ihm vererbt bekommen. Es war ein trauriges Vermächtnis, mit dem sie bis zu ihrem Tode nicht klarkommen sollte.

Eszter hielt Milo ihrem Mann vors Gesicht. Ein Bub, wie er im Buche stand, der endlich eine lange und schwierige Phase im Leben der Familie beenden konnte. Milo war der vom Himmel Gesandte, der zur Rettung der Familie auf die Erde gedonnerte.

Jahre später erfuhr Milo, dass es bereits vor seiner Ankunft ein Kind gegeben hatte. Ein Junge, der auf natürliche Weise ins Leben der Familie treten hätte sollen, wäre da nicht die besorgniserregende Lage seines Körpers im Leib der Mutter gewesen. Ärzte im Krankenhaus hatten zu spät bemerkt, dass sich die Nabelschnur um den Hals des Winzlings gewickelt hatte und die Luftzufuhr während des Geburtsvorgangs abschnürte. Mit blauem Kopf fuhr das Kind aus dem Körper der Mutter, Ärzte und Krankenschwestern versuchten nervös und mit zittrigen Händen das Leben des Neugeborenen, das an einem dünnen Faden hing, der sich Nabelschnur nannte, noch zu retten. Vergebens. Minuten nach der Geburt starb das Kind. Hätte es überlebt, wäre es wohl bis zu seinem Tode auf fremde Hilfe angewiesen gewesen. So gesehen ein Glücksfall, hatte Milos Großmutter gedacht, denn sie hatte immer das leidvolle Leben ihres Enkelsohnes und auch das ihrer Tochter vor Augen gehabt. Und es müsse ja was Besseres nachkommen, Gott konnte diese Familie nicht im Stich lassen.

Wie gebeten, fiel ihnen einige Jahre später Milo in den Schoß, ein unerwartetes Wunschkind. Ernö war mit der Situation augenscheinlich unzufrieden. Es stieß ihm gegen den Sinn, dass er in die Ankunft des Nachwuchses überhaupt nicht involviert und eingebunden war, ja im Vorfeld gar nicht informiert wurde. Er kam zu seinem Sohn wie die Jungfrau zum Kinde, war vor gegebene Tatsachen gestellt und anfänglich überfordert gewesen.

Wie sollte er das akzeptieren können? Seine Frau hatte, in diesem Glauben wurde er durch ihre Schilderung gelassen, einen Adoptionsprozess ohne seine Zustimmung eingeleitet, und nun lag das Kind vor ihm. Sprachlos glücklich Milos Mutter, sprachlos erbost Milos Vater. Irgendwann würden sich die beiden Gefühlswelten der Eltern schon vermengen und ein positives Gefühl in ihnen erzeugen können, hoffte Milo, der gerade in den Armen der Mutter furzte.

Veröffentlichung

Wochen vergingen und Ernö hatte begonnen, sich mit seiner unerwarteten Rolle als Kindsvater anzufreunden, Marika glaubte ihrer Tochter aber kein Wort. Milos Großmutter war eine Frau mit einer Schlauheit ausgestattet, wie man sie in einfachen dörflichen Gesellschaften nicht so leicht finden konnte. Sie war immer skeptisch, belesen und hinterfragte generell zuerst alles Neue, was ihr vor Ohren und Augen geworfen wurde. Dies war grundsätzlich eine löbliche und tugendhafte Eigenschaft, doch manchmal wurde sie ihr zum Verhängnis, und das wusste die Frau, konnte aber nie über ihren Schatten springen. Sie misstraute generell jeder und jedem.

Aufgewachsen in einer bauernschlauen Familie, als junges Mädchen, es war wohl schon im Alter von fünf oder sechs Jahren, zur Mithilfe in Stall und am Feld genötigt, im Alter von zehn Jahren gar verliehen an Fremde des Nachbardorfs. Sie musste zwei Jahre ihres Lebens dort verbringen, ohne jemals ihre Familie besuchen zu dürfen, obwohl sie nur zehn Kilometer Wegstrecke von ihr trennten.

Die beiden Alten am Hofe mussten gepflegt werden, und keiner von den jüngeren Generationen hatte die Zeit dafür, was für damalige Verhältnisse ungewöhnlich war. Diese Familie war verschrien im Dorf und gemieden, was schlimmer war als Ignoranz. Es war ein ungeschriebenes Gesetz gewesen, dass jemand, um den sich kein Familienangehöriger kümmerte, wohl mit dem Teufel im Bunde gewesen sein musste. Die sogenannten ‚Ungepflegten‘

waren Geächtete, Unreine, Vogelfreie, mit einem Schandfleck versehene. Und mit diesen armen Kreaturen wurden ihre Familienangehörigen in einen Topf geworfen, es wurden gleichsam alle Menschen im Dunstkreis der Ungepflegten als vom Teufel besessene gebrandmarkt.

Marika hatte das Pech, in so eine Familie verliehen worden zu sein und was sie alles mitansehen und mitmachen musste, blieb unbemerkt, denn sie hatte über die zwei Jahre keine Möglichkeit, vom Hofe und der umliegenden Felder wegzukommen.

Ob sie es gut hatte während dieser Zeit, konnte kein Außenstehender beurteilen. Nie hatte Milos Großmutter über die beiden Jahre am Hof nach der Rückkehr gesprochen, auch nicht mit ihren Eltern oder Geschwistern. Sie brachte darüber kein einziges Wort über ihre Lippen. Ihre Eltern glaubten, dass sie ausgenutzt, gequält oder gar sexuell missbraucht wurde, was ja zu dieser Zeit nicht ungewöhnlich war. Bis ins Grab hinein hatten sie sich deswegen Vorwürfe gemacht, die Lebensumstände aber machten den Schritt unumgänglich, denn die Zeiten waren schwer und forderten Tribut.

Marika begann sich erst im Alter von vierzehn Jahren zu bilden, es war unmittelbar nach der Rückkehr zu ihrer Familie. Sie stieg in die Volksschule ein, war bei Weitem die Älteste der Klasse. Buchinhalte wurden von ihr aufgesogen, alles interessierte sie, und sie holte die verlorenen Jahre in Windeseile auf, konnte die Schule frühzeitig abschließen. In ihrer freien Zeit, wenn sie das überhaupt jemals gehabt hatte, denn der Begriff Freizeit wurde erst vierzig Jahre später erfunden, widmete sie sich dem Lesen. Österreichische und ungarische Literatur standen auf dem Programm, war sie doch zweisprachig aufgewachsen.

Milos Großmutter begann sich für Politik zu interessieren, was ungewöhnlich war für Landmädchen ihres Alters. Manchmal gab es zu Hause die Zeitung zu lesen, was einem demutseinflößenden Ereignis gleichkam, denn Bildung wurde nicht großgeschrieben in der Dorfgesellschaft. Hielt Milos Großmutter die Zeitung in ihren Händen, kam es für sie einem Festtag gleich, Zeitung und Schweinsbraten wurden zu Synonymen für einen besonderen Tag, an dem sich die Familie Luxus leisten konnte. Bevor das Mädchen den würdigen Augenblick des Zeitunglesens feierte, zog sie ihr schönstes Kleid an und die Sonntagsschuhe. Erst danach fing sie an, von einem Kapitel zum anderen zu blättern. Manches Kind überflog die ersten, gar nicht kindergerechten Seiten der Politik und wollte hin zu den lustigen Karikaturen, die manchmal zu finden waren. Nicht so Milos Großmutter, denn sie blieb unmittelbar nach dem Umschlagen des ersten Blattes hängen und saugte politische Inhalte auf. So war Marika gestrickt.

Eines warmen Sommertags des Jahres 1920 nahm Marika all ihr monetäres und schwer zusammengespartes Vermögen, verließ frühmorgens vor Sonnenaufgang unbemerkt das Haus und begab sich auf eine Wanderung in die nächstgelegene Stadt, siebenunddreißig Kilometer vom Dorf entfernt. Sie hatte vernommen, dass es dort ein Geschäft gab, das voller Bücher steckte, Tausende von nach altem Papier duftenden Schriften der Gelehrten aus aller Welt. Sie nahm sich vor, zwei Bücher zu kaufen.

Siebenunddreißig Kilometer Wegstrecke war für ein sechzehnjähriges Mädchen kein Honiglecken. Marika hatte das unterschätzt, denn sie war für diese Reise kaum mit Proviant ausgestattet. Wasser mochte sie unterwegs ja finden, aber es mangelte ihr an Essbarem. Die beiden Brote waren nach vier Stunden Wegmarsch verzehrt und sie wusste nicht, wie lange ihre Wanderung noch dauern würde. Schlussendlich erreichte sie aber guten Mutes die Stadt, fragte sich durch zu dem sagenumwobenen Laden. Kaum die Eingangstür geöffnet, schwebte ihr der wissensschwangere Duft von Papier entgegen. Sie folgte ihrer Nase und gelangte bald zum Regal mit all den Büchern, geschrieben von schlauen politischen Menschen.

Nach einer Stunde Stöbern und Suchen hielt sie zwei Bücher in den Händen, eines von Karl Marx und eines von Jean-Jacques Rousseau. Von diesen Persönlichkeiten hatte sie in der Zeitung erfahren. Sozialismus war eines der aktuellen Schlagwörter der damaligen Zeit, viel wurde davon publiziert, im Radio gebracht und im Dorf geredet. Milos Großmutter kannte die beiden Namen und wusste über das politische Gewicht dieser beiden Größen Bescheid.

Der Verkäufer blickte sie an der Kassa verwundert an, hatte er doch noch nie ein Mädchen gesehen, dass Marx oder Rousseau in Händen hielt. Er wollte sie noch fragen, ob die Bücher für ihre Eltern waren, hielt sich aber zurück und dachte, Geschäft ist Geschäft. Er konnte nie erfahren, dass Marx und Rousseau das Mädchen selbst beeinflussen würden.

Das Geld reichte gerade für die beiden Bücher, Marika hatte Glück. Und sie war sich nicht bewusst, dass dieser Kauf der

Anfang einer Liebe zur politischen und gesellschaftlichen Strömung des Sozialismus war.

Siebenunddreißig Kilometer Heimweg lagen vor ihr, den sie aber mit Leichtigkeit bewältigen konnte, denn die Vorstellung, bald in den Büchern lesen zu dürfen, erweckten in ihr ungeahnte Kräfte. Der Schleier der Finsternis hatte sich bereits über das Land gelegt, als das Mädchen todmüde und vor Hunger fast sterbend, aber überglücklich zu Hause ankam. Ihre Eltern tadelten sie, eine Ohrfeige nach der anderen kam angeflogen, doch sie spürte keinen Schmerz, hielt sie doch Marx und Rousseau in ihren Händen, in die sie große Hoffnung legte, sie von jeglicher Pein und Angst zu erlösen.

Marika glaubte ihrer Tochter kein Wort. Die ersten Tage nach Milos Aufprall vergingen ohne großes Gerede, um die neue Familiensituation mal sacken zu lassen. Die Tochter, so glaubte Marika, wird schon noch die Wahrheit herausrücken. Es konnte nicht sein, dass Eszter unbemerkt von allen anderen Familienmitgliedern solch eine Adoption abgewickelt hatte, da kannte Marika ihre Tochter zu gut. Nie hätte sie ihr das zugetraut. Und dann müsste ja die Fürsorge wenigstens einmal bei ihnen vorbeigeschaut haben. Doch von so einem Besuch hatte sie nichts mitbekommen. Die Fürsorge müsste auch mit den Großeltern, wenn sie im selben Haushalt lebten, gesprochen haben, um sich ein ausreichend tiefes Bild von der Familie machen zu können. Nein, das Kind konnte nicht adoptiert worden sein.

Woher zum Teufel hatte sie bloß den Fratz, fragte sich Marika grübelnd all die Tage. Gestohlen? Kann wohl nicht sein, da würde sie für ihre Tochter die Hand ins Feuer legen.

Geborgt? Was hieß geborgt! Von wem? Wer hatte dies zugelassen? Obwohl, die Zeiten waren nach wie vor nicht einfach. Es ging den Menschen quer durch die Bevölkerung um einiges besser als im Krieg oder unmittelbar danach, denn seit Kriegsende war eine besondere Stimmung im Lande zu spüren, positiver Aufbruch in gute Zeiten, gedeihendes Sozialgefüge, Hoffnung und Vertrauen in die Zukunft, ganz das Gegenteil von Alfred Polgars Bonmot, dass Österreich ein Volk sei, das voller Zuversicht und Optimismus in die Vergangenheit blickte. Das Volk hatte vieles vor, denn das Land sollte wiederaufgebaut werden. Männer und Frauen taten ihr Bestes, um eine Welt voll Frieden und Wohlstand zu schaffen.

Wer würde sein eineinhalb Jahre altes Kind jemandem borgen, und wenn, dann wofür und wie lange? Nein, unmöglich. Dann blieb nur noch ‚geschenkt‘. Das konnte sehr wohl zutreffen. Ein Geschenk wäre eine besondere Form der Adoption. Einmal ein Kind zur Adoption freigegeben, kann es von den neuen Eltern als Geschenk betrachtet werden. Marika konnte sich vorstellen, dass vor einigen Tagen durch Gottes Fügung, sofern es ihn geben sollte, plötzlich, unerwartet und unentdeckt in einer Nacht-und-Nebel-Aktion ein Kind vor dem Haus abgegeben wurde, besser abgestellt wurde. Schnell floh die verzweifelte leibliche Mutter, ohne von den Bewohnern der Dorfstraße gesehen worden zu sein. Das Kind stünde verlassen in der Dunkelheit vor der Haustür, wüsste weder ein noch aus, das Leben ein Scherbenhaufen, da von seinen Eltern keine Spur mehr war. Tränensturzbäche weinend stünde das Kind vor dem Haus, sein Leben, es hätte es sich anders vorgestellt. Das Weinen dränge durch die Haustür hinein bis in die letzten Ritzen des

Gemäuers und verkröche sich in dem Gehörgang der Tochter des Hauses, die nach draußen spränge und das Geschenk dankend annähme. Ohne sich nach Mutter oder Vater des Kleinen umschauend, ginge sie ins Haus und plante ihr Leben als glückliche Mutter, um endlich den Nachbarn zeigen zu können, dass auch sie ein normales Leben führen könnte wie jede andere, dass auch sie mit dem Strome mitschwimmen vermochte, wie die meisten anderen, und dass nun keiner im Dorfe mehr über sie schlecht reden dürfte. Ja, so könnte es gewesen sein, überlegte Marika. Das traute sie ihrer Tochter zu, denn dazu gehörte kein Mumm. Mitten in der Nacht, ohne ein Wort zu sagen, die Familie durch eine glückliche Fügung des Schicksals um ein Mitglied zu erweitern, das wäre durchaus denkbar gewesen für Milos Großmutter, die jetzt mit der neuen Situation ins Reine gekommen war. Es war von Eszter nicht weit hergeholt, die Erklärung der Adoption schien nahe an den für Marika nun schlüssig gewordenen Tatsachen gelegen. Nun denn, so sollte es sein, sie würde ihrer Tochter keine Szene machen und so tun, als ob es das Normalste auf der Welt gewesen sei, plötzlich ein eineinhalb Jahre altes Kind sein Eigen zu nennen. Nein, sie würde kein Wort mehr Eszter gegenüber verlieren, für Marika war es gegessen, zumal sie ja von einem Augenblick zum anderen Oma wurde, was sie sich nach dem Unglück vor ein paar Jahren, als Eszters leiblicher Sohn plötzlich nach der Geburt gestorben war, sehnlichst gewünscht hatte.

Das Leben war gut und schön, mal davon abgesehen, dass der eigene Mann im Hause nur geduldet wurde und ein Leben als Herbergsgast fristen musste. Aber sonst liefs recht gut, fand Marika, nahm ihre Dienste als frischgebackene

Oma auf und hob ihren Enkel in die Höhe, um ihm ein entzückendes Lächeln zu entlocken.

Gewöhnung

Ernö wurde zusehends glücklicher und ging in seiner neu angenommenen Rolle auf. Nach dem Heimkommen von der Arbeit, was meist so um fünf Uhr Nachmittag der Fall war, widmete er sich als erste Aufgabe immer seinem Sohn, spielte mit Milo eine Weile und setzte ihn dann neben sich an den Küchentisch, damit Milo sehen konnte, was Vater so in sich hineinstopfte, wenn er hungrig war. Milo wurde von ihm Nachzuahmendes vorgelebt und vorgesprochen. Ernö war es ein spezielles Anliegen, seinem Sohn eine gute Aussprache und einen großen Wortschatz beizubringen. Auch die Grammatik hatte einen Ehrenplatz im Ernös Leben.

Milo hatte Riesenglück, dass er im Alter von eineinhalb Jahren auf der Erde aufgeschlagen hatte, denn Kinder in diesem Alter sprachen üblicherweise noch kaum ein Wort oder begannen gerade damit. Es war folglich keinem aufgefallen, weder Eltern noch Großeltern, dass Milo keine Silbe der deutschen oder ungarischen Sprache über seine Lippen brachte. Woher sollte er das auch gekonnt haben. Aus einer fernen Galaxie kommend war die Wahrscheinlichkeit verschwindend klein und an null grenzend, zumindest einer der beiden Sprachen mächtig gewesen zu sein. Es war für Milo an der Zeit, die Sprache seiner Eltern zu lernen, und er lernte schnell, saugte alles auf. Er vermochte nicht nur das Gehörte, sondern auch die Frequenzen von Vater und Mutters Stimmen abzuspeichern. Milo schaffte es nach kurzer Zeit, die Botschaft seiner Eltern allein durch die Druckwellen der Sprache zu verstehen, ohne einen Ton hören zu müssen. Diese Fähigkeit hatten nur Tiere, da sie den Anfängen der Evolution weit näherstanden als Menschen. Der Homo sapiens hatte sich schon zu sehr von seinen ursprünglichen Spürsinnen entfernt, um solches noch zu fühlen. Abgestumpft durch Jahrtausende hochgeistiges Streben nach mehr Verständnis für die Welt, wurde der Mensch zu dem, was er im zwanzigsten Jahrhundert war: ein Lebewesen mit großem Mangel der Sinne.

Der Junge tat es den Tieren gleich, begab sich auf ein und dieselbe Ebene mit Hunden und Katzen der Nachbarschaft, mit dem Geflügel in der Straße, mit den Vögeln, die ihm um die Ohren flogen.

Milo mochte vielleicht zwei oder drei Jahre alt gewesen sein, als seine Mutter eine seltsame Beobachtung machen durfte. Sie war im Haus, blickte durchs Fenster und sah ihren Sohn im Garten stehen. Er verhielt sich zuerst wie immer, nichts Verdächtiges war ihm anzumerken. Dann aber, seine Mutter starrte mit Verwunderung aus dem Fenster, streckte Milo einen Arm im rechten Winkel zum Körper aus, schaute dem Zenit in die Augen und verharrte für eine Minute regungslos. Eszter glaubte, es wäre mit Milo etwas nicht in Ordnung, er hätte einen nervlichen Krampf oder einen Gehirnschlag erlitten, oder aber glaubte nur Regentropfen zu spüren. Sie wollte gerade zu ihm nach draußen, da sah sie von der Ferne einen schwarzen Punkt auf Milo zukommen. Gefesselt stand Eszter da und harrte der seltsamen Dinge, die da passierten. Der Punkt wurde größer und länglicher, veränderte auch in vollendeter Regelmäßigkeit die Form. Nach und nach konnte

Eszter erkennen, was auf sie oder ihren Sohn zukam. Es war ein großer Vogel mit schwarzem Gefieder, die Flügelspannweite wohl ausladender als jene des größten Vogels, den sie je gesehen hatte. Hundert Meter vor Milo verstummte sein Flügelschlag und er segelte ohne Bewegung im Aufwind der warmen Bodenströmung des Sommers auf den Jungen zu, der noch immer zum Zenit blickte und keine Regung zeigte. Für die letzten zwei Meter vor der zärtlichen Landung auf Milos Arm brauchte der Riesenvogel wohl eine halbe Minute. Wie in Zeitlupe rückte die schwarze Gestalt ohne Veränderung der Form näher an Milo, bis sich die Fänge, ohne ihn zu verletzen, um den unbekleideten Oberarm verkrallten und die Flügel sich langsam an den Vogelkörper anschmiegten.

Milos Mutter blickte starr vor Angst. Nein, es war nicht Angst, es war die Starre der Ehrfurcht und der Demut, sie blickte starr vor Demut auf den Vogel, der Milo mit seinem enormen und furchterregenden Schnabel gerade die Nase kraulte. Ihr Sohn lächelte den schwarzen Riesen an, die beiden verharrten wie Brüder im Geiste einige Minuten lang. Milos Mutter wurde erst jetzt bewusst, welche Kraft ihr Sohn entwickelt haben musste, um ohne mit der Wimper zu zucken, den wohl mehr als zehn Kilogramm schweren Vogel seelenruhig für einige Minuten auf dem Arm halten zu können.

Das Leben der Familie schien für kurze Zeit angehalten worden zu sein, keine Bewegung, so als ob jemand die Pausetaste gedrückt hatte und darauf wartete, dass Vogel und Kind einen Körperstarre verlangenden Gedankenaustausch vollziehen konnten.

Dann entkam dem Schwarzgefiederten auf Milos Arm ein leises Fiepen und er erhob sich mit langsamem Flügelschlag in die Lüfte. Milo blickte noch eine Weile seinem Seelenbruder nach und begab sich dann wieder in den Körperzustand, den er vor der Begegnung gehabt hatte, so als ob nichts Ungewöhnliches passierte wäre.

Von diesem Moment an wusste Eszter, dass sie ein außergewöhnliches Wesen ihren Sohn nennen durfte.

Eszter hatte große Not, die vermeintliche Adoption offiziell bestätigt zu bekommen. Das unverhofft in den Schoß gefallene Kind musste schließlich von den Behörden mit Stempel und Unterschrift als adoptiert beglaubigt werden. Milo schien in keiner Geburtenstatistik auf, weder in jenen der Krankenhäuser noch in jenen von niedergelassenen Hausärzten oder Hebammen. Hausgeburten ohne Beisein einer Hebamme oder eines Arztes kamen vor, zwar selten aber dennoch, und Eltern meldeten die Geburt ihres Babys bei den Behörden. Es hatte wohlweislich noch keinen Fall im Bezirk gegeben, wo eine Geburt verheimlicht werden konnte und ein Kind plötzlich im Alter von eineinhalb Jahren der Öffentlichkeit präsentiert worden war.

Am Land konnte nichts geheim gehalten werden, mochte sein für kurze Zeit, aber irgendwann kam alles ans Tageslicht, denn Nachbars Häuser hatten Augen und Ohren und ein Gerücht wurde von der Dorfgemeinschaft so lange vorgeführt, bis es sich als Wahrheit offenbarte. Menschen hatten immer in Gemeinschaften gelebt, waren immer Rudeltiere gewesen, das hatte die Evolution mit ihnen vorgesehen. Manchmal gab es Außenseiter, abgeschieden vom öffentlichen Leben dahinvegetierend, die verstoßenen

Omega-Wölfe der Gesellschaft. Irgendwann jedoch kam alles an die Oberfläche und das wusste auch Eszter.

Sie hatte große Mühe, ihre häufigen Busfahrten in die Stadt geheim zu halten. Niemand durfte erfahren, dass erst jetzt ein Adoptionsverfahren eingeleitet worden war. Sie hatte Milo bei der Behörde als Findelkind gemeldet und um Adoption angesucht. Die Erklärungsnot war groß, als die Beamten sie nach der Art und Weise fragten, wie sie das Kind gefunden hatte. Niemand wollte ihr so recht glauben, aber nach vielen Wochen und der Tatsache, dass der Bub weder als vermisst galt noch irgendwo in Akten aufscheinend war, gab die zuständige Behörde klein bei und stellte die Dokumente mit Stempel und Unterschrift aus. Sie mussten einsehen, dass auch der Staat manchmal an seine Grenzen geraten konnte. Eszter hielt die Urkunden in Händen und war um einiges ärmer, denn der Staat tat seine Schuldigkeit nicht umsonst und hatte ihr Geld zuhauf abgenommen, denn dieses Verfahren verschlang viele Beamtenstunden. Ihr fiel ein Stein vom Herzen, eine große Last, denn bis jetzt war sie nur ungern mit ihrem Sohn vors Haus getreten, um ja keine unangenehmen Fragen von Nachbarn oder Bekannten beantworten zu müssen. Jetzt aber konnte sie aller Welt beweisen, dass Milo ihr Sohn war, besiegelt für alle Zeit, und diesen Beweis hatte auch ihr Mann eingefordert. Er glaubte der Geschichte nicht, die ihm wochenlang aufgetischt wurde. Nichts hatte er mitbekommen von den Behördengängen seiner Frau, von all ihren angeblichen Fahrten in die Stadt und Terminen auf Ämtern. Er wusste, dass sie eine gewisse Bauernschläue in sich trug, aber auch, dass sie aus der Tiefe ihres Herzens eine aufrichtige Person war. Er zweifelte nicht daran, dass sie bei einer so wichtigen familiären

Entscheidung ihn miteingebunden hätte. Und doch musste er akzeptieren, dass nun seine Frau ihm die Adoptionsurkunde samt Milo vor Augen hielt.

All das Geschehene rumorte in Ernö noch lange Zeit und wühlte ihn nächtens auf, doch da Wunden von der Zeit geheilt wurden, konnte man die Narben auf der Seele des Vaters nach einigen Monaten kaum mehr entdecken. Milo war gänzlich in der Familie angekommen.

Im Dorf gab es einen Kindergarten, was keine Selbstverständ-lichkeit war. Die Akzeptanz in der Bevölkerung aber war nicht groß. Kinder wuchsen im Schoße ihrer Familie auf, es war stets jemand da, der sich um sie sorgte und ihnen ein wohliges Aufwachsen bot. Eltern, Großeltern, Urgroßeltern oder Geschwister, alle beteiligten sich an der Erziehung der Sprösslinge und es war kein Platz in den Köpfen der Menschen am Lande für einen Kindergarten. Doch es kam die Zeit des Aufbruchs in eine neue, andere Lebensweise der Menschen. Der Individualismus begann zu blühen und man achtete mehr auf seine eigenen Bedürfnisse. Diese Strömung wiederum überzeugte vermehrt Eltern, dass der Kindergarten eine wunderbare Einrichtung war, in die man Kinder für einige Stunden des Tages stecken konnte, um ihnen die Möglichkeit zu bieten, mit ihresgleichen Sozialkontakte zu knüpfen und als eine Art Vorschule schon der ersten Volksschulstufe Arbeit abzunehmen. Im Besonderen war dies für Einzelkinder wichtig, denn ihnen hatte es an Reibeflächen mit Gleichaltrigen gemangelt.

Milos Eltern berieten sich viele Male, ob sie ihren Sohn in den Kindergarten schicken sollten, doch sie kamen von diesem Gedanken wieder ab, denn zu Hause war Milos Großmutter, die das Zepter in der Hand hielt und die Aufzucht ihres Enkelsohnes für sich reklamierte. So war es denn auch, dass Milo in den ersten zwei Jahren allein und ohne Kontakte zu Gleichaltrigen aufwuchs.

Wachsmalkreiden

Jener Tag, an dem sich das ändern sollte, war ein nebliger Herbsttag, ein üblicher und nichts verheißender Novembertag. Milo saß im Wohnzimmer am Boden und hatte seine Spielzeugautos um sich geschart, von denen er Baujahr und technische Daten kannte. Er hatte schon immer ein Faible für Straßenfahrzeuge. Ob Auto, Motorrad oder Traktor, all diese Gerätschaften, die Menschen von einem Ort zum anderen bringen konnten und großen Lärm machten, hatten es ihm angetan. Er saugte alles an Information darüber auf wie ein Schwamm. Er bettelte nach Büchern, wo er Bilder und technisch Wissenswertes finden konnte.

Milos Lieblingsbeschäftigung war, rücklings im Fond von Vaters Auto zu sitzen und den anderen Insassen alle Details über die Fahrzeuge zu berichten, die sich ihrem Auto von hinten näherten. Seine Eltern hatten sich immer gewundert, wie denn ein Bub von eineinhalb, zwei Jahren in Windeseile die Sprache lernen konnte. Sie zweifelten nicht daran, dass dies ein himmlisches Vermächtnis sein musste und nahmen das Geschenk Gottes an.

An dem besagten Novembertag saß also Milo inmitten seiner Spielzeugautos und gab altersgerecht ein Brummen, Surren und Unfallgeräusche von sich. Plötzlich hielt er inne, blickte an die Decke und gab seiner Umwelt ein Zeichen: Ich muss weg.

Milo stand auf, lief zur Haustür, öffnete diese unter großer Anstrengung, er war drei Jahre alt und lief das Haus entlang zum Gartentor. Seine Mutter hatte seinen Abgang nicht bemerkt, denn sie machte in diesem Augenblick die Zimmer des Obergeschoßes sauber. Milo öffnete das Gartentor und lief zielsicher die Straße entlang bis zum Hause einer benachbarten Familie, keine zweihundert Meter entfernt. Er musste die Straße queren, was aber kein Risiko war. Die größte Gefahr wäre wohl von einem Pferdefuhrwerk oder einem Fahrrad ausgegangen, aber die Straße war nicht befahren, und so konnte Milo ohne sich umzusehen, auf die andere Seite gelangen. Er wusste, dass in diesem Haus ein kleines Mädchen wohnte, das sich nach ihm sehnte, klingelte an der Haustür und wartete. Ihre Mutter öffnete und kaum war der Türspalt groß genug für Milo, flitzte er durch diesen und rannte in die Küche, wo das Mädchen am Tisch saß und Suppe löffelte.

„He, was soll das, wer bist du? Wo willst du hin?"
Die Frau eilte Milo nach und forderte ihn auf stehenzubleiben. Sie ergriff ihn am Arm, drehte ihn zu ihr, blickte mit ernster Miene und fragte nochmal dasselbe.
Die lapidare Antwort des Jungen folgte auf den Fuß.

„Zum Mädchen. Ich möchte ihr zeigen, wie man ein Gesicht malt."
Die Kleine ließ ab von der Suppe, sprang von der Eckbank und hüpfte erfreut vor Milo.

„Ja, malen, malen!"
Ihre Mutter fragte erneut.

„Wer bist du, Bub? Ich hab dich noch nie gesehen."

„Ich bin Milo und mich hat der Himmel geschickt."
Die Frau war ob Milos Sprachkünsten verblüfft, stand doch allen Anschein ein zwei, drei Jahre alter Junge vor ihr, der plötzlich von weiß Gott woher gekommen war, genau wusste, was er wollte und redete wie ein Erwachsener.

Das Mädchen hörte nicht auf umherzuspringen und war voll freudiger Erregung.

„Jetzt hör doch mal mit dem Hüpfen auf, Sonja!", befahl die Frau ihrer Tochter, die tat, wie ihr geheißen wurde.

„Was heißt, dich hat der Himmel geschickt?", wollte die Frau von Milo erfahren.

„Wer hat dich geschickt? Heißt deine Familie etwa Himmel?"

Milo wurde ungeduldig, da die Frau sichtlich keinen blassen Schimmer hatte, wer er war und woher er kam. Es war doch nichts Besonderes, wenn man vom Himmel geschickt wurde. Er wiederholte langsam: „Ich heiße Milo, komme vom Himmel, wo die Schäfchen wohnen, und möchte Sonja zeigen, wie man malt."

Wieder machte die Frau ein verdutztes Gesicht, da in dieser Situation nichts zusammenpasste. Hier der kleine Bub, keine neunzig Zentimeter groß, und da sein Reden, das jenem eines erwachsenen Mannes glich.

„Wieso weißt du, dass Sonja hier in diesem Haus wohnt?", fragte sie Milo, der aber keine Anstalten machte ihr zu antworten.

„Habt ihr Wachsmalkreiden?", fragte Milo unver-fänglich.

„Was, Wachsmalkreiden? Wieso denn, was soll das?"

Sonjas Mutter konnte die Fassung noch nicht wiederfinden, so überrumpelt hatte sie Milo mit seinem Kommen. Sie musste sich an den Küchentisch setzen und versuchte Ruhe zu bewahren.

„Sonja, kennst du diesen Buben?"

Das Mädchen machte große Augen und erwiderte mit einer Kopfbewegung, dass sie ihn noch nie gesehen hatte. Wie denn auch, wo er doch vom Himmel gekommen war.

„Aber ich will mit ihm spielen!"

Sonja war wie Milo ein Einzelkind, hatte kaum Kontakte mit Ihresgleichen und bettelte nach der Gelegenheit, mit einem kleinen Jungen den Tag zu verbringen.

„Na gut, bleibst halt da und spielst mit Sonja. Ich hole die Kreiden."

Sonjas Mutter sah dies als Chance, ihrer Tochter einen Spielkameraden zu erlauben, der höchstwahrscheinlich aus der Nachbarschaft stammte und einfach nur wirres Zeug redete. Aber er schien hochbegabt zu sein, und das käme ihr nicht ungelegen.

Sonjas Familie war vor zwei Jahren von einem Schicksalsschlag gebeutelt worden, als sie einen Autounfall hatten, wo ihr Bruder und Vater ums Leben gekommen waren. Sonja selbst war wie durch ein Wunder fast ohne Verletzungen davongekommen und hatte viele Wochen bei ihren Großeltern verbracht, solange ihre Mutter im Krankenhaus genesen musste. Diese hatte äußerlich keine bleibenden Schäden davongetragen, sie erhielt von den Ärzten aber die deprimierende Prognose, niemals mehr ein Kind gebären zu können. In ihrem Schmerz verkroch sie sich im Hause und hieß auch Sonja tunlichst das zu tun. Sie erkannte nun Milos plötzliches Hereinschneien als Segen für ihre Tochter und verstand in dem Augenblick, was Milo meinte: Er war ein Zeichen des Himmels.

Wachsmalkreiden waren schnell herbeigeschafft, ebenso ein paar Blatt Papier. Die beiden Kinder setzten sich an den

Küchentisch und Milo begann Sonja das Leben mit Wachsmalkreiden zu erklären.

„Wenn du hell malen willst, drücke nur leicht auf. Schau mal, wie ich das mache."

Milo zauberte ein paar Streifen aufs Papier, die aussahen wie ein klarer Sommerhimmel.

„Wenn du dunkler malen willst, drücke fest auf."

Milo hatte nach ein paar Sekunden ein schattiges Plätzchen unter einem Baum gemalt.

Sonja staunte nicht schlecht, denn es kam auch ihr ungewöhnlich vor, dass ein kleiner Bub die hohe Kunst der Malerei mit Wachsmalkreiden beherrschte.

„Wenn du Farben aufs Papier bringen willst, die die Kreiden nicht haben, mach Schattierungen, also bringe mehr als eine Schicht mit den Kreiden übereinander."

Milo nahm die gelbe Kreide in die linke Hand und die blaue in die rechte, er machte ein paar schwenkende Handbewegungen mit beiden Händen gleichzeitig und wie durch ein Wunder erschien eine zartschattierte grüne Fläche auf dem Blatt. Sonja staunte.

„Wie hast du das gemacht? Wieso kannst du das so gut?"

Sonjas Mutter saß regungslos neben den beiden und kam aus dem Wundern nicht heraus. Wer war dieser Bub, der aus dem Nichts gekommen war und plötzlich so viele Helle und wohlige Atmosphäre in ihr Haus und ihr Leben brachte?

„Wenn du ganz kleine Punkte malen willst, spitze die Kreide mit einem Messer zu."

Milo streckte die Hand mit der Handfläche nach oben zeigend in Richtung Sonjas Mutter, die unmissverständliche Geste des Verlangens nach einem Messer. Die Mutter verstand, ging zur Lade, holte ein scharfes Messer hervor und legte es Milo in die Hand. Wie von Zauberkraft getrieben tat sie das, ohne nachzudenken. Nie hätte sie das früher gewagt, nie hätte sie einem kleinen Buben bedenkenlos ein Messer in die Hand gelegt, doch sie spürte unendliches Vertrauen.

Milo spitzte mit dem Messer eine Wachsmalkreide zu und zeigte Sonja, wie es dann zu einem perfekten Punkte-Ensemble kommen konnte. Sonja versuchte, es Milo so gut es ging nachzumachen, mit mittlerem Erfolg. Milo aber feuerte sie an, machte ihr Mut.

„Das war gut, fast ausgezeichnet! Versuche es nochmal." Sonja war begeistert. Das erste Mal seit langer, langer Zeit hatte sie richtig Spaß. Sie malte, blickte manchmal ihre Mutter voll des Glücks an, die noch immer paralysiert am Tisch saß.

„Mama, jetzt mal ich dich", prahlte Sonja voller Stolz.

„Beginn mit den Haaren", schlug Milo vor.

Sonja versuchte seinem Rat zu folgen und bekam es ganz gut hin. Voller Stolz zeigte sie ihrer Mutter das Bild, die in Tränen ausbrach.

„Mama, wieso weinst du?"

„Weil ich glücklich bin, mein Schatz."

„Aber dann brauchst du ja nicht weinen."

Es war der glücklichste Tag für Sonja und ihre Mutter seit dem schicksalhaften Unfall vor zwei Jahren. Milo merkte, dass sein Werk gut war und verabschiedete sich.

„Milo, bleib noch ein bisschen da, bitte!", flehte ihn Sonja an. Ihr war anzumerken, dass sie den Jungen nie mehr wieder loslassen wollte.

„Ich muss wieder nach Hause in den Himmel, sonst machen sich die Engel Sorgen. Aber ich verspreche dir, dass ich wiederkomme."

Milo lief nach draußen, ohne ein weiteres Wort zu sagen und ward verschwunden. Sonjas Mutter versuchte ihm noch nachzublicken, aber keine Spur mehr vom Jungen. Der Himmel hatte ihn wieder.

Als Milo lautlos das Haus betrat, sah er seine Mutter weinend am Tisch sitzen. Sie hatte ihren Kopf in den Händen vergraben und wimmerte tränenüberströmt. Er ging zu ihr und tippte ihr auf das linke Knie. Sie schrak hoch, griff sich an die Brust und begann zu schelten.

„Mein Gott, wo bist du gewesen, Milo? Was soll das, willst du mich ins Grab bringen?"

Milo stand wortlos vor ihr. Eszter umarmte ihn innig.

„Hast du dich im Garten versteckt?"

Milo erwiderte lapidar: „Nein, ich war bei Sonja."

„Bei Sonja? Welcher Sonja? Ich kenne keine Sonja."

„Das Mädchen in der Nachbarschaft."

Jetzt erinnerte sich Eszter.

„Ach, bei der Familie, die vor zwei Jahren den schrecklichen Unfall hatte?"

Milo nickte.

„Aber wieso bist du dorthin ohne etwas zu sagen?"

„Ich wollte ihr zeigen, wie man mit Wachsmalkreiden einen Kopf malt", erklärte Milo seelenruhig, als ob es das Normalste auf der Welt wäre, einfach zu jemanden zu gehen, den man noch nie zuvor getroffen hatte, um dem Menschen das Malen eines Kopfes beizubringen.

„Milo, ich mach mir Sorgen um dich, wirklich. Wieso wusstest du, dass in der Nachbarschaft ein kleines Mädchen wohnt? Ich hab dir das nie erzählt und sicher auch niemand anderem."

Milo versuchte seine Mutter zu beruhigen.

„Mama, keine Angst. Ich hab es gespürt. Das Mädchen hat niemanden zum Spielen. Und sie möchte malen. Sie hat ihre Mutter mit Wachsmalkreiden gemalt."
Eszter nahm ihren Sohn auf den Schoß, umarmte ihn ganz fest.
„Was hab ich nur für ein großartiges Kind."
Sie blickte ihm tief in die Augen.
„Milo, du bist ein ganz besonderes Kind, nicht wie andere auch. Und ich weiß nicht, wie du bist, wieso du so bist und woher du das hast. Aber ich liebe dich. Ich hoffe, dass aus dir mal ein Großer wird."
Milo blickte seiner Mutter starr in die Augen.
„Mama, wachsen werde ich schon noch. Darf ich Sonja wieder besuchen?"
„Aber ja, sicher kannst du sie besuchen. Aber das nächste Mal sagst du mir das vorher."
Milo nickte, gab seiner Mutter einen Schmatz auf die Wange, rutschte von ihrem Schoß und ging wieder zurück zu seinen Autos, die er schon vermisst hatte.

Beim Abendessen erzählte Eszter ihrem Mann, was sich zugetragen hatte, dass Milo, ohne es ihr zu sagen zum Nachbarsmädchen gegangen war. Ernö nickte verständnisvoll, aber auch sorgenvoll.
„Unser Bub hat anscheinend eine Aufgabe zu erfüllen, von der wir noch nichts wissen. Ich hoffe, er wird uns irgendwann mal einweihen, und hoffentlich wird es dann nicht schon zu spät sein."
Eszter starrte ihren Mann fragend und schockiert an.
„Was willst du damit sagen?"

Dieser orakelte: „Gott hat uns diesen Buben geschenkt, der außergewöhnlich ist. Wir werden noch lange nicht erfahren, was seine Mission ist."

„Du redest ja so, als ob er der Messias wäre, so ein Blödsinn."
Eszter schnaubte ob der wirren Aussage ihres Mannes.

„Das klingt ja so, als ob ich eine zweite Jungfrau Maria wäre."

„Na ja, weit hergeholt ist es nicht", erwiderte Ernö und lächelte verschmitzt.

„Geh, du mit deinen blöden Geschichten", ärgerte sich Eszter, stand auf und begab sich zum Abwasch.

Milo hatte ab diesem Tag seine neue Freundin über Jahre hinweg einmal in der Woche besucht. Er war wie ein Bruder für sie gewesen, brachte ihr vieles bei, obwohl er drei Jahre jünger war als Sonja. Durch Milo wurde sie zu einem glücklichen Mädchen.

Des Kreuzworts Rätsel

Milos Eltern und Großeltern waren angetan vom kleinen Buben, der ihnen viel Freude bereitete. Er hatte zwar ein eigenes, sehr sonderbares Gemüt, spezielle Bedürfnisse und Vorstellungen vom Kindesleben, aber seine Intelligenz und der Drang nach Wissensaneignung entzückten die ganze Familie. Bis auf Sándor, den Großvater, der ja nur geduldeter und zahlender Gast im Hause war und deswegen keinerlei Interesse am Enkelsohn zeigte, verfolgten alle mit offenen Mündern, wie spielerisch und rasant Milo die Sprache innerhalb von Monaten lernte, grammatikalisch richtig und mit einem Wortschatz, den sonst nur Kinder der mittleren Schulstufen haben. Sie alle hatten nicht die leiseste Ahnung, wie er das anstellte, wie er sich all das aneignete in seinem kleinen Köpfchen, das nebenbei auch voller Kindereien steckte.

Milo hatte sein kleines Geheimnis, das er gut hütete. Keiner sollte dahinterkommen, wie er die deutsche Sprache lernte. Vom ersten Tag in der Familie, von dem Tage an, als er auf der Erde aufschlug, waren Milo Papiergebinde mit unendlich vielen kleinen und sonderbaren Zeichen und Bildern aufgefallen, die jeden Tag zur selben Zeit an derselben Stelle auf dem Küchentisch lagen. Keines war dem des Vortags gleich, keines glich dem des nächsten Tages. Milo betrachtete diese Gebinde, die von den Erwachsenen ‚Zeitung' genannt wurden, mit großem Interesse und erkannte, dass sich darin Information versteckt hielt, die sich nur einer eingeweihten Elite offenbarte. Für andere, Nichtwissende, war der Inhalt der Gebinde belanglos und nichtssagend. Er beobachtete, wie Vater, Mutter und auch Großmutter ab und zu darin herumwühlten, er fand heraus, dass die Erwachsenen ,blättern' dazu sagten und den anderen berichteten, welche Information sie dem Gebinde, sprich der Zeitung, entnehmen konnten. Milo saß oft unverfänglich daneben, schlürfte seinen Kakao und verglich unbeobachtet die Zeichen mit dem Gesagten. Innerhalb von kurzer Zeit war es ihm möglich, durch sein fotografisches Gedächtnis und seine enorme Fähigkeit logische Zusammenhänge und Schlussfolgerungen zu ziehen, jedem Zeichen ein gesprochenes Wort und die richtige Bedeutung zuzuordnen. Er brauchte lediglich zwei, drei Wochen, um die wichtigsten Zusammenhänge zu erkennen.

Milo konnte aber noch eine andere, sehr nützliche Hilfe finden sich Wissen anzueignen, als er die eigenartigen, meist quadratischen und in Kästchen aufgegliederten Gebilde sah, die in jeder Zeitungsausgabe zu finden waren. Die zufällige Anordnung von schwarzeingefärbten und weißen, manchmal mit Text versehenen Kästchen waren für ihn anfangs verwirrend. Er brauchte etwas Zeit, vielleicht zwei, drei Tage, aber danach war ihm klar: Dieses geordnete Durcheinander von Kästchen konnte ihm eine gute Stütze sein beim Lernen der Sprache. Milo beobachtete stets mit Argusaugen seinen Vater, der mit Inbrunst täglich Buchstaben in die weißen Kästchen schriebt, so als ob es einen vorbestimmten Zusammenhang zwischen ihnen gab.

Der Junge konnte sich die ausgefüllten, geometrisch ansehn-lichen Gebilde, die die Erwachsenen ,Kreuzworträtsel' nannten, innerhalb von nur wenigen Sekunden einprägen, sofern sein Vater identifizierbare Buchstaben und kein

Gekritzel zu Papier gebracht hatte. Diese kurze Dauer war jene Zeit, die ihm blieb, um den Inhalt des Rätsels visuell zu erfassen und im Gehirn zwischen zwei Umblättervorgängen abzuspeichern.

Es dauerte wohl ein dreiviertel Jahr, bis er zweihundert-neunundvierzig Rätsel fotografisch und sinnerfassend abspeichern konnte, ein Kreuzworträtsel pro Tag, so wie es die Druckmaschinen vorgesehen hatten. All diese Rätsel beinhalteten insgesamt dreiundzwanzigtausendfünfhundert-neunzig Wörter, was wegen des Wiederholfaktors von dreikommafünf sechstausendsiebenhundertvierzig verschie-denen Wörtern und Begriffen entsprach, und diese bildeten für Milo eine gute Basis, um bereits im vierten Lebensjahr denselben Gebrauchswortschatz zu haben wie ein gutge-bildeter Bürger der ländlichen Bevölkerung.

Allein die Tatsache, dass es Milo in diesem Alter mit jedem Erwachsenen des Dorfes in puncto Rhetorik aufnehmen konnte, sprach Bände.

Pfarrerstöchter

Milo wohnte nicht allzu weit von der großen, evangelischen Kirche, die mitten am Dorfplatz stand. Vom Balkon des Hauses hatte man treffliche Sicht auf den hohen Kirchturm, dessen oberer Teil gänzlich durch Patina über die Jahrhunderte des Bestehens der Kirche dunkelgrün gefärbt war. Milo liebte es, auf dem Balkon zu stehen und den Kirchturm zu beobachten. Er bemerkte dabei, dass der Turm mit Leben beseelt war. Vögel kreisten um ihn, nisteten im zugänglichen Bereich neben der Glocke. Es waren Turmfalken, die ihrem Namen alle Ehre machten. Jedes Jahr hatten sie zwei oder drei Junge, die immer groß und stark wurden, da die Falkeneltern genug Nahrung in der Umgebung finden konnten. Das Dorf war umzingelt von Wiesen und Feldern, die von fleißigen Bauern bestellt wurden und wo Wiesen und Felder waren, gab es Mäuse zuhauf.

Manchmal konnte Milo beobachten, wie die Falken mit Beute im Schnabel zum Nest zurückkehrten. Er hatte auch bemerkt, dass sie dabei einem seltsamen Ritual folgten. Sie landeten nie schnurstracks im Nest, sondern umkreisten vorher immer dreimal den Kirchturm, und das in der Höhe des Wetterhahnes beim Kreuz an der Turmspitze. Dabei stießen sie stets einmal pro Umrundung einen spitzen Schrei aus, den Milo als Ankunftsankündigung für die Jungen interpretierte. Er liebte es, wenn er jedes Mal die Bestätigung erhielt, dass sich die Falkeneltern wieder einmal strikt an das Ritual gehalten hatten.

Neben der Kirche stand das Pfarrhaus, wo sinnvollerweise der Pfarrer mit seiner Familie wohnte. Zwei Mädchen wurden ihnen geboren, ein und zwei Jahre älter als Milo. Vom Balkon war keine freie Sicht auf das Pfarrhaus, da andere Gebäude inzwischen lagen, Milo lernte aber instinktiv das Gefühl kennen, dass hier zwei Mädchen wohnten, die sich nach ihm sehnten. Er musste sie aufsuchen.

Es war nicht wie bei Sonja, als er eine jähe Eingebung hatte, der er nachgeben musste. Die beiden Pfarrerstöchter hatte Milo schon einige Zeit gespürt, bevor er den Entschluss bewusst fasste, sie zu besuchen. Diesmal nahm er sich vor, seine Mutter über sein Vorhaben zu informieren.

Ein lauer und sonniger Märztag, als Milo sich vor seiner Mutter aufbaute und ihr vom Plan des Tages berichtete.

„Mama, ich geh zu den beiden Mädchen ins Pfarrhaus."

„Was? Wie, wieso weißt du von den beiden Mädchen? Ich hab dir noch nie von ihnen erzählt."

Milo meinte, dass sie sein Vater einmal erwähnt hatte, was jedoch eine Notlüge war, denn er wollte seine Mutter nicht schockieren. Er hatte von ihnen noch nie etwas gehört, aber er wusste, dass die beiden Mädchen sich über seinen Besuch freuen würden.

„Ach so, na dann ruf ich mal an beim Pfarrhaus, damit sie wissen, dass du kommst", meinte Eszter und wollte schon zum Telefonapparat gehen, aber ihr Sohn hielt sie davon ab.

„Nein, Mama, brauchst du nicht. Ich geh einfach so hin, ich mach das schon, keine Sorge."

Eszter hatte sich langsam daran gewöhnt, einen Sohn mit außergewöhnlicher Fähigkeit zu haben, ein Bub, der sich verhielt und sprach wie ein Erwachsener. Seine Vertröstung jedoch hatte sie wieder einmal erschreckt und sie musste sich bemühen, die Fassung wieder zu finden.

„Na dann gehst halt, und schau, dass du zum Abendessen wieder zu Hause bist. Papa möchte, dass wir gemeinsam am Tisch sitzen."

Milo beruhigte seine Mutter durch ein Nicken und verließ das Haus. Eszter verfolgte seine kurze Wanderung noch eine Weile durch das Fenster und dachte an ihre Nachbarn, die sich vermutlich immer öfter wunderten, dass ihr Sohn mutterseelenalleine die Straße entlang ging. Sie hatte ein schlechtes Gewissen deswegen und hoffte zum Wohle der Familie, dass niemand über sie schlecht reden oder falsche Gerüchte in die Welt setzen würde. Keiner außerhalb der Familie wusste, wie ihr Sohn wirklich war.

Milo klopfte an die Tür des Pfarrhauses, da er nicht bis zur Klingel langen konnte. Nach dem zweiten Klopfen öffnete der Pfarrer selbst, blickte geradeaus, schaute sich um von links nach rechts und konnte niemand sehen, bis er einen kleinen Jungen direkt vor ihm stehend entdeckte.

„Ach, wer bist denn du?"

„Ich bin Milo und mich hat der Himmel geschickt."

Da musste der Pfarrer lachen, denn so etwas hatte er in seinem Leben noch nie gehört. Kommt da ein kleiner Wicht und behauptet, ihn hätte der Himmel geschickt. Ja, vor zweitausend Jahren hätte diese Ansage schon ihre Berechtigung gehabt, aber jetzt und das aus dem Mund eines vielleicht zweijährigen Jungen?

Milo blickte den Pfarrer fragend an.

„Wenn dich schon der Himmel geschickt hat, welche Botschaft hat er dir mit auf den Weg gegeben?", witzelte der

Pfarrer in der Meinung, damit Milo verwirren und nach Hause bewegen zu können.

„Die Botschaft lautet: Gehe hin und spiele mit Illona und Nádja."

Das saß. Der Pfarrer fuhr verblüfft einen Meter zurück, schnappte nach Luft und versuchte die Fassung wiederzuerlangen.

„Wieso weißt du, dass meine Töchter Illona und Nádja heißen? Ich hab dich noch nie in meinem Leben gesehen, und meine Töchter sicherlich auch nicht. Und wer hat dich wirklich geschickt? Der Himmel wirds wohl nicht gewesen sein."

Milo blieb standhaft.

„Mich hat der Himmel geschickt, und ich will mit Illona und Nádja spielen."

Dem Pfarrer gefiel die feste Entschlossenheit des kleinen Jungen, wusste aber noch immer nicht, ob er träumte oder wach sei.

„Nun ja, wenn du vom Himmel kommst, bist du von mir natürlich herzlich eingeladen, unser Haus zu betreten. Komm rein, du außergewöhnlicher Bub."

Der Pfarrer machte eine einladende Handbewegung und schloss hinter Milo die Tür.

„Illona, Nádja!", rief der Pfarrer quer durchs Haus.

„Ihr habt Besuch!"

Nach ein paar Sekunden kamen die beiden Mädchen angerannt und blieben verblüfft zwei Meter vor Milo stehen. Sie brachten kein Wort heraus, ihr Vater durchbrach die Stille.

„Das ist Milo, er wurde vom Himmel geschickt und möchte mit euch spielen."

Die Mädchen schauten ihren Vater fragend an, der aber eine Geste der Beruhigung machte, um die Herzen seiner Töchter für Milo zu öffnen.

Illona lächelte und nahm daraufhin Milo an der Hand.

„Komm mit", sagte sie erfreut und zog Milo in das Kinderzimmer. Nádja folgte den beiden und schloss hinter ihr die Zimmertür.

Der Pfarrer wurde nach Antworten ringend im Gang hinterlassen. Die Begegnung mit dem eigenartigen Jungen gab ihm Rätsel auf, die er nicht so schnell zu lösen vermochte.

Anfangs konnte der Pfarrer von seinem Büro keinen Mucks aus dem Kinderzimmer vernehmen, es herrschte verdächtige Stille, wie an Abenden der Adventzeit im verschneiten Walde. Nach einer Viertelstunde jedoch kam Leben in das Pfarrhaus. Kinder lachten und kreischten, ja schrien sogar, man hörte ein Trampeln und Hüpfen. Eine Zeit lang hatte der Pfarrer noch Geduld, dann aber eilte er zum Kinderzimmer, öffnete mit Schwung die Tür und sah, wie Illona mit Inbrunst und um den Hals geschwungener Stola eine Königin mimte. Nádja stand daneben, war anscheinend Zofe, die der Königin gebückten Hauptes ein Kleid vor die Füße legte und Milo klatschte lachend und hielt als König eine Rede zum Volk.

Der Junge hatte nach kurzer Beschnupperungsphase Tür und Tor in den Schwestern geöffnet und Begeisterung für ihn erweckt. Illona und Nádja waren Feuer und Flamme, machten alles, was Milo ihnen vorschlug. Sie spielten Theater, und das gar gut für ihr Alter. Milo hatte in den beiden Mädchen die Lust auf die Bretter erweckt, die die Welt bedeuteten.

Der Pfarrer faltete die Hände, hielt ein Stoßgebet gen Himmel und wartete die weitere Entwicklung der Szene ab. Mit der Zeit fand er gar Gefallen am Schauspiel, klatschte auch hie und da in die Szenerie hinein und freute sich ob der Begeisterung seiner Töchter, die bis zu diesem Tag kaum Kontakt mit den Kindern des Dorfes gehabt hatten, denn von den Töchtern des Pfarrers galt es Abstand zu wahren, so dachten die Leute, damit ja kein Rumoren durchs Dorf ging oder gar Unbill entstände. Man eckte nicht an mit Ehrenbürgern, denen nachgesagt wurde, einen Draht zu Gott zu haben. Und so geschah es auch, dass die Dorfkinder angehalten wurden, mit den Pfarrerstöchtern keinen Blödsinn anzufangen, was diesen wiederum ganz und gar nicht behagte, da es ihnen an Spaß und Vergnügen mangelte. Jetzt aber war Milo in ihr Leben getreten und ließ sie lachen und kreischen wie schon lange nicht. Der Pfarrer hatte gesehen, dass alles mit rechten Dingen zuging und seine Töchter den ihnen zustehenden Spielkameraden gefunden hatten. Er verließ wieder das Kinderzimmer und schloss die Tür. Die Kinder hatten seinen Segen.

Stolz

Milo war einst zu Erden geknallt, hatte sich mitten in eine Familie gedrängt und seinen Platz in dieser gefunden. Er war glücklich mit dieser Rolle gewesen, hatte gelernt, in ihr aufzugehen. Hundefreunde hätten gesagt, Milo habe ein gutes Plätzchen gefunden.

Von der ersten Sekunde an war der Junge der große Schatz seiner Mutter, die unerwartet in eine Situation gekommen war, die sie sich seit vielen Jahren sehnlich gewünscht hatte. Er war der Sonnenschein in ihrem Leben, war das lang gesuchte, letzte Puzzlesteinchen des Familienbildes.

Milo wusste, dass seine Mutter alles für ihn tun würde, sie würde ihre letzte Bluse hergeben, ihren letzten Atem für ihn spenden, und doch beruhte es nicht auf wahrer Gegenliebe, die aus reiner Dankbarkeit angebracht gewesen wäre. Die Welle, auf der seine Mutter schwamm, war nicht seine eigene, selten schwangen die beiden im Gleichklang. Vom ersten Tag an spürte Milo, dass er zu seiner Mutter nie das Gefühl aufbringen wird können, was üblicherweise zwischen Mutter und Kind aus gegebenen Gründen vorherrschte, aus dem Anlass, dass da eine Mutter war, die ihrem Kind ihre aufopfernde und hundertprozentige Liebe zusprach. Er würde sie immer als nur das akzeptieren, was sie für ihn in seinen Augen war: Die fürsorgliche Frau, die es immer gut mit ihm meinte.

Milos Beziehung zu seinem Vater stand von Anfang an auf dem Prüfstand. Es herrschte Skepsis in Ernös Herz, denn die ihm von seiner Frau aufgetischte Geschichte hatte einige

Haken, die es erst mal herauszuziehen bedurfte. Die gute Frau hatte doch allen Ernstes ihrem Mann einreden wollen, dass sie ohne es mit ihm abzusprechen Milo adoptiert hatte. Diese Geschichte war für Ernö nicht glaubhaft. Er grübelte über all die möglichen Wege, wie seine Frau zum Kinde gekommen sein konnte, es war aber alles so unglaublich, so abstrus und absurd, dass er schlussendlich die Akzeptanz aufbrachte und die Geschichte auch zu seiner machen konnte. Er brauchte eine Zeit lang, um eine Vater-Sohn-Beziehung zu Milo aufbauen zu können, es war nicht Liebe auf den ersten Blick. Nein, Ernö brauchte viele Blicke, um dann dieses hehre Vater-Kind-Gefühl in sich zu spüren, von dem alle Welt sprach. Wäre Milo nicht ein ausgesprochen besonderes Kind gewesen, sein Vater hätte wohl sehr lange dazu gebraucht. So aber war da eine Faszination, die Ernö in den Bann gezogen hatte. Er war von Kindheit an ein den Künsten Ergebener gewesen, war immer eingenommen von den Musen aller Art. Er selbst hatte Talent zur bildnerischen Kunst, betätigte sich ab und an, was man auch im Hause der Familie sehen konnte, da so manches Bild aus seinem Pinsel an den Wänden hing. Und so gefiel Ernö das Wesen seines Sohnes, dessen Talent für all die geistigen Ergüsse, die der kleine Junge Stück für Stück offenbarte.

Milos Großeltern waren angetan von ihrem Schwiegersohn, er war einer jener beliebten Kategorie der Wunsch-schwiegersöhne, die sich Eltern für ihre Töchter erhofften. Ansehnlich in Gestalt und Aussehen, eine feste Anstellung mit guter Bezahlung, fleißig, tatkräftig und gesund. Obendrauf spielte in Ernö noch die Muse das Sahne-häubchen auf dem schon sehr gelungenen Schokoladenkuchen für die Großeltern. Ihre Tochter konnte sich alle zehn Finger abschlecken an dem Mann, so dachte Marika, die selbst gern schleckte, wenn ihr Schwiegersohn gerade fleißig am Zubau des Hauses oder der Gartengestaltung gewesen war. Ernö war ein Herzeige-Schwiegersohn, wie er im Buche stand, immer hilfsbereit und gut gelaunt, er konnte obendrein kochen, was Männer in der Nachkriegszeit nur vermochten, wenn sie alleinstehend waren, und selbst dann gingen sie ob ihrer Hilflosigkeit vor die Hunde. Die Hausarbeit war ihm nicht fremd und er stellte sich geschickt dabei an. Marika war geneigt, zu ihrer Tochter zu sagen, sie habe sich einen Wunderwuzzi geangelt, was diese gar nicht verneinte, denn selbst sie wusste das große Los gezogen zu haben.

Ernö war gezwungenermaßen durch eine Schule gegangen - in seinem Fall gehen musste - die kaum jemand absolvieren durfte. Dem Alter geschuldet, wurde er gegen Ende des Zweiten Weltkriegs von der Reichsarmee eingezogen, hatte er doch gerade das kriegsfähige Alter von siebzehn Jahren erreicht. Er lebte im Jahre 1944 noch bei seinen Eltern im östlichsten Winkel Österreichs, war noch mitten in der Schulausbildung und hatte keinen Augenblick daran gedacht, einen Einberufungsbefehl zu bekommen. Das Gerücht war umgegangen, dass es mit Hitlers Armee den Bach runterging, dass der Krieg bald verloren sein sollte. Viele Millionen Menschenleben wurden schon dafür geopfert, und es sollte noch mehr Tote geben, denn das Ende war nicht absehbar. Die Kriegspropaganda machte der Bevölkerung weis, dass die Feinde bald bezwungen sein würden, doch die oberen Tausend der Armee befürchteten das Schlimmste. An allen Fronten brodelte es, unzählige Männer, jung und alt, fielen im Schützengraben oder in den

Panzern. Die meisten Fabriken wurden umgemünzt in Werke der Kriegsmaschinenerzeugung. Die Menschen hatten zwar genug Arbeit, aber was war der Lohn? Tod und Verderben.

Durch das Einziehen aller wehrfähigen Männer und Burschen kam es noch kurzzeitig zu einem Aufflackern der Abwehr gegen die Alliierten und Ernö musste mittendrin um sein Leben kämpfen.

Er war bei Gott kein Kriegsfreund, war auch nie der mutigste gewesen, spürte auch keine Loyalität dem Deutschen Reich gegenüber, denn er wuchs in einem Teil des Landes auf, das schon Jahrhunderte ein Kochtopf der Völker gewesen war. Viele Sprachen waren an ein und demselben Ort zu hören, Deutsch, Ungarisch, Kroatisch, Tschechisch waren nicht die einzigen. Als Ernö mit dem Heerestross an die Front gebracht wurde, war es noch keine dreißig Jahre her, da die Monarchie durch den Ersten Weltkrieg zu Grabe getragen wurde und Salz und Pfeffer eben dieser Monarchie war das Völkergemisch, das weiter bestanden hat, zwar nicht mehr in dem hohen Maße, denn die Monarchie wurde in viele kleine Länder zerstückelt, aber die Menschen blieben dort, wo sie vorher gewohnt hatten und redeten in ihrer Muttersprache wie eh und je.

Ernö verfluchte den Krieg, denn dieser hatte ihn um so vieles beraubt. Inmitten seiner Jugend abgezogen, gerade als das andere Geschlecht angefangen hatte, interessant zu werden, knapp vor der Schulabschlussprüfung und knapp vor dem Kriegsende, was aber zu diesem Zeitpunkt keiner wissen konnte. Er musste immer an seine Heimat denken, als er im Lastkraftwagen gegen Front gefahren wurde, und bekam es mit der Angst zu tun, Angst vor dem Feind, Angst vor dem

Tod oder gar der Verstümmelung. Viele Männer seiner Heimat waren bereits an der Front gefallen, er selbst hatte in der Nachbarschaft fünf Familien, die Opfer zu beklagen hatten. Dem Volk gingen die Männer aus, und die Daheimgebliebenen mussten es richten, mussten Aufbauarbeit leisten. Die Trümmerfrauen waren jene, vor denen man den Hut am höchsten ziehen musste. Sie hatten die ehrenvolle, aber unsäglich schwierige Aufgabe aufgebunden bekommen, das Land wiederaufzubauen, die Kinder für eine bessere Zukunft vorbereiten zu müssen und auf die Alten zu schauen und sie zu pflegen. Unendliche Kraft war vonnöten, die sie nur aus der Hoffnung auf bessere Zeiten schöpfen konnten.

Ernö wurde zur Westfront gebracht, zur Grenze Frankreichs, wo er als Grabenkämpfer ausgebildet wurde und über ihn tagein, tagaus große und kleine Kaliber flogen und Granatensplitter ein Kopf-aus-dem-Schützengraben-stecken lebensgefährlich machten. Er hatte starke und auch schwache Momente, es verging kein Tag, an dem er nicht schluchzend vor Sehnsucht nach seiner Familie zusammengekauert im Dreck hockte, die Hände über dem Kopf gehalten, als ob ihm diese Abwehr gegen die Geschütze geben könnten.

Am vierundfünfzigsten Tag seines Dienstes an der Front kam die Erlösung in Gestalt von französischen Soldaten. Nun sei dahingestellt, ob der Anblick des Feindes in Kriegszeiten als Erlösung gesehen werden durfte, doch in Ernös Fall war es dies, denn er hatte maßloses Glück. Er überstand die Kriegswirren ohne große Verletzung, körperlich und auch seelisch, und er kam in die Hände der Franzosen. Er kam zwar in die Ketten des Feindes, dies stellte sich aber kurz nach seiner Ergreifung als Glücksfall heraus. Zusammen mit den anderen Überlebenden seiner Kompanie wurde er weg von der Front in ein Gefangenenlager nach Lyon gebracht, wo er zwei Wochen in Angst verbrachte, denn die Zukunft war unsicher. Doch seiner Jugend und der Humanität der Franzosen hatte er es zu verdanken, dass er ein luxuriöses Leben als Kriegsgefangener verbüßen durfte. Nach der Heimkehr aus der Gefangenschaft hatte er keiner Menschenseele erzählt, wie vergleichsweise gut es ihm ergangen war, denn Neid der Gequälten konnte rasch in Aggressivität umschlagen.

Ernö wurde vom Lager zu einer Familie nach Avignon ‚deportiert', einem netten Ehepaar mit zwei Mädchen im Alter von sieben und neun Jahren. Der Familienvater war Universitätsprofessor in Marseille, die Mutter führte den Haushalt und erzog die Kinder, arbeitete aber auch im Rathaus der Stadt.

Ernö wurde freundlich empfangen, er bekam sein eigenes Zimmer, seiner Einschätzung nach mit allem Luxus ausgestattet, den sich ein Achtzehnjähriger erwarten durfte. Die Aussicht war bezaubernd, denn das Haus der Familie lag unweit der Rhône, die er nächtens bei offenem Fenster vorbeifließen hörte.

Er verbrachte ein knappes Jahr als Hausdiener und Erziehungshelfer, als Gärtner und Mann für alles. Sogar etwas Lohn bekam er für seine Arbeit, die er gerne machte. Er führte nicht das Leben eines Kriegsgefangenen, sondern jenes eines Hausangestellten, der für Kost und Logis plus Taschengeld arbeitete. Ein Leben in purem Luxus, verglichen mit dem Vegetieren seiner Leidensgenossen, die ein recht kleines Los gezogen hatten und in sibirischen Lagern bei Hunger und Durst um ihr Leben bangten.

In diesem einen Jahr ‚Gefangenschaft' lernte er die Sprache seiner Herrschaft, das wohlklingende und romantisch anmutende Französisch der größten Könige der Renaissance. Die Sprache machte Ernö das Leben noch erträglicher, als es schon gewesen war. Er sah in seiner Kriegsgefangenschaft eine Chance fürs Leben, eine Möglichkeit, Erfahrung zu sammeln und gestärkt in die Heimat zurückzukehren.

Die Zeit in Frankreich hatte Ernö in vielen Belangen geprägt. Es war eine Phase des Lernens, die Zeit, sich Fähigkeiten anzueignen, die sonst an ihm vorübergegangen wären, die Zeit, Humanität am eigenen Leib zu erleben und auch die Zeit für einen der wunderschönsten Ausblicke aus den eigenen vier Wänden.

Natürlich sehnte er sich nach seiner Familie, nach seinen Freunden, aber er und es hatte keine Eile, denn an manchen Tagen hatte er das Gefühl, auf Sommerfrische zu sein, und das mit gar schlechtem Gewissen seinen Schützengraben-kameraden gegenüber.

All diese Gedanken durften keinen Platz finden in seinem Kopf, denn angesagt war Demut, und Ernö wusste das. Er war den Mächten dieser Welt zu Dank verpflichtet, hatten sie doch ihre Hände im Spiel, als es daran ging, seine Lebensgeschichte maßgeblich zum Positiven zu beeinflussen. Und es kam der Tag, an dem Abschied genommen werden musste, was beinah dekadent klang. Er wusste, dass die Tage in Avignon gezählt waren und er bald in den Zug Richtung Heimat einsteigen durfte. Der letzte Tag in Frankreich war Ernö noch lange in Erinnerung geblieben. Seine Herrschaftsfamilie hatte ihn langsam aber unaufhörlich ins Herz geschlossen. Er hatte die beiden Töchter schnell auf seiner Seite, denn er konnte gut mit Kindern umgehen. Er hatte die Großeltern der Kinder schnell auf seiner Seite, denn Respekt vor Menschen war keine Frage des Alters. Ernö hatte auch die Herrschaften schnell auf seiner Seite, denn er erfüllte alle Aufgaben zu ihrer Zufriedenheit, und wenn die Kinder glücklich gewesen waren, waren es auch sie.

Der Zug an diesem Apriltag des Jahres 1946 verließ den Bahnhof in Avignon mit den für Frankreich üblichen fünfzehn Minuten Verspätung um 14:35. Eine Stunde zuvor hatte Ernö seinen spärlichen Rucksack gepackt und war bereit, Abschied zu nehmen. Seine ‚Gastfamilie' stand wehmütig mit tränennassen Augen vor ihm und überreichte ein Paket gefüllt mit Dingen, die ihn an Avignon erinnern sollten. Er würde der Familie im schönen Haus an der Rhône fehlen, besonders den beiden Töchtern, denn sie hatten immer Spaß gehabt mit dem jungen Mann aus Österreich, mit dem sie sich anfangs nur per Gestik und Mimik verständigen konnten.

Im Paket war Proviant, schließlich hatte Ernö achtunddreißig Stunden Zugreise vor sich inklusive Umsteige- und Wartezeiten. Darin war auch ein Brief der beiden Mädchen, denn sie wollten ihn nicht gehen lassen, ohne ihm mitzuteilen, wie lieb sie ihn gewonnen hatten. Er fand auch ein Familienfoto, dass sie Wochen zuvor bei einem Fotografen schießen ließen. Die Familie hatte Wert daraufgelegt, dass auch Ernö auf dem Foto zu sehen war, auch wenn es ein Familienfoto war, vielleicht auch gerade weil es ein Familienfoto war. Und es war auch ein gemaltes Bild im Paket, eingerahmt und hinter Glas ein Bild von der Brücke von Avignon.

Dieses Bild bekam in späteren Zeiten immer einen besonderen Platz, wo immer Ernö auch die Jahrzehnte danach lebte und wohnte. Und so erstrahlte die Brücke von Avignon zwanzig Jahre später im Schlafzimmer von Milos Eltern. Wo in Schlafzimmern anderer Häuser ein Kruzifix oder Heiligenbild an der Wand hing, war es bei Milos Eltern die Brücke von Avignon, die dem Vater mehr Sonne im Gemüt scheinen ließ als jedes Symbol des Christentums.

Siebenundvierzig Stunden nachdem der Zugführer die Pfeife zur Abfahrt aus Avignon ertönen ließ, traf Ernö todmüde, aber glücklich in Wien ein, von dort es dann nur mehr zwei Stunden mit dem Postbus bis zur Haltestelle unweit seines Heimathauses war. Niemand wusste, dass er an diesem Tag nach Hause kommen würde. Ernö hatte ab und an per Brief ein Lebenszeichen von sich gegeben, so ließ er seine Familie in dem guten Gefühl, dass es ihm an nichts mangelte. Wann und unter welchen Umständen er aber heimkehren würde, wusste außer ihm selbst keine Menschenseele.

Ernö bebte aus Vorfreude auf seine Familie, als sich der Bus seinem Heimatort näherte. Er konnte es nicht mehr erwarten, Eltern und Geschwister in den Arm nehmen zu können. Je mehr er sich aber dem kleinen Dorf näherte, desto fremder kam ihm alles vor. Die Landschaft hatte sich verändert, die Häuser und auch die Seele der Gegend. Niemand war auf der Straße zu sehen, als der Postbus durch die Dörfer tuckerte. Als dieser schlussendlich in Ernös Heimatstadt einfuhr, fielen ihm die vielen Ruinen der von Bomben zerstörten Häuser auf und ein banges Gefühl machte sich breit. Der Bus war nur noch ein paar hundert Meter von der Haltestelle entfernt, da wurde Ernö mit der Tatsache konfrontiert, dass sein Heimathaus vollkommen zerstört war, auch die Häuser

daneben, ja gar alle Häuser ihrer Straße. Er saß im Bus, die Hände vor dem Gesicht, weinte bitterlich. Der Busfahrer machte Ernö darauf aufmerksam, dass er nun aussteigen müsste, er hatte alle Mühe, Ernö vom Sitz hochzubringen und hinaus zu geleiten. Der Bus donnerte davon und hinterließ den einsamen achtzehnjährigen Mann, der sich eine Ewigkeit schon auf seine Familie gefreut hatte und nun erkennen musste, dass alles zerstört war. Er rannte die Straße auf und ab, suchend nach einem Menschen, den er mit vielen Fragen bewerfen wollte. Nach Minuten endlich ein vertrautes Gesicht, das im Schutthaufen eines zerstörten Hauses wühlte. Auf die Frage, wo denn seine Eltern und Geschwister wären, erhielt Ernö die niederschmetternde Antwort, dass in einem nächtlichen Bombenangriff der Russen alle im Schlaf überraschten Bewohner dieser Straße den Tod gefunden hatten. Der Bombenalarm war stillgelegt worden, denn die Bevölkerung hatte dem Gerücht zufolge, dass der Krieg für beendet erklärt war, keine Notwendigkeit mehr dafür gesehen. Dieses euphorische und unkluge Vorgehen wurde alsbald mit Tod und Verheerung bestraft.
Ernö stand zerstört vor der Ruine seines Heimathauses. Er verbrachte die Nacht umgeben von Schutt und Asche und machte sich am nächsten Tag auf in bessere Zeiten.

Viele Jahre später hatte es Ernö geschafft, ein gutes Leben zu finden. Der Herzeige-Schwiegersohn war durch die Liaison mit einer jungen, hübschen Frau in einer Familie aufgenommen worden, die sich schnell mit dem adretten Mann anfreundete. Seine in der Gefangenschaft angeeigneten und erlernten, breit gefächerten Fähigkeiten wurden dankbar angenommen. Das Kochen überließ Ernö stets seiner Schwiegermutter, denn die schwang das strenge Zepter im Hause. Die Gestaltung des Gartens aber und alles, was an Bau- und Renoviertätigkeiten anstand, fiel ihm anheim. Er hatte es in der Hand, das neu errungene Domizil zu gestalten und seinen Bedürfnissen anzupassen, alles in Absprache und Einklang mit seiner Frau und seiner Schwiegermutter. Der Schwiegervater, Milos Großvater, hatte kein Mitspracherecht und war von Entscheidungen ausgeschlossen, denn er war nur ein Geduldeter seit jenem schauderhaften Vorfall in der Küche, als Eszter noch ein junges Mädchen war.

Ernö war ein guter und liebevoller Ehemann und vor allem Vater. Er hatte zwar einige Zeit gebraucht, um Milo gänzlich als seinen Sohn zu sehen, zu akzeptieren, aber es kam der Tag, wo der Vater mit vollem Stolz zum Sohne sagte: „Milo, du bist mein kleiner Bub, den ich sosehr liebe. Ich werde immer für dich da sein, in guten und in schlechten Zeiten, denn du bist mein Ein und Alles."

Als Milo, der sich gerade in einer misslichen Lage befand, wo er das Gesagte nur schwer aufnehmen konnte, da er von Vater sieben oder acht Male in die Luft geworfen und wieder aufgefangen wurde, diese Worte vernahm, machte sich mitten im Flug ein Grinsen in seinem Gesicht breit.

Milo war glücklich und wollte es auf ewig bleiben. Wie sehr des Vaters Worte ein paar Jahre später jedoch ad absurdum geführt werden sollten, konnte er während seiner Flugphasen nicht ahnen.

Der Junge war stolz auf seinen Vater, er sah in ihm ein Idol, wie es manchmal war, wenn Väter auf ihre Söhne eingingen, sich mit ihnen auf seelische, geistige und auch körperliche Höhenflüge einließen. Er spürte die Güte und das Vertrauen, wusste, dass er sich auf seinen Vater in jeder Sekunde seines Lebens verlassen konnte.

Kurz bevor Milo durch den Aufprall in die Familie gekommen war, hatte sich sein Vater das erste Automobil aus hart Erspartem zugelegt, ein zartblaues, fast weißes Fahrzeug, groß genug, um die gesamte Familie zu kutschieren. Endlich gab es im Haus einen eigenen fahrbaren Untersatz, wo doch Milos Großeltern ganze fünfzig Jahre darauf warten mussten. Die Zeiten waren lange schlecht gewesen, und obwohl die Familie nicht arm war und sich recht gut durch die Wirren des Ersten und Zweiten Weltkriegs geschlagen hatte, stand der Ankauf eines Automobils nie auf der Liste der offenen Punkte, zumal man ja auch ohne dieses halbwegs gut durchs Leben kam. Der Schilling musste nicht zweimal umgedreht werden, aber doch einmal, das war die Prämisse von Milos Großmutter gewesen. Sein Großvater durfte keine Prämissen haben, das hatte ihm Marika abgewöhnt und unmissverständlich zu Ohren gebracht.

Und so begab es sich, dass Milo mehr und mehr in den Genuss gekommen war, im Fond des Wagens zu sitzen und die Welt an sich vorüberziehen zu lassen. Oft blickte er rücklings auf der Hinterbank kniend gegen die Fahrtrichtung und zählte und kategorisierte alle Fahrzeuge, die sich ihm näherten und dann überholten oder überholt wurden und sich von ihm entfernten. Bei jedem Fahrzeug fragte Milo: „Papa, was ist das für ein Auto?"
Die Antwort des Vaters kam prompt, und es konnte ein Opel Kardinal gewesen sein, oder ein Ford Granada. Im Laufe der Zeit lernte Milo alle sich auf den Straßen bewegenden

Fahrzeuge kennen, konnte sie schon von großer Entfernung definieren, rief stets den Hersteller und den Fahrzeugtyp laut heraus und wartete auf die Bestätigung seines Vaters, dass er richtig lag. Es war ein Spiel, dass sich über Monate zog, bis es Milo leid war, immer dasselbe vor sich hin zu leiern, zumal es keine neuen Fahrzeugtypen mehr gab, die er entdecken konnte.

Eines Tages erklärte Milo seinem Vater während einer Fahrt im Auto, dass er genug von diesem Spiel hätte.

„Da hinten kommt ein Vauxhall Viva. Du, Papa, das ist das letzte Auto, das ich dir nenne. Ich mag dieses Spiel nicht mehr."

So kam es, dass Milo von diesem Tage an nur mehr nach vorne blickend im Fahrzeug gesessen war, so wie die Hersteller der Karossen, deren Nutzung auch vorgesehen hatten. Der Junge widmete sich dem, was vor ihm lag und war weiter stolz auf seinen Vater, der ihn mit sicherer Hand durch das Leben chauffierte.

Eszter hatte nie den Mut gehabt, den Führerschein zu machen. Zu schnell zog die Landschaft an ihr vorbei, wenn sie im Auto an der rechten Seite ihres Mannes saß. Zu schnell fuhren die anderen Fahrzeuge an ihnen vorbei. Sie brauchte lange, um sich an Geschwindigkeit zu gewöhnen, hatte immer wieder unwohle Gefühle in der Magengegend, wenn es kurviger wurde. Nicht dass ihr Mann zu schnell fuhr, nein, es war eine allgemein vorherrschende Abneigung gegen technische Errungenschaften, die mit höherer Geschwindigkeit versehen waren als das in ihr genetisch verhaftete Limit und das lag mit Sicherheit im zweistelligen Stundenkilometerbereich. Eszter war nie eine Frau der Kühnheit gewesen, was ihr unzählige Situationen des Alltags erschwerte. Wenn es ihr wieder einmal an Mut fehlte, um durch das Leben zu kommen, zog sie sich in ihr Schneckenhaus zurück und wartete, bis der Sturm vorüberging. Manches regelte sich von selbst, manches wurde von anderen geregelt, und manches blieb übrig, um von ihr geregelt zu werden, was jedes Mal einen Kraftakt erforderte und ihr anfangs kaum überwindbar schien.

Anders Ernö, von ihm hatte Milo stets den Eindruck, dass dieser alles konnte und schaffte. Aus Sicht des Vaters war dem nicht so, denn auch er war sich seiner Schwächen und Unsicherheiten bewusst, wollte diese aber nie an die Außenwelt dringen lassen, da er ja dem Sohne ein starker und mutiger Vater sein wollte, bereit, als väterliches Idol von seinem Sohn verehrt zu werden. Ernö wusste, dass Kinder sich solche Väter wünschten, ja gar brauchten, um geborgen und sich sicher fühlend durchs Leben zu kommen, das auch für Kinder oft Hürden und schwer zu bewältigende Situationen bereithielt.

Milo war stolz auf seinen Vater und das konnte dieser auch an den Blicken seines Sohnes erkennen. Die Familienbande hielten zu jener Zeit, es gab kaum Augenblicke des Trübsinns und der Zweifel, denn der Sohn war gesund, wuchs prächtig, hatte ein reifes Köpfchen und war etwas Besonderes im Leben der Eltern.

Weissagung

Die Familie hatte ein gutes Leben voller Sonnenschein namens Milo, auf den Eltern und Großeltern stolz waren, da er ihnen täglich Hinweise lieferte, welch wunderbarer Bub er doch war. Die Ehe seiner Eltern war harmonisch, gekittet von Milos Dasein und der Großeltern Akzeptanz von Ernö als perfekten Schwiegersohn. Eitel Wonne mochte man sagen, jeder Tag ein schöner, wertvoller und lebenswerter Tag.

Es kam jedoch die Zeit, da der Großvater eigentümlich wurde, sich fremd verhielt. Sándor war immer ein Statist in der Familie gewesen, führte sein eigenes, abgeschiedenes Leben als Geduldeter, wollte und hatte auch nichts zu sagen, wenn es um Familienentscheidungen ging. Großvater war ein Beobachter, und solange er keinen Verdacht schöpfte, rührte er auch keine Zunge, fand keine Veranlassung, den Mund aufzumachen oder sich auf irgendeine Weise zur Familie zu äußern.

Milo war bis zu jener Woche, in der sein Großvater am Lungenleiden gestorben war, davon ausgegangen, dass dieser keiner Sprache mächtig war oder er seinen Kopf in einer unsichtbaren Glaskugel trug, aus der kein Schall den Weg nach draußen finden konnte. Milo hatte nicht genug gemeinsame Zeit mit Sándor verbringen können um herauszufinden, was diesen antrieb und wie er tickte, er konnte aber noch die letzte Phase der Existenz seines Großvaters erleben, in der dieser seltsam wurde und anfing zu sprechen.

Es mag an einem Novembertag gewesen sein, als Sándor das Frühstück von seiner Frau ans Bett gebracht wurde, da sein Körper von der Krankheit schon zu sehr geschwächt war, um ihm den Gang zum Küchentisch zu ermöglichen. Sie stellte das Tablett mit dem selbstkreierten und von ihm gehassten Malzkaffee, einem Butterkipferl und eine Schachtel Zigaretten aufs Bett.

„Da, deine Halbtagesration."

Marika war auf ihre Art nett und höflich wie immer und bezeichnete das Ess-, Trink- und Rauchbare auf dem Tablett als Halbtagsration, da es solch einer tatsächlich entsprach. Sándor brauchte nicht mehr zu essen oder zu trinken, da er kaum aus dem Bett kam, gerade noch ein paar wenige Schritte machte, die ihm die vom Nikotin dunkel angefaulten Füße erlaubten. Ebenso war die Schachtel Zigaretten seine Halbtagsration, denn im Laufe des Nachmittags händigte Marika ihm die zweite Schachtel aus, zusammen mit weiterem Ess- und Trinkbaren.

So gestaltete sich der Tagesablauf über die letzten drei, vier Monate seines Lebens. Er hatte bereits mit allem abgeschlossen und sich abgefunden mit der ihm noch verbleibenden kurzen Lebenszeit. Einzig das Nikotin hielt seine Sinne noch in Existenz.

Man könnte behaupten, er hatte es verdient, so wie er die letzten fünfunddreißig Jahre verbracht hatte, kaum zu Hause, das meiste Geld verspielt und Raubbau an seinem Körper getrieben. Milo jedoch tat sein Großvater leid. Er hatte den Eindruck, dass dieser selten aber doch aus dem Bett rauswollte, um mit Milo zu spielen, was ihm aber seine Körperschwäche verunmöglichte.

Der Junge konnte sich an kein Wort aus Sándors Munde erinnern, bis zu jenem Tage nicht. Es mochte daran gelegen sein, dass Milo noch zu jung war, als sein Großvater starb, es mochte aber auch daran gelegen sein, dass Sándor schlicht nie mit Milo gesprochen hatte.

An jenem Tage versammelte sich die Familie wieder einmal um Großvaters Bett, um zu sehen, wie lange sein Körper noch vorhatte zu leben. Eszter schilderte ihrem Vater, wie sehr sie seinen Schwiegersohn liebte und dass dieser bald mit dem Zubau an der Westseite des Hauses beginnen wollte.

Sándor blickte seinen Schwiegersohn in einer für ihn ungewöhnlich scharfen Art an und überraschte die versammelte Menschenmenge mit einer leisen und röchelnd gesprochenen, rätselhaften Aussage, die noch lange die Köpfe der Hörenden beschäftigen sollte.

„Ihr werdet euch noch wundern."

Marika vernahm das unglaubwürdige Orakel und fauchte ihn abwertend an.

„Du hast seit langer Zeit geschwiegen, und jetzt gibst du sowas Blödsinniges von dir? Unglaublich! Sei einfach still und stirb!"

Sie wendete sich ab und verließ den Raum.

„Vater, was soll das?", fragte Eszter und schaute ihn ratlos an, noch sichtlich schockiert von der verletzenden Aussage ihrer Mutter.

„Was meinst du mit ‚wundern'?"

Wieder kam ein leises ‚Ihr werdet euch noch wundern' aus Sándors Mund.

Ernö blickte seine Frau fragend an, zuckte mit den Schultern. Beide verschwanden leise und hinterließen Milo, der wie gefesselt vor dem Bett stand, und Sándor mit seinem wunderlichen Orakel.

Der Junge konnte nicht glauben, dass sein Großvater gesprochen hatte. Es waren die ersten Worte, die er aus seinem Mund gehört hatte. Endlich lernte Milo die Stimme seines Großvaters kennen, dessen Tonlage und Timbre, das bei jedem zweiten Wort aus dem Mund stolpernde, unheilversprechende Krächzen. Von der Funktionstüchtigkeit der Stimmbänder hatte sich Milo schon oft überzeugen können, denn im ganzen Hause konnte man stündlich ein Röchelkonzert genießen, das aus Sándors Zimmer kam. Die Lunge war durch mehr als eine halbe Million Glimmstängel in einen erbärmlichen Zustand versetzt worden, wofür jetzt Milos Großvater Tribut zollen musste. Sándor hatte sich noch nie Gedanken darüber gemacht, welche Auswirkungen seine Kettenraucherei haben konnte, ahnte zwar, dass es womöglich ungesund wäre, aber er steckte seit Jahrzehnten schon so tief in der Sucht, dass ein Entzug schon im Ansatz scheiterte.

Milo stand noch wie angewurzelt vor Großvaters Bett und starrte diesem mit halb geöffneten Mund ins Gesicht, als ob etwas Unglaubliches geschehen war.

Sándor drehte seinen Kopf zu Milo und versuchte sich mitzuteilen, was ihm sichtlich große Mühe bereitete.

„Milo .... bevor ich das .... Zeitliche segne, muss ich dir ..... etwas geben."

Milo war überrascht, denn er hatte nicht erwartet, nun eine sakramentale Aktion seines Großvaters miterleben zu dürfen, war sich aber Sekunden danach seiner Fehlinterpretation von dessen Aussage bewusst.

Sándor deutete mit der linken Hand auf einen Schrank mittlerer Größe, wo all seine Habseligkeiten der letzten Jahre Platz gefunden hatten.

„Mach bitte den Schrank …. auf der linken …. Seite auf, da wirst du …. ein großes Buch finden. Nimm es heraus."

Milo tat, wie ihm geheißen wurde. Er öffnete die Schranktür und blickte auf eine Handvoll kleiner Bücher. Daneben lag ein immens großes, dickes Buch mit dunkelblauem Ledereinband. Milo zeigte mit dem Finger auf dieses Riesenexemplar und blickte Sándor fragend an.

„Ja genau", beantwortete dieser Milos Blick.

Der Junge zog am Buch, hob es mit aller Kraft aus dem Schrank, denn es mochte wohl vier, fünf Kilogramm schwer gewesen sein, und legte es auf Sándors Bett, der nun die allerletzten Sätze sprach, die Milo aus seinem Munde vernehmen durfte.

„Mein Bub, du bist …. ohne Großvater aufgewachsen, denn ich …. Ich habe mich nicht um dich gekümmert…..Ich möchte dir etwas Sinnvolles …. mit auf deinen Lebensweg geben, nur einen Rat …. und etwas zum Verlassen des Alltags … Mehr wirst du …. von deinem geschundenen Großvater …. nicht brauchen können."

Ein Hustenschwall kam aus Sándors Rachen, abgerundet durch einen von einem losgelösten Batzen Schleim verursachten Knall. Sándor fuhr sich mit seinem Taschentuch über den Mund, beseitigte das ans Tageslicht Gekommene und fuhr fort.

„Nimm dir immer zu …. Herzen, was ich dir…. jetzt sage…Lass dir zu keiner Stunde …. deines Lebens etwas gefallen, von dem …. du nicht überzeugt bist…. und glaube an dich selbst."

Milo horchte ehrfürchtig Großvaters Worten.

„Und dieses Buch .... hier auf meinem Bett, ich .... ich werde es nicht mehr brauchen... Dieses Buch .... wird dich auf andere .... Gedanken bringen, denn darin kannst du .... alles finden, was du .... über unsere Mutter Erde wissen willst.... Lies und schau....lass dich fallen .... in diese wunderbaren Seiten, die .... die Welt bedeuten."

Sándors Stimme wurde kontinuierlich leiser. Er hatte mit seiner Krankheit zu kämpfen, die ihm nur die Kraft ließ für drei, vier Sätze. Milo sah seinem Großvater die Schwäche an und nahm wortlos dessen linke Hand.

Sándor lächelte, drehte seinen Kopf zur Seite und versuchte etwas Schlaf zu finden. Milo nahm das schwere, große Buch und ging damit in sein Zimmer.

Dies waren die ersten und auch letzten Worte, die Milo von seinem Großvater gehört hatte, dies war auch das letzte Mal, dass Milo ihn lebend gesehen hatte, denn inmitten der Nacht erstickte dieser an einem Schleimbatzen, ungehört, ungesehen und unbemerkt von all den anderen schlafenden Menschen im Haus. Der Ganzjahresfrischler hatte seine Urlaubsdestination verlassen.

Das große, dicke Buch bekam einen wohlfeilen Platz in Milos Zimmer und sollte von seinem neuen Besitzer erst Jahre später wieder in die Hände genommen werden, nachdem sich des Großvaters wunderliche Orakel des Sterbetages als Weissagung offenbarte.

Ernst des Lebens

Zwei Lenze waren durchs Land gezogen und Milo stand wenige Tage vor dem Eintritt in die Volksschule. Seine Eltern hatten mit ihm oft über die Schulzeit gesprochen, wollten ihn vorbereiten auf diese neue, spannende Lebensphase. Sie waren nicht sicher, ob sie sich Sorgen machen mussten des Lernerfolgs wegen. Eszter, von Natur aus mit pessimistischem Gemüte ausgestattet, zeigte äußerlich positive und ermunternde Züge, in ihren tiefsten Abgründen der Seele aber war alles zum Scheitern verurteilt. Der Bub würde das vielleicht nicht schaffen, er war ja ein Einzelkind, wie konnte er da bloß mit den vielen Schulkameraden zurechtkommen, und weiteres schwarzmalerisches Gedankengut.

Milo hatte wenig Kontakt zu anderen Kindern gehabt, abgesehen von seinen eigeninszenierten Ausritten zu Sonja, Illona und Nádja, die an Frequenz zunahmen, je älter Milo geworden war. Nun aber gings daran, für seine Zukunft zu lernen, es begann der Ernst des Lebens.

„Es beginnt der Ernst des Lebens", wisperte Milo vor sich hin und war nicht sicher, ob das ein gutes oder schlechtes Omen war.

Diese Worte hatte Milo viele Male vernehmen müssen, da vor allem seine Großmutter keine großen pädagogischen und empathischen Fähigkeiten hatte und ihm auf brutale Weise vermitteln wollte, was auf ihn doch zukäme.

„Da musst du dich schon anstrengen, Bub. Brav mitlernen und Hausaufgaben machen, sonst wird das nichts. Aber du machst das schon, bist ja ein schlauer Kerl."

Wenigstens der abschwächende Nachsatz klang aufbauend. Seine Mutter schlug in dieselbe Kerbe, jedoch lang nicht so tief wie Großmutter.

„Ich weiß ja, dass du klug bist, aber von nichts kommt nichts. Also wirst du wohl mitarbeiten müssen in der Schule. In der ersten Klasse hast du eine ganz liebe, junge Lehrerin, die kommt vom Nachbarort."

Milo war mehr verwirrt, als ihm durch die Aussagen geholfen wurde. Einzig sein Vater hielt sich verbal aus dem Anspornungsgeschwafel heraus. Es sollten ein paar aufbauende Blicke genügen, denn Ernö hatte immenses Vertrauen in die Fähigkeiten seines Sohnes und war mächtig stolz auf ihn.

Der Sommer war kühl in diesem Jahr gewesen, es hatte zu viel geregnet. Milo liebte es, über die feuchte Wiese zu laufen, aber in diesem Jahr war es anders. Der Boden war angesoffen und schwammig, als Milo Tritt für Tritt auf die Grasbüschel stieg und zentimetertief versank. Der Grundwasserspiegel auf den Feldern und Wiesen war so hoch angestiegen, dass er mancherorts bis an die Oberfläche anwuchs und aus Feldern Schlammseen machte. Für die Kinder des Dorfes war es ein Fest, denn sie konnten von einem Dreckloch ins andere hüpfen, bis zum Scheitel voll triefender Erde. Sie schleuderten sich gegenseitig Schlammbrocken in die Gesichter und jubelten bei jedem Treffer. Nach einer Viertelstunde Schlammschlacht konnte man nicht Weiblein von Männlein mehr unterscheiden, jede johlende und dahinspringende Gestalt war einfach nur ein ‚Kind'. Zu Hause gab es dann Hiebe, das war zu erwarten. Wieso hatten sich die Mütter abgemüht, der Kinder Gewand gewaschen und sie nett eingekleidet, wenn doch nach ein paar Stunden das Kleid des einen Mädchens oder das Hemd des einen Buben vom anderen nicht mehr zu unterscheiden war?

Ging es nach den Eltern, hatte dieser Spaß ein für alle Mal ein Ende, als der erste Schultag anbrach. Die Kinder wurden in ihr Festtagsgewand gesteckt, die Haare adrett gebürstet und Hand in Hand mit Mutter, selten mit Vater, wurden sie bis in die Klassenräume der Volksschule begleitet. Der erste Abschied vom Kinde für vier, fünf Stunden. Mütter weinten, Väter lachten. Abschiede hatte es bisher zwar fast jeden Tag gegeben, aber das waren Trennungen, wo Kinder nicht in die Obhut fremder Erwachsener gegeben, sondern sich selbst überlassen wurden.

Eszter brachte ihren Sohn wie alle anderen Mütter in das Klassenzimmer. Ein Raum mit vierzehn Schulbänken, gerade noch genug Platz bietend für siebenundzwanzig Kinder des ersten Jahrgangs, was sehr viel, aber durch die Jahre des Baby-Booms erklärbar war, denn die ansteigende Lebensqualität und das immer höher werdende Vermögen der Familien nach dem Aufbau des Landes war verlockend gewesen, mehr Kinder in die Welt zu setzen. Um es mit den Worten der Evolution zu sagen: Je höher das Nahrungs-angebot, desto mehr Junge.

Milo wurde ein Platz neben einem Mädchen zugeteilt, das er nicht kannte. Es musste von der abgelegenen Siedlung gewesen sein, von dem Teil des Dorfes, von dem es viele Gerüchte gab, wo Menschen verdächtigt wurden, außerhalb der Gesellschaft zu leben, in Armut und Verlassenheit auf sich selbst angewiesen.

Das Mädchen hieß Aranka, die Goldene, ein schier ungewöhnlicher Name für ein gewöhnliches Kind. Kein Anflug von festlicher Kleidung war zu sehen, unbunt vor allem durch Staub und Dreck, nichts deutete auf auch nur einen Hauch von Gold hin. Milo konnte nur vermuten, welch farbige Muster sich unter dem Schmutzbelag verbargen. Gleich dem Gewand waren Gesicht, Hände und Füße, staubig vom einsamen Gang zur Schule, denn keine Mutter, kein Vater oder keine Geschwister hatten das Mädchen begleitet. Es war auf sich selbst gestellt, musste die zwei, drei Kilometer Schulweg alleine barfuß bewältigen. Sie hatte nicht einmal von ihren Eltern erklärt bekommen, wo denn die Schule sich befände, sie war angewiesen auf Hinweise der Leute, die ihr an der Straße behilflich waren.

Milo erkannte zum ersten Male, dass es Unterschiede gab im Dorf, Unterschiede in der Art und Weise, wie sich Eltern um ihre Kinder kümmerten, Unterschiede im Vermögen. Milo sah es den Kindern an. Manche konnte man der gehobenen Klasse des Dorfes zuordnen, sofern man überhaupt von gehobener Klasse in einem Dorf der Nachkriegsjahre sprechen konnte, manche gehörten der unteren Klasse an, Kinder, die von allen gehänselt und gemobbt wurden. Arme Kreaturen mit wenig Selbstvertrauen und im Falle von Buben viel Muskelkraft, die ab und an eingesetzt werden konnte, wenn es angebracht war, wenn sie sich nicht mit Worten wehren konnten, sondern nur mit Schlägen, Würgegriffen und Tritten. Diese Kinder aber zogen immer den Kürzeren, hatten immer das Nachsehen, wurden von Lehrern stets benachteiligt.

Milo saß also neben Aranka, dem dreckigen Goldmädchen. Sie lächelte ihn von der ersten Minute an, kokettierte mit ihm und gab ihm allerlei Rätsel auf. Im Laufe der ersten Schulwoche erkannte Milo, dass sie nicht auf den Kopf gefallen war. Aranka war ein kluges Gör, das aber daheim nie gefordert wurde. Er wünschte ihr, in der Schule aufblühen zu können, und er wollte seines dazu beitragen, dem Mädchen die Welt zu erklären, die er doch schon so gut verstand im Alter von sechs Jahren.

Tage vergingen, die Lehrerin entpuppte sich als nettes Fräulein, keine dreißig Jahre alt. Sie erfüllte den Lehrplan mit dem Mindestmaß an Herausforderung für die Kinder, da sie bald bemerkte, dass einige Mädchen und Buben Schwierigkeiten hatten, ihren Vorträgen zu folgen, sofern man überhaupt von Vorträgen sprechen konnte, denn sie musste alles sehr langsam und verständlich erklären. Die Kinder lernten alles von der Pike auf, einige von ihnen wurden als weißes, leeres Blatt Papier eingeschult, worauf noch niemand je auch nur ein Wort geschrieben hatte.
Milo hatte den Eindruck, alles schon mal gehört zu haben, er tat sich leicht in der Schule. Hausaufgaben wurden ohne Zutun seiner Eltern wie im Fluge gemacht. Das in der Schule Gehörte und Gelesene wurde im Unterricht wie von einem Schwamm aufgesogen und im Kopf auf immer und ewig abgespeichert. Ihm fiel auf, dass all diese Information jederzeit allumfassend ohne jegliches Bemühen der Auffrischung abrufbar blieb, was ihm auch bei der Unterstützung der Klassenkameraden zugutekam, denn so mancher Bub oder so manches Mädchen bedurfte seiner Hilfe, ohne diese ein Weiterkommen in die nächste Klasse unmöglich war.

Milos besonderes Bedürfnis war, Aranka geistig auf den Arm zu nehmen und das nicht in Jux-Manier, sondern unterstützend von einer Prüfung zur nächsten zu tragen. Er erkannte schon jetzt, im Alter von sechs Jahren, dass Menschen zu helfen seine wichtigste Rolle im Leben sein würde, und am besten war es, gleich in der ersten Klasse Volksschule damit anzufangen.

Aranka war anfangs schüchtern, wollte Abstand zu allen bewahren und nichts mit ihren Mitschülern zu tun haben. Mag sein aus falscher Scham ihrer Herkunft oder Armut wegen.

Milo konnte ihr Verhalten in den ersten Wochen nicht deuten, langsam aber kam er Aranka auf die Schliche. Es war im Turnunterricht, als die Kinder in den noch warmen Herbsttagen sich für die Stunde Bewegung im Freien umzogen. Milo hatte als einziger der Klasse für eine Sekunde den nackten Oberkörper Arankas gesehen. Die Haut war übersät mit Pusteln, gleich einer Mondkrater-landschaft. Milo hatte ihr Geheimnis gelüftet, jedoch behielt er es für sich, denn er wollte sie nicht bloßstellen. Aranka wiederum hatte den Verdacht, dass Milo es wusste. Ab diesem Zeitpunkt waren sie sich sprachlos einig, Aranka ließ ihn spüren, dass eine Vertrauensbasis geschaffen wurde. Milo quittierte diese Übereinkunft mit Augenzwinkern.

Er freute sich auf jeden Schultag, denn ohne Geschwister war der Alltag zu Hause kein vergleichbar lustiger, obwohl sich seine Eltern oft Mühe machten, ihn zu unterhalten. Und so vergingen die ersten paar Schulmonate in Milos Leben, unterbrochen von Weihnachtsferien voller Schnee und Spaß mit den neu gewonnenen Freunden aus der Klasse. Milo war zufrieden mit dem Hier und Jetzt, hatte sich gut eingefügt in den Schulbetrieb und war ein beliebter Junge, der zwar anders als alle anderen war, aber auf eine akzeptierte Weise anders, die es ihm ermöglichte, tiefen Einblick in die Wesen der Kinder zu bekommen.

Dunkelgrüne Begeisterung

Es mochte April oder Mai des Jahres gewesen sein, in dem Milo seinen siebenten Geburtstag im Kreis seiner Freunde feiern durfte. Kinder tollten im Garten umher, Geschrei und Lachen war bis zum zehnten Nachbarhaus zu hören, eine gelungene Feier. Am darauffolgenden Tag hatte Ernö für die Familie eine Überraschung parat, die besonders Milo gefallen würde. Er kam nicht wie üblich mit dem hellblauen Wagen nach Hause, sondern parkte ein dunkelgrünes Sport-Coupé vor dem Haus, stieg aus, schloss ab und machte sich aus dem Staub in der Hoffnung, dass ihn keiner gesehen hatte. Sein Plan war die Überraschung. Seine Frau und Milo und auch seine Schwiegermutter sollten nach der ersten Sichtung des Fahrzeuges darüber grübeln, wem dies wohl gehören mochte, wer doch die Frechheit besaß, es direkt vor ihrer Einfahrt zu parken und ihnen kein Sterbenswörtchen zu sagen oder sie zu fragen, ob das denn erlaubt wäre.

Marika bemerkte das Fahrzeug vor allen anderen, denn sie war der Wachposten des Hauses, ging im Laufe eines Tages hundertmal zum Fenster, blickte in beide Richtungen der Straße, um sich zu überzeugen, ob die Luft wohl rein von Lumpenpack war oder sich jemand Bekannter dem Haus näherte und ihnen einen Besuch abstatten würde. Sie sah also das Fahrzeug vor der Einfahrt stehen, griff sich kurz an die Stirn, merkte, dass ihr das Automobil völlig fremd war und rief nach ihrer Tochter.

„Eszter, komm mal her zum Fenster. Da hat jemand ein Auto vor unserer Einfahrt geparkt. Nun komm schon!"

Sie winkte die herbeieilende Tochter zu ihr, die dann verwundert das grüne Coupé sah. Eszter hatte keine Erklärung.

„Also ich kenne den Wagen nicht und ich hab niemand gesehen."

„Ist ja wohl eine Frechheit, das Auto direkt vor unserer Einfahrt abzustellen und dann mir nix, dir nix zu verschwinden!", schimpfte Marika. Sie stapfte schnaubend nach draußen und trat vor das Gartentor in der Hoffnung, jemand zu erblicken, der nach Autobesitzer aussah. Aber vergeblich, die Straße war menschenleer. Eszter folgte ihr auf den Fuß und ging zum Auto, um einen Blick hineinzuwerfen. Es schien völlig neu zu sein, glänzende Lederbezüge, schwarzes Armaturenbrett, auf dem sich die schon tiefstehende Sonne spiegelte.

„Wer kann sich so ein Auto leisten im Dorf?", fragte Marika ihre achselzuckende Tochter.

Ernö hatte sich hinter der Zaunhecke des übernächsten Hauses verschanzt und lugte hervor, um das Schauspiel der beiden Frauen zu beobachten, die nun zu den Nachbarn gingen, nach einer Minute mit der Frau des Hauses wieder heraustraten und sich gleich unwissend gaben wie zuvor.

Marika und ihre Tochter begaben sich langsamen Schritts und viermal zum Fahrzeug zurückblickend wieder ins Haus.

Ernö beschloss nun, es seiner Frau und Schwiegermutter zu beichten: Er war derjenige, der sich dieses Auto leisten konnte.

Seine Anstellung in der Stadt wurde gut bezahlt und er lebte auch nicht über seinen Verhältnissen, gar nicht so wie sein vor zwei Jahren verstorbener Schwiegervater. Das zurück-gelegte Geld war gut angelegt im sportlichen Coupé, und vor allem Milo würde vor Freude Luftsprünge machen, war sich Ernö sicher.

Er begrüßte Frau und Schwiegermutter beim Eintreten, legte die Aktentasche ab, nahm die Jausendose und eine Flasche aus dieser und stellte alles neben die Spüle in der Küche. Marika blickte kurz aus dem Fenster auf die Einfahrt.

„Bist du nicht mit dem Auto reingefahren?"

„Nein, noch nicht. Es steht am Gehsteig vor dem Haus." Ernö versuchte Blickkontakt zu vermeiden, was anscheinend misslang, denn seine Frau musterte ihn einige Sekunden lang, lief dann ins Wohnzimmer und wollte sich vergewissern, ob ihr Auto wohl vor dem Hause stünde, denn sie ahnte Schlimmes. Mochte sein, es war ein Unfall geschehen, oder das Auto war gestohlen worden, die Situation roch verdächtig nach Verlust des Fahrzeugs, womit sie unbewusst und ungewollt auf eine spezielle Art und Weise sogar recht hatte, denn ihr hellblaues Fahrzeug gab es nicht mehr, zumindest nicht mehr im Besitz der Familie.

„Da draußen steht aber nicht unser Auto", stellte Eszter fest.

„Aber ja doch, du hast nicht genau nachgesehen", tat Ernö den Einwand seiner Frau als Schlampigkeit ab.

„Mach mich nicht wütend! Da draußen steht nicht unser Auto, ich bin ja nicht blöd!" Eszter ließ sich nicht auf der Nase herumtanzen und wurde ungewöhnlich laut im Ton.

„Da muss ich dir widersprechen, mein Liebling."
Eszter legte noch einen Zahn zu.

„Sag mal, schnappst du jetzt über? Da draußen ist von unserem Auto weit und breit keine Spur! Bitte."

Sie deutete mit dem Arm nach draußen, so als ob sie ihren Mann direkt an der Nase ziehen und durch das Fenster schubsen wollte.

Marika hatte sich auf das Sofa gesetzt und machte den Knoten ihres Kopftuches fester. Ernö war schon oft aufgefallen, dass seine Schwiegermutter das immer machte, wenn ihr langsam die Wuthitze in den Kopf stieg, gerade so, als ob der Druck im Kopf durch die erhöhte Temperatur größer würde und sie eine Kopfexplosion vermeiden wollte, indem sie das Tuch strenger um den Hals schnürte.

Ernö musste mit der Wahrheit rausrücken.

„Schaut doch noch mal genau, da steht unser Auto."

Er deutete auf das grüne Sport-Coupé, lächelte stolz und verschränkte die Arme vor der Brust. Die beiden Damen blickten ihn ungläubig an. Marika erhob sich, ging für ihre Verhältnisse recht flott zum Fenster, starrte mit verwirrtem Blick auf ihre Tochter, dann auf Ernö.

„Unser Auto?"

Ernö nickte.

„Was, du hast das blaue Auto verkauft?"

„Ich dachte, wir brauchen Tapetenwechsel", meinte er lapidar und hoffte, dass dieser kurze Satz als Erklärung der Ausgabe einer Riesenmenge Geld genügen würde. Eszter musterte den Wagen noch einige Sekunden, ein Anflug eines Lächelns gebar sich selbst in ihrem Gesicht und sie blickte auf ihre Mutter, um deren Reaktion zu sehen.

Marika, sie hatte schon immer die Familienfinanzen über, war die Sparsamkeit in Person, verzog keine Miene und prüfte, ob der Kopftuchknoten wohl noch fest genug saß.

„Na, was hält ihr vom Wagen?", fragte Ernö freudig.

Kurze Stille, von Eszter gebrochen.

„Also schön ist er schon."

Marika erhob sich vom Sofa und fuhr die beiden an.

„Die Frage ist nicht, ob er schön ist, sondern ob wir ihn unbedingt brauchen. Der Alte hätte es noch lange getan."

Ernö konnte diesen Angriff nicht auf sich sitzen lassen.

„Liebste Schwiegermama, du weißt, ich schätze dich sehr, aber es stellt sich hier überhaupt keine Frage, denn ich hab das Auto von meinem Geld gekauft. Und ja, der Alte hätte sicher noch zehn Jahre gute Dienste getan. Aber es war Liebe auf den ersten Blick, weißt du."

Eszter fiel prompt ein zynischer Vergleich aus dem Mund.

„Bei mir war es damals nicht Liebe auf den ersten Blick, auch nicht auf den zweiten. Da waren Blicke in zweistelliger Zahl vonnöten."

„Komm bitte, sei nicht albern", entgegnete Ernö.

„Du kannst doch wohl einen Autokauf nicht mit einer erblühenden Liebesbeziehung vergleichen. Die schönsten Blumen brauchen eine Weile, bis aus Knospen prachtvolle Blüten werden." Ernö gab seiner Frau einen Kuss. Mit dieser Charmeoffensive war alles besiegelt. Eszter lächelte verschmitzt und aus Marikas Antlitz verschwand der bitterböse Hexenblick.

Ernö öffnete das Gartentor und fuhr den Wagen in die Einfahrt. Ein stolzer Grand Seigneur stieg aus dem Auto, fuhr mit dem Zeigefinger über die Motorhaube und leckte einmal über diesen genussvoll drüber. Er schloss die Fahrertür ab und ging gemächlich auf die beiden Damen zu, wohl einen Ausbruch der Begeisterung erwartend. Eszter gab Ernö einen Kuss auf die Wange. In diesem Augenblick fiel ihr ihr Sohn ein, der schon seit Stunden in seinem Zimmer weilte und vermutlich spielte.

„Wir müssen Milo holen, er wird sich nicht einkriegen voller Freude über den schönen Wagen!", sprudelte es aus Eszter heraus. Sie eilte in das Haus und ging in das Obergeschoß, wo Milo seit Schulbeginn sein eigenes Zimmer hatte.

Eszter fand ihn über ein Buch gebeugt. Sie erkannte sofort, dass es sich um ein Briefmarkenalbum handelte, in dem eine einzige Marke steckte, die Milo bewundernd musterte.

„Milo, was machst du da?", fragte seine Mutter.

Ihr Sohn antwortete, ohne den Blick von der Marke zu lassen.

„Ich möchte Briefmarkensammler werden, der größte Briefmarkensammler der Welt."

Seine Mutter fragte, woher er das Album und die Marke habe. Er meinte, das Album hätte ihm ein Freund geschenkt, der es nicht mehr bräuchte, denn Briefmarkensammeln wäre nichts für Buben, das sei Mädchensache, so hatte es Milos Freund erklärt.

„Und woher hast du die Marke?", wollte seine Mutter noch wissen.

Milo blieb eine Weile still, den Blick noch immer auf die Marke richtend. Nach einer gefühlten Minute drehte Milo dann seinen Kopf zur Mutter und erklärte voller Stolz mit einem Lächeln auf den Lippen: „Die hat mir meine Freundin geschenkt."

Eszter fragte sich, wer wohl diese Freundin war. Ihr Sohn hatte seit Schulbeginn noch kein Sterbenswörtchen über den Unterricht, Lehrer und seine neuen Freunde verraten. Er machte immer stillschweigend seine Aufgaben, ohne die

Eltern in irgendeiner Weise zu involvieren, hatte ihnen auch noch nie die Schulhefte oder Bücher gezeigt. Milo meinte, die Schule sei sein allerprivatestes Ding, dass er alleine durchziehen musste.

Eszter war neugierig.

„Wer ist diese Freundin, wie heißt sie?"

Ihr Sohn meinte, er wisse nicht, ob er seiner Mutter das verraten darf, aber mal sehen.

„Das werde ich ja wohl wissen dürfen, oder?"

Milo fixierte wieder eine Weile die Briefmarke, schien kurzzeitig in eine Welt abzudriften, die ihre Mutter noch nie gesehen hatte und öffnete sich dann.

„Aranka hat mir die Marke geschenkt. Sie ist meine beste Freundin."

Eszter bat ihn, ihr auch den Familiennamen der Freundin zu verraten. Ihr Sohn verweigerte dies anfangs, doch nach einigen Malen des Bittens seiner Mutter gab er Auskunft.

„Sarközi, sie heißt Aranka Sarközi."

Eszter überlegte kurz, denn ihr fiel ad hoc keine Familie im Dorf ein, die diesen Namen trug. Dann aber kam ihr in den Sinn, dass es da eine Siedlung gab, bestehend aus wenigen kleinen und heruntergekommenen Häusern außerhalb des Dorfes, ein paar Kilometer entfernt, wo angeblich Roma-Familien vor vielen Jahren Unterkunft gefunden hatten. Die Siedlung hatte nicht den besten Ruf, denn es hatte schon einige Fälle gegeben, wo die Gendarmerie eingreifen musste. Der Familienname könnte darauf hindeuten, dachte Eszter.

„Meinst du die Familie, die auf der anderen Seite des Fuchswaldes wohnt, in der kleinen Siedlung mit den Hütten?", fragte Eszter ihren Sohn, der sie entgeistert anblickte.

„Ich war noch nie auf der anderen Seite des Fuchswaldes."

Eszter versprach Milo, dass sie ihm die Siedlung mal zeigen werde, doch er wollte davon nichts wissen und wies ihr Angebot zurück. Seine Eltern durften in keiner Weise in seine Beziehung zu Aranka eingebunden werden, er hatte schon in diesem Augenblick bereut, von Aranka erzählt zu haben.

„Schon gut, dann eben nicht", wollte Eszter die Diskussion beenden.

„Aber ich möchte dir etwas zeigen, das wird dir gefallen. Komm mit in den Garten."

Milo war wieder auf die Briefmarke im Album fixiert, sprang dann aber nach der dritten Aufforderung seiner Mutter auf und folgte ihr in den Garten, wo Vater und Großmutter noch den Wagen begutachteten.

Milo trat aus dem Haus und erblickte das Auto. Großmutter und Vater standen mit seltsamer Mimik daneben, die Milo zuerst an Fotos erinnerte, die er in einer medizinischen Zeitschrift seines Vaters gesehen hatte, in der Schlaganfallpatienten abgebildet waren. Der Junge musste eine Sekunde darauf feststellen, dass sie nur ihre Freude über den neuen Wagen mitteilen wollten, den er nun als einen ihm unbekannten Typ erkennen musste, und das sollte etwas heißen bei seiner autodidaktischen Vorbildung in puncto Erkennen von Automobilen. Er lief zum grünen Coupé, ließ einen kurzen Schrei ertönen, laut genug, um die Vögel in den Bäumen des Gartens zum Fliehen zu ermuntern. Er lief um den Wagen herum, starrte ins Innere, umkreiste ihn noch einige Male und erfuhr von seinem Vater, um welchen

Wagentyp es sich handelte und dass dieser ab heute ihnen gehörte.

Vor Begeisterung sprang Milo vor seinem Vater hoch, der ihn auffing, dann aber sofort wieder runterlassen musste, so viel zappelte sein Sohn in seinen Armen.

Für die Familie war dieser Tag ein Freudentag, in besonderem Maße natürlich für Milo, der vom neuen Auto begeistert war und vor allem davon, dass er diesen Wagentyp noch nie zuvor gesehen hatte und er nun wieder ein Stückchen schlauer geworden war. Milo öffnete die Fahrertür und nahm auf dem Fahrersitz Platz, griff ans Lenkrad und tat so, als ob er den Wagen durch eine stark befahrene Straße lenkte. Die Beine zappelten in der Luft, da sie nicht bis zu den Pedalen langten, ein Brummen, Quietschen und Hupen war aus Milos Munde zu entnehmen, das Auto fuhr anscheinend in hoher Geschwindigkeit einen gefährlichen Kurs durch Menschenmengen. Milo stoppte die Fahrt, kletterte auf die mit hellbraunem Leder überzogenen Rücksitze und kniete sich wie früher üblich gegen die Fahrtrichtung blickend hin.

Ernö stieg in den Wagen.

„Milo, ich starte mal den Wagen."

Sein Sohn klatschte in die Hände. Unmittelbar nach Drehen des Schlüssels begann der Motor zu brummen. Ernö drückte ein paar Mal das Gaspedal durch, damit alle das kraftversprechende Motorgeräusch bis in den hohen Drehzahlbereich hören konnten.

„So, das reicht für heute. Morgen nehme ich dich mit auf eine Spritztour."

Milo konnte sich vor Freude kaum beruhigen. Dem neuen, wunderschönen Fahrzeug entstiegen, lief er zu seinem Vater und umarmte ihn in Hüfthöhe.

„Papa, ich freu mich so!"

Ernö fuhr seinem Sohn mit der Hand über den Kopf und seufzte. Er ging mit den beiden Damen ins Haus, Milo verbrachte noch eine Weile beim Auto, um es genauer zu inspizieren und den Geruch von Leder in die Nase zu bekommen.

Diese Begebenheit war das mächtigste Bild von Milos Kindheitserinnerungen, ein auf dem lederüberzogenen, hellbraunen Sitz kniender Junge, der unendlich stolz war auf seinen Vater, der sich ein für damalige Verhältnisse recht kostspieliges Automobil leisten konnte. Papa war der Größte!

Das Bild hatte sich in Milos Erinnerung eingebrannt wie der erste Samenerguss eines pubertierenden Teenagers, blieb auf ewig frisch erhalten und war für ihn immer das Bild, mit dem er die schönen Tage seiner Kindheit identifizieren konnte. Der Geruch von neuem Leder, das angenehme Brummen des Motors, das Leuchten in Vaters Augen und der Stolz.

Spätabends musste Milo wie üblich ins Bett. Seine Mutter brachte ihn noch in sein Zimmer, wünschte ihm eine gute Nacht. Sie schaltete das Licht aus und hinterließ einen Jungen, der einen wundervollen Traum erlebte, in dem er stolz ein dunkelgrünes Fahrzeug durch die Straßen des Dorfes lenkte, durch den Fuchswald bis hin zur Hütte, in der Aranka wohnte. Er hupte zwei, drei Mal und gleich darauf kam seine Freundin angerannt. Sie quietschte vor Freude und machte es sich auf dem Beifahrersitz bequem. Die beiden fuhren einen ganzen Tag lang durch ihre kleine Welt, die Milo bis dahin bekannt gewesen war. Er chauffierte seine Freundin sicher durch einen Traumtag beider Leben.

Der Abend im Erdgeschoß des Hauses verlief wie viele andere auch. Die Familie aß zu Abend, Ernö erzählte, wie er zum hellgrünen Auto kam und überhaupt auf die Idee, es zu kaufen. Marika hatte die Anschaffung des Wagens noch immer nicht ganz verdaut, Eszter freute sich auf Ausfahrten, um Nachbarn und sowieso dem ganzen Dorf zu zeigen, was sie sich leisten konnten.

Es mochte nach zehn Uhr abends gewesen sein, als Ernö auf die Uhr blickte, sich erhob und meinte, er müsse kurz zum Wagen schauen. Er ging nach draußen, Marika und Eszter hörten das Zuschlagen der Wagentür und kurz darauf das Startgeräusch des Motors.

„Wo will Ernö jetzt noch hin?", fragte Eszter ihre Mutter, die ahnungslos mit den Schultern zuckte.

Eszter ging zum Fenster und konnte gerade noch erkennen, wie der Wagen die Einfahrt verließ, dann die Straße entlangfuhr und bei der nächsten Kreuzung links abbog.

„Seltsam, vielleicht macht sich Ernö noch eine Freude und kurvt ein bisschen in der Gegend herum", mutmaßte Eszter und begann das Geschirr zur Spüle zu tragen.

Beide machten sich daran ins Bett zu kommen und schliefen auch bald danach ein, in der Erwartung, dass sie am nächsten Morgen im Kreis der ganzen Familie frühstücken würden können.

Seltsamerweise war es für Milo eine unruhige Nacht, denn er durchlebte einen Traum, an den er sich noch Jahre später erinnern würde. Er stand einsam am Flussufer und blickte dem vorbeifließenden Wasser nach, dessen kräuselnde Strudel ihm scheinbar zuwinkten.

Dieser Abend war das letzte Mal, dass Marika ihren Schwiegersohn, Eszter ihren Mann und Milo seinen Vater gesehen hatten.

Enttäuschung

Milo konnte am nächsten Morgen vor Aufregung und Erwartung der Spritztour im neuen Wagen nicht lange schlafen, stand schon sehr früh in der Küche und blickte durchs Fenster in die Einfahrt, wo am gestrigen Abend noch das Fahrzeug gestanden hatte. Er war der Erste der Familie, der die morgendlichen Sonnenstrahlen sah, jedoch nicht den Wagen! Milo versuchte, durch alle anderen Fenster das Fahrzeug zu entdecken, doch vergeblich. Er wurde nervös, bangte um das dunkelgrüne Auto und lief nach oben ins Schlafzimmer seiner Eltern. Der Junge schlich hinein bis zur Bettseite seiner Mutter und versuchte sie sanft aufzuwecken.

„Mama", flüsterte er.

„Mama, wach auf."

Milo zog ein paar Mal an ihrer Hand, bis sich seine Mutter anfing zu bewegen und langsam aufwachte. Sie hob den Kopf, sah im Halbdunkel schemenhaft den Körper ihres Sohnes vor dem Bett stehen.

„Milo, was machst du hier? Wieso bist du schon so früh aufgestanden?"

Ihr Sohn erklärte seine Entdeckung, besser gesagt seine Nichtentdeckung, und seine Befürchtungen des neuen Wagens wegen.

„Da hast du dich sicher getäuscht, Milo. Mach dir keine Sorgen, das Auto steht in der Einfahrt."

Milo versuchte seiner Mutter klarzumachen, dass er nicht auf den Kopf gefallen wäre und wüsste, dass das Fahrzeug eben nicht mehr in der Einfahrt stand. Eszter kannte ihren Sohn und wusste seine Reaktion richtig einzuschätzen.

Sie blickte zur Seite, um ihren Mann zu wecken. Es konnte ja tatsächlich der Fall gewesen sein, dass Diebe mitten in der Nacht das Fahrzeug gestohlen hatten. Eszter versuchte Ernö am Arm zu ziehen, griff jedoch ins Leere und erschrak.

„Ernö!", rief Eszter und fuhr hoch.

Sie bemerkte, dass die Bettseite neben ihr unbelegt war.

„Milo, hast du deinen Vater unten gesehen?"

Ihr Sohn verneinte.

„Dann wäre ich ja nicht in euer Zimmer gekommen."

Eszter sprang aus dem Bett, zog sich schnell was über und lief mit Milo nach unten, um sich von der Abwesenheit des Fahrzeugs selbst zu überzeugen.

Ein Tritt vor das Haus genügte um zu wissen, dass da was nicht stimmen konnte. Eszter ging nervös umher und versuchte sich einen Reim aus der Situation zu machen.

Sie wollte Milo beruhigen.

„Dein Vater wird sicher bald kommen, er fährt wahrscheinlich gerade in der Gegend herum, um das Auto zu testen. Mach dir keine Sorgen."

Milo versicherte seiner Mutter, dass er sich keine Sorgen machte. Diese jedoch umso mehr, denn Ernö würde nie so früh am Morgen aufstehen und einfach mit dem Auto in der Gegend umherfahren, das wäre nicht Ernö. Theoretisch könnte es aber doch sein, theoretisch könnte alles Mögliche passiert sein. Eszter lief gerade ein Film vor Augen ab, schreckliche Szenen, ein Unfall mit dem Auto, eine Entführung und andere Horrorvarianten. Dass Ernö aus eigenen Stücken abgehauen war, kam ihr als einzige Erklärung nicht in den Sinn.

Sie eilte ins Schlafzimmer ihrer Mutter, weckte diese auf, erklärte die Situation, und bald darauf kamen beide vors Haus, wo Milo noch wie angewurzelt stand. Eszter nahm ihn an der Hand.

„Wir müssen die Gendarmerie anrufen!", schlug Marika vor.

Eszter meinte, dass so früh am Morgen sicher niemand im Wachposten wäre, ihre Mutter konnte dies aber nicht mehr hören, da sie schon auf dem Weg ins Haus zum Telefon war, das im Vorraum unter dem Wandspiegel stand.

Eszter wollte ihre Mutter noch aufhalten, ihr nachrufen, doch sie brachte keinen Laut heraus. Sie wartete mit Milo vor dem Haus und starrte minutenlang in eine Richtung, wie Kinder, wenn es mal an der Zeit war, wieder ins Narrenkastl zu schauen.

Drei Minuten später kam Marika zurück. Sie hatte Glück, der Wachposten war schon besetzt. Der Gendarm am Hörer hatte Marika versichert, dass es in der Nacht keine besonderen Vorkommnisse gegeben hatte, keinen Unfall und auch keine Entführung. Er hatte schmunzeln müssen, als er Marika bestätigen musste, dass es keine Entführung gegeben hatte, denn wie zum Teufel konnte jemand auf die Idee kommen, dass in einem Dorf an der österreichischen Ostgrenze, wo es noch nie eine Entführung gegeben hatte, zumindest nicht in der Amtszeit des Gendarmen, und das waren immerhin schon sechsundzwanzig Jahre, plötzlich jemand entführt werden sollte. Und aus welchem dieser Gegend entsprungenem Grunde? Was natürlich sein konnte, war ein Racheakt eines Gehörnten, dass kam schon manchmal vor. Da wurde im Laufe der Jahre zuvor schon mal Männern im Dunkeln ein Sack über den Kopf gezogen, die dann durch ein paar Knüppelschläge ins Land der Träume befördert und im nächsten Straßengraben entsorgt wurden, quasi ‚Knüppel aus dem Sack'. Am nächsten Tag hatten die Männer dann große Probleme, die Situation ihren Frauen zu erklären, wohl auch den körperlichen und seelischen Schmerzen geschuldet. Jedenfalls hatte der Gendarm am anderen Ende von Marikas Leitung sichtlich Mühe, nicht ins Lachen zu geraten. Marika hatte langsam gemerkt, dass der Gendarm sie nicht ganz ernst nahm und knallte erbost den Hörer auf.

So standen sie nun da, die drei Ratlosen und Angstvollen. Nun, nur eine Person war voller Angst, und das war Eszter. Milo nahm es recht gelassen, denn er hatte sich schon immer auf seinen Vater verlassen können und glaubte auch diesmal zu wissen, dass sich alles zum Guten wenden würde. Marika war ein Mensch, der im Grunde seiner Seele niemals ängstlich oder leicht einschüchterbar war. Resolut war sie immer sozusagen ihren Mann gestanden, und doch gab es etwas, wovor sie schon seit langem Angst gehabt hatte. Unbegründet sicherlich, dennoch trieb ihr diese Vorstellung den Schweiß auf die Stirn. So wie viele Menschen eine Phobie vor Spinnen hatten, war es bei Marika die Phobie vor Chinesen. Nicht Chinesen per se, also nicht vor Personen des chinesischen Volkes, sondern vor der Gesamtheit der Chinesen, also vor dem Volk en gros. Den Grund dafür hatte sie nie finden können, glaubte aber, dass es daran lag, dass es so viele von denen gab. Marika hatte das nur ein einziges Mal in ihrem Leben jemandem gebeichtet, und das war ihr Mann, der vor zwei Jahren gestorben war. Sándor hatte damals laut loslachen müssen, als ihm das Leid seiner Frau gestanden wurde, und das war für Marika genug an Antwort, um für den Rest ihres Daseins mit diesem Geheimnis leben zu wollen.

Marika versuchte, Eszter und Milo zurück ins Haus zu bringen.

„Kommt, gehen wir wieder rein. Wir brauchen noch ein bisschen Schlaf, und danach wird die Welt sicher anders aussehen."

Und so gelang es ihr, sich selbst so viel Ruhe zu geben, um noch zwei, drei Stunden Schlaf zu finden.

Die Kirchturmglocken schlugen zehn Uhr und geleiteten die drei noch Schlafenden in den wachen Alltag. Sie fuhren alle zugleich hoch, hüpften aus ihren Betten - von Marika konnte man zwar nicht wirklich von ‚hüpfen' reden, bedingt durch ihr Alter, aber so schnell war sie schon seit nicht Jahren nicht hochgekommen – und gingen nach unten, um sich zu vergewissern, dass Ernö und der neue Wagen wieder zurückgekehrt waren.

Vergeblich, keine Spur von beiden. Milo lief nach draußen, blickte links und rechts, lief zur Straße, konnte aber seinen Vater oder das dunkelgrüne Coupé nicht entdecken. Eine seltsame, nicht gekannte Traurigkeit überkam ihn. Wohin zum Teufel ist sein Vater bloß gefahren? Und wieso hatte er Milo nicht mitgenommen?

Zurück ins Haus gekommen fragte Milo seine Mutter.

„Wo ist Papa?"

„Kind, ich kann dir das nicht sagen, ich weiß es selbst nicht. Aber du wirst sehen, er wird bald zurückkommen und alle Unklarheiten werden sich in Luft auflösen."

Eszter konnte selbst nicht glauben, was sie gerade ihrem Sohn zur Beruhigung sagte. Dunkle Wolken zogen auf und breiteten sich über die dezimierte Familie aus.

Milo begann zu weinen und schluchzte.

„Aber ich möchte, dass Papa wieder zurückkommt."

Eszter strich ihm mit der Hand über den Kopf und wusste nichts darauf zu sagen. Ihr Sohn wurde laut und stampfte auf.

„Ich will, dass Papa wiederkommt! Ich will, dass er wieder bei uns ist!"

Milo rannte nach oben in sein Zimmer, warf sich in sein Bett, weinte bitterlich und überschüttete sich mit Leid und Kummer.

Indes beratschlagten sich Marika und ihre Tochter in der Küche. Marika war eine nüchterne Frau, rational denkend, stets auf dem Boden bleibend, aber diese Begebenheit brachte selbst sie aus dem Gleichgewicht.

„Verdammt, was hatte Ernö bloß vor?"

„Mutter, glaub mir bitte, ich habe keinen blassen Schimmer, was in ihn gefahren ist. Aber wir müssen wieder zur Gendarmerie, sie werden sicher schon wissen, was mit ihm passiert ist."

Marika versuchte ihre Tochter wieder auf den Boden zu bringen.

„Dann hätten sie uns angerufen."

Eszter war verzweifelt, setzte sich an den Küchentisch und begann zu schluchzen.

„Wieso hat er mir nichts gesagt? Kein Sterbenswort. Nichts. Was bildet er sich eigentlich ein, ohne was zu sagen abzuhauen!"

Da der Wachposten der Gendarmerie unweit ihres Hauses war, bot Marika ihrer Tochter an hinzugehen, packte ihre Weste, band sich das Kopftuch über und verließ das Haus.

Eszter war verzweifelt, malte schon für sich selbst den vierten Teufel an die Wand und befürchtete wie üblich das Schlimmste. Ernö hatte sicher einen Unfall gehabt und lag schwer verletzt oder gar tot in einem Graben, schlecht einsehbar von der Straße, und wurde daher noch von niemandem entdeckt. Eszter sah sich bereits den Rest ihres Lebens als Witwe vor sich hinlebend und alle im Dorf würden über sie und ihren Mann reden, würden sie, Eszter, als Schuldige für das Drama an den Pranger stellen, denn die Furie hatte ihren Mann aus dem Haus getrieben.

Eszter öffnete die Tür zum Stiegenaufgang und hörte Milo weinen. Sie wusste nicht, wie sie ihrem Sohn jetzt helfen sollte.

Minuten über Minuten vergingen. Dann endlich kam Marika zurück, konnte aber mit keinen Neuigkeiten aufwarten.

„Du kennst ja Laszlo, diesen Unmenschen, den sie vor zwei Jahren zum Revierinspektor ernannt haben. Dieser Affe von einem Menschen hat mir doch ins Gesicht gesagt, dass sie nichts von Ernö gehört haben, von einem Unfall oder von einem Verbrechen. Ernö wird schon gewusst haben, wieso er weggefahren ist, hat Laszlo gemeint. Ich musste ihm einige Schimpfwörter an den Kopf werfen, worauf er antwortete, ich soll mich zügeln, er ist als Beamter eine Respektsperson. Ich hab dann zu ihm gesagt, dass er mich doch am Arsch lecken soll und bin davon. Ich hoffe, ich muss mit diesem Relikt aus der Monarchie nie mehr etwas zu tun haben."

Eszter schreckte hoch.

„Mutter, wie konntest du nur! Wie stehen wir jetzt da? Von der Gendarmerie brauchen wir uns jetzt nichts mehr erwarten."

„War das jemals anders?", fragte Marika leise.

Eszter war wütend auf ihre Mutter und begann zu weinen.

„Du, du bist immer so aufbrausend, denkst nie darüber nach, was deine unbedachten Aktionen an Konsequenzen für unsere Familie haben könnten. Wieso bist du so?"

Marika schwieg für eine Weile und sah ihrer Tochter beim Weinen zu, fasste sich und erklärte.

„Eszter, ich bin, wie ich bin, geprägt von zwei Weltkriegen, einer harten Zeit, wo man sehen musste, wo man bleibt, und ich hatte von deinem Vater keine Unterstützung, außer seinem Gehalt. Ich sage wenigstens, was ich denke, im Gegensatz zu dir!"

Schweigen durchbrach das Gespräch und ließ die Welt für einige Stunden anhalten, damit wieder alle Familienmitglieder Luft bekommen konnten. Milo, um sich zu fassen und gemeinsam mit Mutter und Großmutter auf die Rückkehr seines Vaters zu hoffen. Eszter, um ihre Mutter etwas besser verstehen zu können und Ernö eine Chance zur Rückkehr zu geben. Marika, um der Gendarmerie Zuspruch geben zu können.

Tage waren vergangen seit Ernös Flucht, einer Flucht wohin und aus welchem Grund auch immer. Milo ließ sich kaum blicken. Er kam alle paar Stunden aus seinem Zimmer, starrte seine Mutter fragend an, die ihm mit Achselzucken mitteilte, dass es von seinem Vater noch keine Spur gab. Er nahm sich etwas zu essen und vergrub sich wieder im Obergeschoß.

Marika hatte am Wachposten der Gendarmerie angerufen, um sich einerseits zu entschuldigen und dann so nebenbei nachzufragen, ob es denn Neuigkeiten gäbe zum Fall 'Ernö'. Das Arschloch von Revierinspektor war doch glatt über seinen Schatten gesprungen und hatte brav Auskunft erteilt, doch leider keine Hinweise über Ernös Verschwinden.

Zwei Wochen nach dem Vorfall hatten Eszter und Marika noch immer kein Wort aus Milos Munde vernommen. Manchmal ließ er sich blicken, doch Eszter kam es vor, als hätte sie außer ihrem Ehemann auch den Sohn verloren. Er schottete sich ab, kam nicht darüber hinweg, dass sein Vater aus unbekannten Gründen ihn im Stich gelassen hatte. Zwar hegte Milo noch Hoffnung und versuchte viele Male, mit seinem Vater gedanklich Kontakt aufnehmen zu können, doch einem sechs Jahre alten Jungen können zwei Wochen ohne seinen Vater vorkommen wie eine Ewigkeit.

Papa, lass mich nicht alleine zurück!
Ich habe zwar noch Mutter, die für mich sorgen wird, aber du siehst ja ihren Zustand, ihre Hoffnungslosigkeit.
Papa, komm zurück, mir ist das neue Auto doch vollkommen egal!
Papa hört mich nicht.
Papa wird nur mehr meine Gedanken spüren. Er wird Gedanken spüren, aber nicht wissen woher sie stammen, wer sie denkt.
Da stehe ich kleiner Junge und weiß, dass mein Vater meine Gedanken spüren wird. Allein dieser Gedanke ist ein schöner und befriedigender. Es ist die alleinige Bestätigung dafür, dass ich meinem Vater vergeben kann.
Machs gut, Papa!

Vielleicht schreibst du mir mal aus der Ferne, von deinen Reisen im dunkelgrünen Coupé in unbekannte Länder. Machs gut. Irgendwann werden wir uns wieder in den Armen liegen.

Papa, du wirst vielleicht der einzige Mensch sein, der mich je verstanden hat, obgleich sich unsere Lebenslinien nur für eine kurze Zeit tangierten.

Papa, du bist ein Feigling, du flüchtest vor mir, hast Angst vor mir. Ich würde dir nie was zuleide tun, Papa.

Ich wünsche dir ein schönes Leben, mit wem auch immer und wo auch immer.

Von dem Schulfreund, der ihm das Briefmarkenalbum geschenkt hatte, bekam Milo auch Marken aller Herren Länder. Zuerst hatte er diese unbeachtet in einer Lade verstaut, doch jetzt, in seiner ersten Lebenskrise wurden sie zu einem Anker, an dem es sich festzuhalten galt.

Milo verweigerte die Schule, verweigerte jeglichen Kontakt zur Außenwelt, ja gar zu Mutter und Großmutter. Drei Wochen lang versteckte er sich von all dem da draußen, von der realen Welt, und verschanzte sich in seinem Paralleluniversum, das von Briefmarken dominiert war. Aranka war sein Anstoß gewesen, ihr hatte Milo den Zufluchtsort zu verdanken, den er jetzt mit Dank aufsuchen durfte. Ohne sie wäre Milo verkümmert, wie ein Geschwür, dass durch die Chemotherapie kleiner und kleiner wird und schließlich ganz verpufft. Allein die Gedanken an Aranka hielten ihn in dieser schwierigen Phase am Leben. Es war nicht seine Mutter, die vor Selbstmitleid wie gelähmt war, auch nicht seine Großmutter, die versuchte, ihn wieder zurück in die Realität zu holen, und auch sonst kein Mensch, der ihn näher kannte. Es war nur der Gedanke an Aranka und ihre Briefmarke, die sie ihm kurz nach Schulbeginn geschenkt hatte.

Tage verbrachte Milo mit dem Sortieren der Marken. Es mochten an die drei- oder vierhundert gewesen sein, die er in das Album steckte, sortiert nach Land und Motiv. Jede Marke wurde katalogisiert, mit Attributen versehen, um der Nachwelt wichtige Information mitteilen zu können. Milo wollte Außerirdischen, also Wesen von seinem Schlag, die vielleicht in hunderten oder tausenden von Jahren zur Erde kommen sollten, eine Mitteilung hinterlassen, damit sie die Menschen auf dem Planeten Erde besser verstehen könnten.

Da waren Briefmarken, die zeigten Tiere - Bären, Wölfe, Rinder. Andere wiederum huldigten Genies oder Personen, die Großartiges und Weltbewegendes geleistet hatten. Mag sein, sie waren wichtig gewesen, aber Milos Vater konnten sie nicht finden. Diese Marken erhielten den äußerst letzten Platz im Album, mehr konnte sie Milo nicht würdigen.

Andere Marken zeigten Trachten, wohl bestens geeignet, um Außerirdischen die lokale Kultur zu erklären. Dann waren da auch Briefmarken mit den Konterfeis von angeblichen Größen der Politik. Milo wusste, dass diese Titulierung als Pauschalierung eine Farce war, doch es hatte auch Menschen der Politik gegeben, die diesem Titel sich würdig zeigten.

Ein anderes Genre wiederum zeigte Motive der Kultur, Opernsänger und -häuser, Dichter, Komponisten oder Musikinstrumente. All diese verschiedensten Motive wurden von Milo katalogisiert und hingebungsvoll in einer vom ihm erkorenen Ordnung einsortiert.

Nebenbei führte er ein Heft, das einst für schulische Zwecke bestimmt gewesen war. Dieses Heft wurde nun missbraucht, um alles Wissenswerte über jede einzelne Briefmarke zu dokumentieren. Er legte autistische Züge an den Tag, verhielt sich nahe an der Grenze zu Syndromen, die täglich Gesprächsmittelpunkte an psychiatrischen Kliniken bildeten. Unzählige Daten, zusammengetragen aus philatelistischen Büchern, fanden Eintragung in das Heft, das wie kein anderes Beweismittel Milos Seelenzustand beschrieb.

Er lebte und liebte in seiner eigenen Welt und hatte kein Wort seit dem Verschwinden seines Vaters gesprochen. Er lebte in der Gegenwart und zehrte unbewusst von Vergangenem. Nie hätte er sich zu fürchten gewusst vor jenem Tag, an dem sein Vater verschwand ohne adieu zu sagen, ohne Aufhebens, ohne Worte, ohne Gepäck. Jener Tag, an dem er seinen Vater zum letzten Mal gesehen hatte, war der einschneidendste Tag seines Lebens, katapultierte ihn Lichtjahre weg vom behütenden Heim, vom elterlichen Schutz und der Geborgenheit, die ein Kind zwischen Vater und Mutter haben sollte. Einem Behinderten gleich mit abgeschnittener Zunge irrte Milo von diesem Zeitpunkt an durch sein Leben, wohl umsorgt von der verzweifelten Mutter und der verbitterten und von der Bosheit und Ungerechtigkeit des Lebens überzeugten Großmutter, aber dennoch vom Leben in Stich gelassen.

Was sollte er ohne seinen geliebten Vater machen? Wieso half ihm dieser nicht mehr weiter durchs Leben und beschützte ihn nicht mehr vor allen Angriffen des Alltags? Wie würde die Zukunft ohne Vater sein?

Rückkehr

Alle Mühe hatte Eszter, dem Volksschuldirektor die Abwesenheit ihres Sohnes vom Unterricht zu erklären. Vier Wochen waren nun schon ins Land gezogen, dass Milo nicht zur Schule ging. Weder Eszter noch die Lehrerin mussten sich Sorgen machen um die Ausbildung des Buben, denn beide wussten, dass er meilenweit vor allen anderen Schülern lag, doch es ging um die soziale Entwicklung des Kindes, um die Eingliederung in die Gesellschaft, auf dass ein redlicher Bürger aus Milo werden konnte.

Eszter hatte einen Termin beim Schuldirektor, einem Mann mit strengem Blick und Autorität, die einem das Fürchten lehren konnte. Er hatte den Weltkrieg ohne psychischen Knacks überstanden, doch ein kleiner körperlicher Makel war ihm geblieben. Im Schützengraben an der Ostfront war eine Handgranate detoniert, die ihm die linke Hand zerfetzte. Der Rettungskette dank war er alsbald in ein Lazarett gebracht worden, wo ihm der verbliebene Stummel samt Resten seiner Finger versorgt wurde. Vier Wochen später konnte er Frau und Kinder in die Arme nehmen und eine Woche darauf war der Krieg verloren, das Leben für ihn jedoch gewonnen.

Jahre vergingen, bis er eine Handprothese erhalten hatte, mit elegantem Leder überzogen und gerade gut genug, um die paar künstlichen Finger in einem Maße bewegen zu können, das es ihm erlaubte zuzugreifen, ein Glas mit sicherem Griff in die Hand zu nehmen oder ein Ohr des renitenten Schülers zu ergreifen, um es mit Kraft nach oben zu ziehen und ihn für die nächsten Wochen gefügig machen zu können.

Eszter betrat wie geheißen das nach neunzehntem Jahrhundert riechende Schulgebäude und nahm im Vorraum Platz. Der Direktor kam ihr entgegen und hieß sie mit seiner gruselig anmutenden Lederhand, die Finger leicht angezogen, in sein Büro hinein. Am Tisch Platz genommen bat Eszter vorsichtshalber gleich um Entschuldigung für das lange Fernbleiben ihres Sohnes vom Unterricht.

„Wissen Sie, Herr Direktor, es gab da einen Vorfall vor ein paar Wochen, über den Milo bis jetzt noch nicht hinweggekommen ist", versuchte sie zu erklären.

Der Direktor machte Eszter klar, dass er im Bilde war.

„Liebe Frau, ich kenne den Vorfall. Ernö, ihr Ehemann ist abgehauen, hab ich recht?"

„Nun ja, abgehauen ist vielleicht nicht ganz richtig."

Bevor Eszter fortfahren konnte, schlug der Direktor eine verbale Kerbe.

„Wenn ein Mann von einer Minute auf die andere die Familie verlässt, ohne ein Wort zu sagen, dann ist dies eindeutig ein Fall von Flucht. Ernö ist abgehauen. Warum wohl?", fragte er zynisch.

„Herr Direktor, wenn wir das wüssten! Meine Mutter und ich stehen vor einem Rätsel."

Eszters Unterlippenmitte bewegte sich stoßartig ein paar Mal nach oben, sie war dem Weinen nahe.

Der Direktor ließ nicht locker und mahnte.

„Er wird schon gewusst haben, aus welchem Grunde. Nun gut, der Bub wird es verschmerzen. Geben wir ihm noch ein, zwei Wochen, dann muss er aber in die Schule, hören Sie?"

Eszter nickte leise.

„Er ist der einzige Schüler der Klasse, bei dem ich ein Auge zudrücke, da der Lernerfolg eins A ist. Haben Sie gehört? Zwei Wochen, nicht mehr. Wenn er in zwei Wochen nicht wieder in der Schule ist, komme ich ihn persönlich holen und ziehe ihn mit dieser Hand an den Ohren herbei!"
Der Direktor hob drohend seine Lederhand, worauf Eszter zusammenzuckte. Sie hätte ihm in dieser Situation alles Blaue vom Himmel versprochen, nickte, nahm ihre Handtasche und verließ schleunigst das Schulgebäude. Der Direktor sah ihr durch das Fenster noch nach und fand, dass er seine Sache gut gemacht hatte.

Milo wurde von seiner Mutter nach unten in die Küche geheißen, es gab etwas zu besprechen, so glaubte Eszter. Ihr Sohn kam auch nach einiger Zeit, blickte sie unmissverständlich an und wollte damit zum Ausdruck bringen, dass es ihm nicht nach einer Besprechung gelüstete.

„Milo, setz dich, ich möchte mit dir über die Schule reden."
Der Bub setzte sich, blieb aber stumm wie schon die letzten Wochen. Eszter hörte den Magen ihres Sohnes knurren, sie ignorierte dieses Geräusch demonstrativ.

„Ich war heute beim Direktor, ich musste zu ihm in die Schule kommen. Er hat mir klar gemacht, dass es so nicht weitergehen kann, und er hat uns ein Ultimatum gestellt. Wenn du in zwei Wochen nicht wieder zur Schule gehst, wird er dich eigenhändig abholen und dorthin zerren! Hast du gehört?"

Eszter hoffte mit dem strengen Ton etwas in Milo zu bewirken, er aber blieb stumm und regungslos. Seine Mutter blickte zu Boden und sprach leise weiter.

„Ich nehme an, er wird dich nicht mit seiner Lederhand selbst in die Schule zerren, aber er wird die Fürsorge oder gar die Gendarmerie einschalten, und die kommen und werden dich zwingen, zur Schule zu gehen."

Milos Großmutter hatte an der Tür gelauscht und kam ins Blickfeld der beiden. Mit ernster Miene starrte sie Milo an, knöpfte sich das Kopftuch fester und drohte dem Buben.

„Milo, wenn du nicht zur Schule gehst, passiert was!"

Milo sprang auf, lief hinauf in sein Zimmer und weinte sich die Seele aus dem Leibe. Endlich eine hörbare Regung, dachte Marika, die ihn durch die geschlossenen Türen vernehmen konnte. Endlich zeigte er Emotion.

„War das nötig?", fragte Eszter ihre Mutter in vorwurfsvollem Ton.

„Mit deiner schroffen Art machst du die Situation noch schlimmer."

Eszter verließ die Küche, für Marika war das Thema Schule abgehakt.

Am Morgen darauf waren die Damen des Hauses wohl sehr überrascht, als Milo von oben kam, den Schulranzen umgehängt und die Hand aufhaltend, als ob er um eine milde Gabe bitten würde.

Eszter lächelte.

„Milo, das freut mich so sehr, dass du vernünftig bist. Ich nehme an, du wartest auf das Jausenbrot, ich mach es dir gleich."

Sie ging zum Kühlschrank und begann mit der Zubereitung.

Inzwischen hatte Milo am Tisch Platz genommen und starrte

aus dem Fenster. Eszter glaubte zu wissen, was in ihm vorging in diesem Augenblick, doch Milo spürte, dass sie nichts wusste, rein gar nichts. Seine Mutter hatte ihn noch nie verstehen können, es war immer der Vater gewesen, dem er vertraut hatte, der ihm das für einen Jungen seines Alters notwendige Maß an Verständnis entgegenbringen konnte. Und jetzt stand Milo da, verstand den Sinn der Welt nicht mehr und wartete auf das Jausenbrot.

Eine Viertelstunde später betrat er das Klassenzimmer, nahm lautlos neben Aranka Platz, die ihn anlächelte. Die Welt war plötzlich um eine Spur schöner geworden.

„Ihr schlagt jetzt bitte das Schönschreibbuch auf Seite fünf auf. Wir lernen heute die Buchstaben M und N", forderte die Lehrerin die Kinder höflich auf.

Milo wusste, dass mit Sicherheit nicht ‚wir' die Buchstaben M und N lernen mussten, sondern nur alle Anwesenden außer der Lehrerin und ihm selbst. Er freute sich darauf, seiner Freundin neben ihm endlich wieder helfen zu können. Die Schule war gut, war Milo überzeugt, zu gut, um je ein Wort darin sagen zu müssen.

Das Leben war wie ein Katarakt, Stufe über Stufe stolperte Milo in bewegende Momente, unterbrochen von Phasen des platten Müßiggangs.

Verdacht

Die Lehrerin wusste nicht, wie sie mit Milos Verhalten umgehen sollte. Sie kannte ihn als enorm intelligenten Jungen, der in seiner schulischen Laufbahn nie kämpfen würde müssen, aber mit der Stille, die seit seiner Rückkehr aus seinem Munde kam, mit dieser Stille wusste sie nichts anzufangen. Sie hatte selbst Kinder im Alter ihrer Schüler, wusste also, welch seltsame Gedankengänge sich in solch kleinen Gehirnen manchmal formen konnten und dass man sich als Erwachsener nicht immer gleich einmischen sollte. Also ließ sie Milo seine Stille ausbrüten.

Er war nun schon zwei Wochen wieder im Unterricht und verhielt sich fast wie früher, tobte in den Pausen mit den anderen Kindern im Schulhof, machte seine Hausaufgaben bravourös und arbeitete auch im Unterricht mit, wie es eben ohne ein Wort zu sagen möglich war. Er lief oft nach vor zur Lehrerin und schrieb das, was er sagen wollte mit Kreide zur Ansicht aller an die grüne Tafel. Schüler und Lehrerin waren es gewohnt, Milo schreiben zu sehen, wie es nur Schüler ein oder zwei Klassen höher vermochten. Milo war einer von ihnen, aber eben auch nicht einer von ihnen, sondern jemand, der gekommen war, um eine Botschaft zu verbreiten. Dies war das ungeschriebene und unausgesprochene Gesetz der ersten Klasse dieses Jahrgangs.

Aranka war heilfroh, Milo neben sich in der Schulbank zu wissen. Sie mochte ihn sehr, als Freund und Spielkameraden, aber auch als Mentor, der ihr die Welt erklärte. Sie hielt Milo für eine Art Zwischenstufe zur Erwachsenenwelt, ein großer Geist in einem kleinen Körper, ja sogar in einem kleineren Körper, als der ihrige es war.

Aranka schaute oft verstohlen in Richtung Milo, um ihn zu beobachten, seine Augenbewegungen zu verfolgen und seine Gedanken zu lesen, was ihr selbstverständlich nicht gelang, aber sie hätte es wohl gerne gekonnt. Das Mädchen in meist schmutzigem Kleid blickte zu Milo empor, der für sie zu einem Idol geworden war, den sie anfing zu lieben.

Es war die vierte Unterrichtsstunde an einem Freitag, die Lehrerin hatte gerade vor, den Kindern etwas Zahlenverständnis einzubläuen, als ein langsam lauter werdendes, unbekanntes Geräusch die Kinder aufhören ließ. Es klang seltsam, wie ein Brummen und Rattern, ähnlich Traktoren und doch gänzlich anders. Keiner der Kinder hatte solches jemals zuvor gehört. Ein Raunen ging durch die Schulbänke, Köpfe wurden aneinandergesteckt, um Verdachte auszuflüstern. Der Lärm wurde lauter und lauter, manche Kinder gerieten gar in Angst, was die Lehrerin bemerkte, und sie versuchte zu beruhigen.

„Kinder, keine Angst, das sind nur Panzer des Bundesheeres. Die haben wieder ein Übungsmanöver hier in der Umgebung. Wisst ihr, das Bundesheer ist unser Beschützer. Wenn uns Menschen in Österreich jemand Fremder was antun oder unser Land sogar erobern möchte, dann kommt das Bundesheer mit all den Panzern und Soldaten und verjagt die Bösewichte."

Den Kindern wich langsam die Angst aus dem Antlitz, und sie setzten wieder fröhliche Mienen auf. Der Unterricht wurde fortgesetzt, nachdem der donnernde Lärm der vielen

Fahrzeuge langsam abgeklungen war. Milo verfolgte die Tod aber auch Heil bringenden Geräte mit den Augen, bis diese an der nächsten Kreuzung rechts abbogen und scheinbar Richtung Wald fuhren. Kaum verschwand der letzte Panzer aus seinem Blickfeld, packte er die vor ihm liegenden Schulsachen, steckte diese in seine Tasche, hängte die Tasche um und rannte aus dem Klassenzimmer so schnell ihn seine Beine trugen. Die Lehrerin rief ihm noch nach, wohin er denn auf einmal wollte, aber Milo konnte sie nicht mehr hören, da er schon außerhalb des Gebäudes war und denselben Weg eingeschlagen hatte wie all die Panzer zuvor. Er rannte, was das Zeug hielt, und hoffte, die Fahrzeuge zu finden. Der Lärm half ihm bei der Orientierung, er verfolgte einfach das Brummen, das jetzt anscheinend aus dem Wald kam. Milo begann zu schnaufen, bekam fast keine Luft mehr, da er schon fünf Minuten gerannt war. Der Schulranzen pendelte im Rhythmus der Laufschritte hin und her und machte ihm das Rennen nicht leichter. Die Milch in der Flasche, die ihm seine Mutter frühmorgens in den Ranzen gesteckt hatte, war wohl schon zu Butter geworden, als Milo die Panzer wieder zu sehen bekam. Er blieb stehen, gab seinem Herz die Chance, etwas Ruhe zu erlangen und beobachtete das Treiben am Waldrand.

Siebzehn Kürassier-Jagdpanzer standen im Kreis auf einer Wiese und brachten ihre Kanonenrohre durch Drehen des Wiegeturms in eine bestimmte Stellung. Milo sah Soldaten aus ihren Fahrzeugen steigen und näherte sich langsam dem Schauspiel. Zögernd kam er näher, und eine Begeisterung schien in ihm aufgestiegen zu sein. Er war wohl keine dreißig Meter mehr von dem Tross entfernt, versteckt hinter einem Baum am Waldrand, da entdeckte ihn einer der Soldaten.

„Schaut mal da, da will uns anscheinend jemand ausspionieren!", rief einer der Männer belustigt und zeigte mit einer Hand Richtung Baum, hinter dem der aufgeregte Junge sich verstecken wollte. Der Schulranzen hatte ihn verraten, da er zu dick auftrug, um noch vom Stamm verdeckt zu werden.

„He, Bursche, komm doch mal her zu uns!", rief ein anderer der Soldaten.

„Keine Angst, wir tun dir nichts."

Milo war unschlüssig und verharrte noch in seinem etwas ungeschickten Versteck. Er lugte hinter dem Baumstamm hervor und sah einen der Männer auf ihn zugehen. Milos Herz begann schneller zu schlagen, er wollte wegrennen, aber die Neugier hielt ihn davon ab. Der Soldat war nun am Baum angelangt und ermunterte Milo.

„Möchtest du die Panzer anschauen? Komm mit."

Er forderte Milo mit einer Handbewegung auf, der langsam vor den Baum trat. Der Junge gewann Vertrauen zu den Soldaten und näherte sich Schritt um Schritt. Sie sahen seine Schüchternheit, einer wollte beruhigen.

„Wir sind die Jagdpanzerkompanie des Bundesheeres und haben diese Woche eine Übung hier in der Gegend. Du brauchst keine Angst haben, geh ruhig zu den Panzern und schau sie dir an. Wir bleiben noch eine halbe Stunde hier."

Einer der Uniformierten begann mit einem Funkgerät in der Hand zu sprechen, er teilte seinem Gegenüber irgendetwas mit von Kampfstellung und Verteidigungsstrategie. Mehr konnte Milo nicht verstehen, sein Interesse galt sowieso den Panzern, denn solche mit Ketten versehenen Fahrzeuge hatte er noch nie gesehen. Er kannte sich bei Automobilen aus wie kein anderes Kind in seinem Alter, kannte jede Automarke und Type, die auf österreichischen Straßen fuhr, aber Panzer waren ihm fremd. Was die Soldaten damit wohl vorhatten? Milo ging zu einem der Fahrzeuge, berührte die Kette und bemerkte, dass sie etwas Spiel hatte und nachgab. Er schlich ehrfürchtig um das Gerät herum, immer mit der rechten Hand über den verdreckten Panzer streichend oder auf die Kette drückend, wohl um zu prüfen, ob das Spiel gleichbleibend groß war. Die Soldaten beobachteten ihn mit Argusaugen, denn sie trugen Verantwortung. Sollte Milo etwas zustoßen, kämen sie in des Teufels Küche. Nach der Umrundung des Panzers blieb Milo vor einem Soldaten stehen und blickte ihm starr in die Augen. Dieser lächelte, wurde aber von Sekunde zu Sekunde unsicherer und wendete sich von Milo ab.

„Der Bub ist irgendwie eigenartig", flüsterte der Soldat zu einem seiner Kameraden. „Hast du gesehen, wie der mich angestarrt hat?"

„Vielleicht wollte er dich etwas fragen und hat sich nicht getraut", meinte der andere.

Milo machte ein paar Schritte auf die beiden zu und baute sich vor ihnen auf, so gut es einem Kind mit einem Meter Größe gelingen konnte, um dann zu Boden zu blicken. Er wünschte sich in diesem Augenblick so sehr, in den Panzer hineinklettern und sehen zu dürfen, wie es da drinnen wohl zuging. In Gedanken fuhr Milo mit dem schweren Fahrzeug über Stock und Stein, zermalmte Bäume und gar Häuser bis hinter den Fuchswald, wo Aranka wohnte. Dort stoppte er vor ihrer Hütte, ließ eine Kanonensalve los und zeigte voller Stolz seiner Freundin, die einen Mordsschrecken hatte und wie von der Tarantel gestochen herauslief, die Schneise, die er mit dem Panzer in die Gegend geschlagen hatte.

Gedanken und Stille wurden von einem der Soldaten unterbrochen.

„Hans, ich glaube, der Bub möchte einen Panzer von innen sehen. Der will sicher wissen, was da alles an Geräten eingebaut und wie eng das ist."

Der Mann schien überzeugt davon zu sein. Hans winkte ab und meinte, sie könnten den Buben nicht hineinlassen, das wäre zu gefährlich und auch ausdrücklich verboten.

Die beiden schauten auf Milo, der den Blick noch immer zu Boden gesenkt hielt.

„Wir können ihn ja kurz hineinheben, damit er sich ein bisschen umsehen kann. Einer von uns muss sowieso mit rein. Und weißt du was? Wir fahren mit ihm eine kleine Runde, hm?", schlug ein Soldat vor, der nicht Hans hieß.

Hans war von dieser Idee absolut nicht begeistert.

„Spinnst du? Wenn der Oberleutnant das erfährt, sind wir um einen Kopf kürzer!"

Hans blickte auf Milo, drehte sich kurz weg, überlegte und fixierte wieder Milo, der nun dem Soldaten in die Augen schaute und mit der Schulter zuckte.

„Ok, er soll seinen Spaß haben, der Bub", willigte Hans ein.

So kam Milo in den Genuss einer Panzerfahrt. Ein Mann hievte ihn auf die Kuppel, ein zweiter Soldat, der sich schon im Panzer befand, nahm Milo mit beiden Händen und beförderte ihn in das Gerät hinein. Schon wurde der Motor gestartet, ein tosendes Brausen und Brummen ließ Milo erst erschrecken, dann aber genoss er die Fahrt. Der Spuk war nach einer Minute vorbei, Milo wurde wieder aus dem Panzer hinausgehoben und nach Hause geheißen. Er lächelte die Soldaten an, winkte einige Male und rannte Richtung Dorf.

Kurz vor den ersten Häusern blieb Milo stehen und setzte sich vor einem Baum ins Gras. Er dachte an die Fahrt von zuvor und die netten Soldaten, konnte sich aber nicht vorstellen, warum er bloß mitgenommen wurde, obwohl er kein Wort gesprochen hatte. Es konnte Zufall gewesen sein, die Soldaten konnten geahnt haben, dass sich Milo so sehr gewünscht hatte, in den Panzer steigen und mitfahren zu dürfen. Aber es konnte auch anders gewesen sein, so ganz und gar anders, dass Milo gar nicht im Traum daran gedacht haben könnte, dass dies so gewesen war. Er blieb zwei ganze Stunden vor dem Baum sitzen, grübelte, ersann Theorien, ließ sich von Verstand und Gefühl lenken. Er stellte eine These auf, verwarf sie daraufhin sofort wieder, um zu guter Letzt den Entschluss zu fassen, der unwahrscheinlichsten Variante Glauben zu schenken, jener nämlich, dass er, der vom Himmel Gefallene nicht von dieser Welt war und daher auch Eigenschaften besaß, sowohl gute als auch schlechte, von denen die Erdenbewohner nicht einen Funken von Vorstellung hatten. Milo schrieb seiner Herkunft die Fähigkeit der nonverbalen und nicht auf Mimik oder Gestik basierenden Kommunikation zu, der Fähigkeit Gedanken zu übertragen. Dies war die einzige für ihn plausibel klingende Erklärung dessen, was zuvor am Waldrand geschehen war. Das Ereignis war der Anfang eines neuen Lebensabschnitts, eingeleitet vom schmerzenden Abgang seines Vaters, der die Familie ohne Abschied verlassen hatte, ohne ein Wort zu verlieren, das Milo danach möglicherweise gefunden, eingerahmt und in seinem Zimmer an die Wand gehängt hätte.

Der Bub hatte durch das Trauma die Fähigkeit der auf der Erde erlernten Sprache verloren und er musste sich wohl oder übel mittels seiner verbliebenen außerirdischen Fähigkeit der Kommunikation durch dieses irdische Leben fristen.

Um sich mitteilen zu können, musste er sich von damals an der Umwelt auf eine Weise erklären, wie es kein Mensch zuvor jemals vermocht hatte.

Milo erhob sich, putzte den Schmutz von der Hose, nahm seinen Schulranzen und lief nach Hause, denn er hatte Hunger und die Eingabe, dass seine Mutter in diesem Augenblick geschmolzenen Bohnensterz kochte.

Erkundung der Welt

Vaterlos kauerte der Bub in seiner Blase und glaubte auch Mutter und Großmutter verloren zu haben, denn sie verstanden ihn nicht, verstanden nicht die Leiden seines Tages, das seelische Zerwürfnis, dem er ständig ausgesetzt war. Milo war immer ein humorvolles Kerlchen gewesen, das sich meist an Streichen und Späßen der anderen Kinder beteiligt hatte, dem aber mehr der sarkastische und ironische Humor eigen war, jener Humor, der nicht nur albernes Lachen verursacht, sondern Menschen auch zum Nachdenken verleitete.

Der leidvolle Abgang seines Vaters aber hatte auf Milos Seele eine Geröelllawine zum Rollen gebracht, durch die kein Stein mehr auf dem anderen geblieben ist. Er musste sein Leben neu sortieren, seine Erwartungen und Bedürfnisse. Monate danach machte sich Milo daran, sich selbst wieder zu finden und zu ordnen.

,Heute werde ich mich besuchen. Ich hoffe, ich werde zu Hause sein.'

Jeden Morgen vor dem Aufstehen hatte er diesen Gedanken im Kopf. Was war wohl der einzig richtige und gangbare Schritt für Milo, um irgendwann wieder in die prachtvoll langweilige, aber notwendige Normalität seines Lebens zu gelangen?

Bislang vergrub er sich oft in Ersatzhandlungen, die ihn ablenken sollten, so sein Wunsch. Es gelang auch bisweilen, doch auf lange Sicht musste sich Milo eingestehen, dass die einzige Lösung für ihn die Akzeptanz der bestehenden

Situation war, dass er sich selbst auf die Schulter zu klopfen hatte, um sich Mut zuzusprechen, dass er dem Vater vergeben musste.

Viele Male schon ging Milo den Tag in Gedanken durch, an dem sein Vater die Familie verlassen hatte. Viele Male versuchte er Gründe, ja Schuldige dafür zu finden, doch er erkannte von Tag zu Tag mehr, dass es keine Schuldigen gab. Aus welchem Grunde auch immer sein Vater vorgezogen hatte, sein Leben schlagartig umzukrempeln, Milo fand die Erklärung, die gleichzeitig auch die Heilung seines Seelenlebens sein musste: Niemand hatte Schuld daran getragen.

Die Leben der beteiligten Menschen waren so verlaufen, wie sie eben verlaufen waren, und da half kein Weinen und kein Zaudern. Man mochte es Schicksal nennen, Vorsehung oder gottgegebene Fügung. Milo glaubte nicht, dass das Lebensdrehbuch den Menschen mitgegeben wurde, sobald sie in das Leben anderer traten. Für ihn war vieles ein Aufeinandertreffen von Zufällen, Glück und Pech, vermengt mit von Menschen geplanten Aktionen. So war es auch bei seinem Vater gewesen und Milo vereinbarte mit sich selbst, dass er sein Seelenheil mit dieser These gefunden hatte. Er fand die Akzeptanz und es gab keinen Grund, irgend-jemandem die Schuld zuweisen oder vergeben zu müssen.

Menschen taten, was sie tun mussten, und genauso handelte auch Milo, als er den unwiderstehlichen Impuls verspürte, sich intensiv dem größten Buch seines Besitzes zu widmen.

Die heiß ersehnten, langen Ferien waren angebrochen und alle Schüler purzelten glücklich in die schulfreie, warme Zeit des Sommers, wo es den meisten von ihnen an Spaß nicht mangelte. Nicht alle Kinder aber freuten sich auf diese neun Wochen abseits von Unterricht, Hausaufgaben und Strebern, denn manchen war das Glück nicht hold, ein sorgenfreies Leben im Schoße der Familie verbringen zu dürfen. Es gab auch Kinder, die sich an jedem Tag nach der letzten Unterrichtsstunde bereits auf den nächsten Schultag sehnten. Kinder, für die Wochenende stets mit Angst verbunden war, Angst vor Schlägen des Vaters oder seelischen Grausamkeiten. Wie in einem Wolfsrudel, wo es von Alpha bis Omega alle Ausprägungen des gesellschaftlichen Status gab, verhielt es sich auch in den Lebensgruppen der Menschen. Glück und Unglück standen nahe beieinander und begegneten sich jede Sekunde, so hatte es die Evolution vorgesehen.

In diesem Jahr konnte sich Milo auf die Ferien nicht freuen, denn er fürchtete die lange Zeit in den eigenen vier Wänden, die er ohne seinen Vater verbringen musste. Wohl traf er sich fast jeden Tag mit Freunden, spielte mit ihnen, was Kinder eben spielten, aber kein Vater nahm ihn mehr in die Arme und trieb Späße, wenn Milo mit blutigen Knien vom Fußballspielen heimkam. Er lebte nun zusammen mit Mutter und Großmutter, die für ihn sorgten, so gut es den beiden möglich war. Es mangelte dem Buben an nichts bis auf die väterliche, männliche Leitfigur, die jedes Kind, jeder Junge brauchte, um für die Zukunft besser gerüstet zu sein. Ernö war für Milo Idol und Held gewesen, auf den er immer emporgeblickt hatte, und gerade diese Leitfigur hatte sich aus Milos Leben entfernt.

Eszter und Marika konnten beobachten, wie sich Milo seit dem Abgang des Vaters verändert und welch neue Gewohnheiten er sich angeeignet hatte. Manchmal zog es den beiden Sorgenfalten ins Gesicht, da Milo zeitweilig Verhaltensmuster an den Tag legte, die jenen eines eingesperrten Tieres glichen, das im Käfig immer und immer wieder dieselben Kreise drehte, dieselben Bewegungen machte. Es waren Ersatzhandlungen, die er suchen musste, um der Misere zu entkommen, Ersatzhandlungen wie jene des Briefmarkensammelns oder wie jene, die ihn nun in den Ferien tagtäglich für viele Stunden in sein Zimmer einsperrte. Milo machte es sich zur ehrenwerten Aufgabe, alles über die Welt zu erfahren und zu diesem Zweck holte er das große, dicke Buch hervor, das er zwei Jahre zuvor von seinem Großvater als Lebensabschiedsgeschenk erhalten hatte.

Am ersten Montag der Ferien, es mochte genau jene Uhrzeit gewesen sein, zu der Milo üblicherweise immer das Haus verlassen hatte, um zur Schule zu gelangen, nahm er Großvaters einzige Hinterlassenschaft in die Hände, um sich dieser neun Wochen lang zu widmen. Das schwere Buch glänzte im dunkelblauen Ledereinband und verhieß Wundervolles und Großartiges. Voller Freude auf das darin Verborgene begann Milo zu blättern. Der Weltatlas war nicht allein Atlas, nein, er war auch ein Buch, das mit Fotos belegte, wie die Welt aussah, und es war auch ein Buch, das dem Leser mitteilte, was sich dieser von all den Ländern erwarten durfte, sollte er sich zu einer Reise dorthin entschließen. Zu guter Letzt konnte Milo noch die meist in tabellarischer Form mit unendlich vielen Zahlen belegten Eigenschaften des Planeten Erde, der Länder und der Kontinente finden.

Der Junge war sich der Bedeutung dieses Buches für sein weiteres Leben noch nicht bewusst, doch er spürte die

Anziehungskraft des mit Leder eingefassten Schmökers, der vor ihm lag. Die Sommerferien dieses Jahres waren keine üblichen Ferien, denn Milo hatte anderes im Sinn, als sich mit Freunden zu treffen.

Eszter wunderte sich, dass Milo am ersten Ferientag schon so lang nicht aus seinem Zimmer kam und sie keinen Mucks von ihm vernahm. Üblicherweise trafen sich die Buben auf der großen Wiese hinter der Kirche, und wenn nicht heute, wann dann? Milo war zwar immer für Überraschungen gut gewesen, aber Eszter machte sich Sorgen, öffnete die Tür zum Stiegenaufgang und rief Milo entgegen.

„Komm runter, Milo! Hast du keinen Hunger?"
Sie war es schon lange gewöhnt, von Milo keine verbale Erwiderung zu bekommen und wartete geduldig darauf, die trippelnden Schritte ihres herunterverlenden Sohnes zu hören. Da kam aber nichts. Nach einer halben Stunde wurde es Eszter zu bunt und sie stieg nach oben. Sie öffnete die Tür zu Milos Zimmer und sah ihn auf dem Bett liegend, vertieft in Gedanken, den riesigen Weltatlas vor sich liegend.

„So komm doch mal runter, Milo, du bist schon stundenlang hier in deinem Zimmer. Heute ist der erste Ferientag, deine Freunde werden sicher auf dich warten."
Keine Erwiderung, keine Würdigung durch einen Blick.

„Wieso hast du den Atlas hervorgeholt? Du wirst ja wohl nicht heute für die Schule lernen wollen, oder?"
Milo gab seiner Mutter unmissverständlich per Handbewegung zu verstehen, dass sie das Zimmer verlassen sollte, denn er hätte Besseres zu tun, als runterzugehen und ihren Vorstellungen zu entsprechen. Eszter tat ihm die Freude und

verließ das Zimmer, sie wusste, er käme nach unten, wenn der Hunger zu groß würde.

Das Buch lag vor Milo wie die große, weite Welt, geöffnet für ihn alleine, um entdeckt zu werden. Er begann vorsichtig zu blättern, Seite um Seite drang er in das Buch vor. Der Duft nach Zellulose verbreitete sich im Raum, versetzt mit diversen Aromamarken. Milo blickte auf ein Foto, das einen Palmenstrand in der Karibik zeigte, und ihm kam vor, als ob er den süßlich-bitteren Duft von Kokosnüssen in die Nase bekam. Ein paar Seiten weiter ein Foto von einer Fabrik mit rauchendem Schlot, einer der Tausenden von Fabriken Mittelenglands. Milo vernahm Schwerölgeruch in der Luft und hörte die knatternden, schlagenden und rumpelnden Maschinen. Er blätterte eine Seite auf, die die geografische Kartendarstellung Ostasiens zeigte, wo auch China zu sehen war. Plötzlich sah sich Milo auf der Chinesischen Mauer laufend, hinter ihm Heerscharen von Soldaten mit Speeren. Schnaufend sauste er dahin, flüchtend vor dem drohenden Tod durch die Spitzen der Waffen. Ein Sprung von der Mauer in Richtung Norden rettete Milo, denn plötzlich saß er auf einem mongolischen Wildpferd und ritt durch die Steppe. Zwei Seiten weiter schwamm er in einem breiten Fluss inmitten von großen, beleibten Tieren, die ihre Riesenmäuler aufrissen und sich Milo drohend näherten. Nilpferde konnten für Menschen lebensgefährlich sein, das hatte Milo schon in der Schule gelernt, und daher versuchte er, so schnell wie möglich Land zu gewinnen, die Tiere kamen aber näher und näher. Eines dieser Biester war bereits in Schnappdistanz, Milo konnte seinen Atem riechen. Er sah sich bereits von dem weit geöffneten Maul verschlungen, konnte sich aber gerade noch durch das Umblättern der Seite retten. Milo lag schweißüberströmt im Bett und war froh, noch am Leben zu sein.

Eine Menge von Abenteuern in aller Herren Länder durchlebte er in den Ferien dieses Jahres Anfang der Siebzigerjahre. Es waren die spannendsten Wochen seines Lebens, denn er lernte die Welt kennen, reiste von Kontinent zu Kontinent, überstand waghalsige Momente, traf viele Menschen und hörte viele Sprachen.

Eszter war verzweifelt, denn ihr Sohn verschanzte sich wochenlang in seinem Zimmer, kam nur herunter, um sich mit Proviant zu versorgen. Sie sah seinem Körper an, dass dieser von Woche zu Woche schwächer wurde, wie sein Gesicht blasser und knöchriger wurde. Eszter fühlte sich schwach. Was war in Milo bloß gefahren? Welche Macht hatte von ihm Besitz ergriffen, dass er von dem großen Buch so vereinnahmt wurde? Tag für Tag musste sie zur Arbeit fahren und Milo allein in seinem Zimmer lassen. Zugegeben, es war ja noch ihre Mutter im Hause, sollte etwas Schlimmes passieren, Marika konnte Milo beistehen. Eszters Mutter aber konnte nicht so auf den Buben eingehen wie sie selbst, denn Marika war von harter Natur, wenig empathisch, und es bedurfte einiges an Einfühlungsvermögen.

Sie wusste, dass ihr Sohn ein besonderer Charakter war und hatte sich in den gemeinsamen Jahren immer wieder mit Situationen konfrontiert gesehen, die ihr alles abverlangten, viel Verständnis, Mut und Geduld. Sie vertraute ihrem Sohn, auch in diesen Ferienwochen, was Eszter jedoch nicht mitansehen konnte, war die schleichende Degeneration seines Körpers durch den Mangel an Ernährung und Bewegung.

Viele Male musste Eszter Milos Freunde, die vor dem Haus standen und nach ihm fragten, auf den nächsten Tag vertrösten. Es war ihr peinlich, ständig nach Ausreden suchen zu müssen, denn die Wahrheit brachte sie nicht über ihre Lippen. Sie konnte ja nicht zugeben, dass ihr Sohn im Weltatlas las, und das wochenlang. Alle würden Milo für verrückt erklären, das würde sich im Dorf wie ein Lauffeuer verbreiten. Welch eine Schande!

Marika sah das fremdartige Verhalten ihres Enkelsohnes eher von der pragmatischen Seite, denn sie nahm diese Phase nicht ernst.

„Lass den Buben doch, er macht nichts Schlimmes, liest nur in einem Buch", wollte sie ihre Tochter beruhigen.

Kein Trost für Eszter, denn Woche für Woche durchgehend in einem Buch zu lesen, ohne auch nur eine Sekunde vor das Haus zu treten, das ist absurdes, ja geistig abnormes Verhalten. Aber sie ahnte auch, dass dies wieder ein Ende haben würde. Sie wusste, dass der Beginn des neuen Schuljahres die Normalität wieder einläuten würde, und es käme dann der erste Schultag, wo Milo wie im vergangenen Jahr mit dem gepackten Schulranzen aus seinem Zimmer kommen, sein Jausenbrot packen und das Haus Richtung Schule verlassen würde, geradeso als ob nichts passiert wäre, ja als ob die letzten neun Wochen gar nie geschehen wären.

Eszter hatte ein Grundvertrauen in ihren Sohn, dennoch fiel sie oft in ungeahnte Tiefen der Depression aus Angst vor der Zukunft. Was sollte sie bloß mit Milo machen, dass er wieder ein normaler Junge werden konnte?

Milo hatte bereits viel erlebt in den letzten Wochen, war weit herumgekommen, was aber noch vor ihm stand, war die Vermessung der Welt, denn das große, dicke Buch vermittelte nicht nur Kartografie und Bilder, sondern auch immenses geografisches Wissen. Tausende von Zahlen in tabellarischer Form waren zu finden, wie die Länge von Flüssen, Fläche und Einwohnerzahl aller Länder, die Höhen der Berge und vieles mehr. Milo hatten Zahlen schon immer fasziniert, er spielte mit ihnen oft in Gedanken, jonglierte mit ihnen, bis ein für ihn perfektes Bild herauskam. Zahlen hatten eine numerische Eleganz und Eloquenz, die, gepaart mit der Möglichkeit, damit die Welt erklären zu können, auf Milo eine enorme Anziehungskraft ausübten, der er nicht entkommen konnte und auch nicht wollte.

Milo betrachtete Zahlen als Gottes Angebot an die Menschen, sich eine Welt der Rationalität und Logik zu erschaffen, um das irdische Dasein zu verschönern und die Leben aller Wesen auf dieser Welt zu verbessern. Gott musste ein Mathematiker gewesen sein, davon war Milo überzeugt.

Und so verschlang er all das numerische Wissen seines geliebten Buches, wusste nach wenigen Tagen, wie viele Menschen in all den Ländern wohnten, wie lange ein Eichenblatt brauchte, um von Quelle zur Mündung aller Flüsse dieser Welt getragen zu werden und wie viele Meter über dem Meeresspiegel ein Mensch auf allen Bergen dieser Welt stünde. Er kannte die Namen der Hauptstädte aller Länder und wusste, wie viele Menschen in ihnen lebten, ebenso in welcher Sprache sie kommunizierten.

Der durchschnittliche Erdenbürger wäre wohl zu meinen geneigt gewesen, dass Milo nicht alle Tassen im Schrank hatte, aber galt das nicht vice versa? Wer bestimmte die Normen menschlichen Verhaltens und Zusammenlebens? Waren das nicht schon immer die Menschen selbst? Alles vom Homo sapiens Erschaffene und Definierte war subjektiv, denn die erhabene Objektivität fiel nur Gott anheim. Von diesen Gedanken beseelt war auch Milos Mutter, denn sie hoffte, ja bat Gott darum, dass ihr Sohn einen gerechten Platz finden würde auf der Welt inmitten all der ungerechten und verurteilenden Menschen.

Um neunzehn Uhr vierunddreißig des letzten Tages der neunten Ferienwoche dankte Milo seinem Großvater, schlug das Buch zu und wusste, dass das Leben gut und schön war. Er legte es auf den Platz zurück, von dem er es neun Wochen zuvor genommen hatte, und wusste, dass er es nie mehr wieder aufschlagen würde, denn eine perfekte Kopie alles darin Gezeigten und Geschriebenen wohnte nun unverlierbar in seinem Kopf.

Wie von Eszter prophezeit, kam Milo am Tag darauf von seinem Zimmer nach unten in die Küche, fragte wortlos nach dem Jausenbrot, das seine Mutter vorsorglich bereitet hatte, packte dieses in den Schulranzen und verließ pünktlich das Haus, um zur Schule zu gelangen. Er freute sich so sehr auf ein Wiedersehen mit Aranka, die schon Sehnsucht hatte nach ihm.

Stunk

Milo hatte neun Wochen in Klausur verbracht, ohne eine Sekunde direktem Sonnenlicht ausgesetzt worden zu sein, was Lehrerin und Schüler am ersten Tag der zweiten Schulstufe sehen konnten. Das eremitische Leben hatte seine Haut fahl und bleich gemacht, groß war der Kontrast zum Erscheinungsbild seiner Kameraden, denn deren Teint zeugte von vielen langen Tagen im Freien verbracht. Viele konnten die Ferien spielerisch genießen, manches Kind aber musste im Familienbetrieb den Eltern unter die Arme greifen, da der Wohlstand noch sehr ungleich verteilt war in diesen Jahren. Zehn von fünfundzwanzig Kindern der Klasse waren Söhne oder Töchter von Bauern, was dem Schicksal gleichkam, tagtäglich am Hof mithelfen zu müssen, denn das Nutzvieh benötigte immer Betreuung, und Juli und August war die entscheidende Zeit der Ernte, wo jeder mit Hand anlegen musste, um der Familie genügend Einkommen für ein lebenswertes Dasein zu bereiten. Diesen Kindern merkte man an, dass sie bildlich gesprochen direkt vom Stall in die Schule kamen, denn eine Aura des Gestankes verfolgte sie. Bei neun Schülern war die Geruchsbelästigung gering und nicht störend, eine Schülerin aber konnte schon von Weitem nicht leugnen, Bauern als Eltern zu haben, so penetrant roch sie nach Schweinestall. Die Lehrerin der ersten Klasse hatte das Mädchen des Öfteren darauf hingewiesen und sie angehalten, doch mehr auf Sauberkeit und Hygiene zu achten, bevor sie frühmorgens das Haus verließ, um zur Schule zu kommen. Was aber tun, wenn zu Hause alles nach

Stall stank, wirklich alles, vom Vorraum hin zur Küche, bis in die letzten Winkel der Schlaf- und Kinderzimmer, sofern es welche gab?

Dieses bedauernswerte Mädchen saß allein in einer Bank der letzten Reihe und bereute jeden Tag, dass ihre Eltern einen Bauernhof hatten. Sie wusste sich selbst als Kind der untersten Kaste, als implizit Gedemütigte, denn oft erhielt sie Nadelstiche von Mitschülern, die sich tief in ihre Seele bohrten. Sie wurde manchmal „Stunk" gerufen oder „Stallhexe", sie wurde gemieden wie eine Lepra-Kranke, wurde mit an den Haaren herbeigezogenen Vorurteilen konfrontiert. Das Mädchen tat zwar den meisten Kindern leid, doch alle hackten auf sie ein und niemand ließ sie Wärme spüren, schenkte ihr Trost, niemand bis auf Aranka und Milo. Aranka kannte das Gefühl des Geächtetwerdens, sie wusste, in welch seelischen Tiefen man fiel, mit denen man tagaus, tagein konfrontiert war, wenn die Niedertracht der Menschen einen in die Knie zwang. Aranka hatte Mitleid mit dem Mädchen, da es doch ihresgleichen war. Milo empfand dasselbe, auch er hatte Mitleid, konnte er doch nie mitansehen, wie Menschen ihre dreckigen Schuhe auf der Seele anderer abstreiften. Der Verlust seines Vaters hatte aus Milo einerseits einen hochsensiblen und hochempathischen Jungen gemacht, andererseits wiederum auch ein autistisch anmutendes Kind, das sich getriggert durch Umstände oder Vorkommnisse, die selbst er sich nicht erklären konnte, in seine dunklen Kammern zurückzog und den Schlüssel umdrehte, damit ihn in seiner Welt niemand stören konnte. Milo passte nicht in diese Welt, was sich aber damit erklären ließ, dass er auch nicht von dieser Welt war. Herabgefallen von weiß Gott woher, aufgeprallt auf der Erde und gezwungen, sich den Eigenheiten der irdischen Bevölkerung anzugleichen. Er hatte eine Mission zu erfüllen, die jedoch noch ausgebrütet werden musste.

Und so lag es an den beiden, Aranka und Milo, dem gedemütigten Bauernkind Trost zu spenden und seelische Unterstützung, um nicht unterzugehen in der kalten, rauen Welt der Kinder. Milo hatte das Mädchen oft aufgefordert, in den großen Pausen im Schulhof mitzuspielen, denn sie stand immer abseits unter der großen Eiche und sah den anderen Kindern traurig beim Umhertollen zu. Immer öfter teilten Aranka und Milo ihre Pausenzeit mit dem Mädchen, setzten sich kurz zu ihr, ermunterten sie, hofften, dass es endlich aus ihrer Haut fuhr und engagiert auf die anderen zuging, zumal es ja ein sehr hübsches und ansehnliches Kind und die einzige Barriere ihr Gestank war, den man im Freien aber kaum wahrnehmen konnte. Das Vertrauen des Mädchens in die beiden wuchs, und es kam der Tag, an dem Aranka wusste, dass es so manchen Spaß vertragen würde. Liebevoll hießen sie von da an das Mädchen ,Stunk', das ihnen nicht böse war deswegen, wusste sie doch, dass ihr Milo und Aranka wohlgesinnt waren.

Die Freundschaft zu Stunk bekam der Konstellation der Protagonisten wegen einen besonderen Auswuchs. Es war das Trio der Abgesonderten, Gemiedenen und Eigenbrötler, was großes Verständnis füreinander mit sich brachte. Jeder wusste über die Verletzlichkeiten des anderen Bescheid, jeder kannte die Narben auf der Seele des anderen. Durch diese offengelegten Geheimnisse verstanden sie einander blind und stumm, was Milo zugutekam, denn er hatte vor Monaten beschlossen, nie mehr ein Wort über seine Lippen zu lassen.

Stunk war maßlos glücklich, Anschluss gefunden zu haben, denn das ganze erste Schuljahr über war sie von den Kindern gemieden worden. Auch Milo hatte kaum Kontakt mit Stunk gehabt, bis zur Flucht seines Vaters kaum mit ihr geredet. Sie war sehr unauffällig gewesen, wurde manches Mal angepöbelt.

„Stunk, du stinkst nach Stall! Bist du eine Kuh? Oder musst du mit den Kühen schlafen, weil du deinen Eltern zu sehr stinkst?", stichelten Schüler in gemeinster Weise, klopften einander dabei auf die Schultern und lachten lauthals, dass sich Balken bogen.

Stunk war Anfang der ersten Klasse neben einem Buben in der zweiten Reihe gesessen. Dieser musste wohl oder übel den unsäglichen Geruch erdulden. Nach ein paar Wochen aber beklagte er sich bei der Lehrerin und Stunk wurde nach ganz hinten in Einzelhaft geschickt, mit doppeltem Bankabstand zu den anderen. Stunk war sehr traurig gewesen, sie kam sich vor wie ein räudiges Tier, geächtet und verschmäht. Es hatte sie zutiefst getroffen, da sie in ihrem Innersten ein aufgewecktes Mädchen mit anziehendem Wesen und für jeden Spaß bereit war. Monat für Monat musste Stunk ohne jemand an ihrer Seite sitzend in der letzten Reihe verbringen, hatte niemanden zum stillen, verbotenen Tratschen hinter vorgehaltener Hand. Sie konnte mit keiner Freundin intime Geheimnisse teilen, Freundschaft stärkende Eide schwören oder einfach nur sich über andere lustig machen. Ihre Eltern hatten ihr gegen Ende des ersten Schuljahres ein Freundschaftsbuch geschenkt, eines jener Bücher, in denen kein Wort zu finden ist, wenn man es kauft, die aber im Laufe der Zeit gefüllt werden durch nette Worte guter Freunde. Seite um Seite übersät mit infantilen

Sprüchen und Reimen, Zeichnungen und Verzierungen, Verschnörkelungen an den Rändern. In jedem Freundschaftsbuch konnte man dieselben Sprüche finden, was von der Einfallslosigkeit der meisten Kinder zeugte, aber keineswegs Rückschlüsse auf die engen freundschaftlichen Beziehungen zueinander zuließ. Zudem waren die Zöglinge der ersten Klasse noch nicht des flüssigen Schreibens mächtig und entwickelten diese Fähigkeit erst ab der zweiten Schulstufe.

Stunks Freundschaftsbuch war bis zu der Zeit, wo sich Aranka und Milo mit ihr verbanden, leer geblieben. Einzig Stunk selbst hatte die erste Seite mit ein paar Kritzeleien versehen, eine wortlose Eintragung, ein Schrei nach Freundschaft, dem Buche geschuldet, das Stunk stets im Schulranzen hatte, allseits bereit herausgezogen und einer Freundin oder einem Freund freudestrahlend in die Hand gedrückt zu werden in der Hoffnung, es nach ein paar Tagen und so manchen Eintrag schwerer retourniert zu bekommen.

Es gab da noch einen weiteren Eintrag, jener auf Seite zwei, der von Stunk selbst im Namen einer fiktiven Freundin gemacht wurde, um sich selbst was vorzumachen, das Leben schöner zu reden, und der ersten Freundin, die sich anbieten sollte, das Freundschaftsbuch zu füllen, zu zeigen, dass Stunk wert war, geliebt zu werden.

Jetzt, da Freundschaftsbande zwischen den Dreien geschlossen waren, konnte Stunk das Buch aus dem Schulranzen holen und es Milo in Hand drücken.

„Schreibst du mir was Schönes rein?", fragte Stunk nahezu bettelnd und in voller Erwartung einer Bejahung.

Milo griff nach dem Buch, steckte es in seine Jacke, lächelte Stunk an und schaute ein paar Sekunden zu Boden. Stunk verstand die Botschaft, piepste kurz vor Freude und umarmte Milo dankbar für die Freundschaft. Aranka stand daneben, umarmte Stunk ebenfalls und schloss sich an.

„Und ich schreib nach Milo was Schönes rein."

Aranka hatte die Lehrerin gebeten, zusammen mit Milo versetzt zu werden. Zwei Mitschüler, die unmittelbar vor Stunk in der Klasse saßen, waren damit einverstanden, den Platz mit den beiden zu tauschen. Somit bezeugten Aranka und Milo der ganzen Klasse die neu gewonnene Freundschaft zu Stunk. Das Wechseln der Plätze wurde, wie zu erwarten war, von manchen Schülern mit blöden Bemerkungen kommentiert, was die Lehrerin durch ihr Eingreifen unterbinden konnte, wenigstens für den Augenblick. Sie wusste, dass die drei Kinder ihren besonderen Platz in der Klassengemeinschaft hatten, goutierte das örtliche Zusammenrücken in der Hoffnung, dass Milo als Einender und Beschützer fungierte und mehr Harmonie in die Gemeinschaft bringen könnte. Er wusste, dass seine Lehrerin große Erwartungen in ihn hatte, dass sie heilfroh war, so einen Jungen in der Klasse zu haben, intelligent und fähig, auf die anderen in einer Art und Weise einzuwirken, wie es nur er vermochte. Die Lehrerin hatte über Milo von ihrer Kollegin erfahren, die die Kinder in der ersten Schulstufe unterrichtet hatte. Schon nach drei, vier Wochen des Unterrichts konnte sie sich von den Gerüchten überzeugen, denn sie hatte bald gesehen, dass Milo auf alle anderen der Klasse Einfluss nahm, nicht verbal, denn er sprach keine Silbe, aber auf eine mentale, ideelle und ihr unerklärliche Weise. Sie hatte auch das beklemmende Gefühl, von Milo beeinflusst zu werden. Es gab Momente während des Unterrichts, da spürte sie eine Wärme in ihr aufkommen, körperliche und auch seelische Wärme, die sie anfangs als Wallung interpretierte. Da sie noch jung war, tat sie die erste Vermutung schnell als Fehleinschätzung ab, denn Wallungen kamen bei jungen Frauen gewöhnlich nicht vor. Einige Wochen später konnte sie einen Zusammenhang zwischen dem Auftreten der ‚Wallungen' und den Gegebenheiten der Augenblicke orten, denn jedes Mal war sie in einer Interaktion mit Milo den Unterrichtsstoff oder die Klasse betreffend.

Sie musste oft an diesen eigenartigen Jungen denken, auch abends, wenn sie zu später Stunde Tee trank und Zeit hatte zu sinnieren. Milo gab ihr Rätsel auf. Dieser Junge hatte etwas Besonderes, was sie nicht deuten mochte. Allein die Kombination von Stummheit, hoher Intelligenz und Milos spezieller Erscheinung flößte ihr Angst ein. Nicht in dem Sinne, dass sie Angst vor ihm gehabt hätte, aber es trieb ihr manchmal die Gänsehaut über den ganzen Körper, wenn sie ihn und sein Verhalten beobachtete. Dazu kam noch seine unvergleichliche Fähigkeit auf Menschen einzuwirken, was die Haare auf ihrem Körper noch mehr zu Berge stehen ließ. Milo war Segen und Fluch zugleich.

Verzweiflung

Viele Monate waren ins Land gezogen, der Nebel der Zeit hatte sich über die Familie gelegt und manches wieder zur Normalität gewandt. Ohne Mann im Haus lebte es sich mühsam. Eszter ging jetzt einer Beschäftigung nach, um den Lebensunterhalt für ihre kleine Familie zu verdienen, denn die Mutter hatte die Strickerei an den Nagel gehängt, da durch Modernisierung der Tuch- und Kleidungsproduktion viele kleine Strickereibetriebe gezwungen waren zuzusperren. Es war hart verdientes Brot und lohnte sich nicht, da kaum jemand mehr den Weg zu Marika fand, um einen Pullover oder dergleichen zu bestellen. Zu billig waren all die in den Geschäften erhältlichen Produkte der Bekleidungsindustrie geworden. Marika hatte sich vor geraumer Zeit auch eingestanden, dass sie ihrem Alter Tribut zollen musste. Kränklich war sie geworden, zerbrechlich im Körper und zu schwach, um noch ihren Anteil an den Einkünften für die Familie leisten zu können, zumal ihre Gelenke nicht taten wie geheißen. Entzündungsherde machten ihr die Bewegung zur Qual. Es gab schlimme Tage, wo sie frühmorgens kaum aus dem Bett kam und sich bis Mittag gedulden musste. Doch es gab auch gute Tage, zwar stetig weniger werdend, dennoch gab es diese, wo Marika annähernd behände wie ein Reh aus dem Bett springen konnte.

Eszter überkam mehr und mehr das beklemmende Gefühl, sich von ihrer Mutter bald verabschieden zu müssen. Von Pessimismus übersäht, musste sie tagtäglich daran denken, wie sie bloß all die Mühen und Plagen des Alltags ohne ihre

Mutter überstehen und wie sie Milo ein schönes und wertvolles Leben bereiten könnte.

Sie arbeitete nun schon seit mehr als zwei Jahren im Büro eines Basaltbergwerks, mehr als dreißig Kilometer entfernt von daheim und schlecht erreichbar, da es an einem Ort lag, wo sich Fuchs und Hase guten Morgen wünschten. Die tägliche Hin- und Rückfahrt mit dem Postbus verschlang je nach Witterung zwei, manchmal sogar drei Stunden an wertvoller Zeit, die Eszter liebend gerne mit ihrem Sohn verbracht hätte, statt voller trauriger Gedanken im Bus zu sitzen. Glücklicherweise war Milo weitaus selbstständiger als andere Kinder seines Alters und konnte beinahe gänzlich für sich selbst sorgen. So ermöglichte er Eszter ohne schlechtes Gewissen ihrem Broterwerb nachzugehen, obgleich sie immer mit einem mulmigen Gefühl morgens das Haus verließ. Es gab ja noch Milos Großmutter, die alles ihr noch Mögliche tat, um den Buben zu versorgen, ihn zu erziehen und zu einem guten und wertvollen Mitglied der Gesellschaft gedeihen zu lassen.

Dennoch gab es in Eszters Leben viele Augenblicke, in denen sie voller Verzweiflung am liebsten aufgegeben hätte. In Selbstmitleid versank sie an schlechten Tagen in ihre Depression, die sie für Stunden ins Bett zwang und daran hinderte, ihrem Beruf nachgehen zu können. Ihre Aufgabe im Büro war es unter anderem, dem chauvinistischen Firmenchef, der von seinen Eltern kein Gramm Empathie mitbekommen hatte und Eszter gehörig auf den Wecker ging, Kaffee zu machen. Sie war eine hübsche Frau in den Dreißigern, was vermutlich auch ein Grund gewesen war, dass sie die Stelle bekommen konnte, denn das Lieblingsspiel des hochbeleibten Chefs war ‚Po-Begrapschen mit gleichzeitigem Kraulen der wohlgeformten Rundungen des Hinterteils', während sie ihm den Kaffee servierte. Diese Tätigkeit stand zwar nicht in der zugegeben fiktiven und nur von Eszter erstellten Arbeitsbeschreibung, sie quittierte die Annäherungsversuche dennoch stets mit einem Achselzucken und der erneuten Bestätigung, dass es auch Arschlöcher unter der männlichen Weltbevölkerung gab.

Neben den Aufgaben einer Kellnerin musste sie mittels Blaupause vervielfältigte Formulare ausfüllen, Ordnung in die Akten bringen und manchmal auch Hausarbeit. Ihrem Chef kamen oft herablassende und unwürdige Arbeiten in den Sinn, die üblicherweise in das Betätigungsfeld der Aufräumerin fiel. Wenn diese aber gerade nicht zugegen war, musste eben Eszter Kübel, Fetzen und Besen in die Hand nehmen und den Fußboden oder die Klomuschel zum Glänzen bringen.

So fristete sie tagaus, tagein ihr Arbeitsdasein mit Tätigkeiten, die nicht in ihrer Lebensplanung standen. Es musste wohl ihr Schicksal gewesen sein, wie sie es nannte, das ihr von einer höheren Macht übergestülpte Schicksal, und sie beugte und ordnete sich unter, wie es bisher meist gewesen war in ihrem Leben. An jedem Tag vergoss Eszter im Bus sitzend manche Träne, freute sich in der Dunkelheit des winterlichen Morgens bereits auf den Abend, da sie ihren Sohn wieder in die Arme nehmen durfte. Ihr Leben war ein bitteres, so sah es Eszter, obwohl es unzählige Menschen in ihrem Umfeld gab, denen es schlechter ging und die trotzdem erhobenen Hauptes den Alltag verbrachten. Eszter war zum Leiden geboren, aber es war ein selbst auferlegtes Leiden, und ihre Kreuzigung hatte stattgefunden, als sie sich eingestehen musste, ihren Mann Ernö nie mehr wiederzusehen.

Demütigung

Der Lehrer des dritten Volksschuljahrgangs war ein erfahrener und daher der damaligen Zeit entsprechend strenger, der die Zügel fest in der Hand hielt. Und hätte sich einer der Schüler gewagt aufzubegehren, hätte ihn das harte Fallbeil der Nachkriegsjahrpädagogik mit Getöse getroffen. Die Zeit des Zweiten Weltkriegs hatte der Lehrer ohne grobe körperliche Verletzungen überstanden. Ein paar Blessuren hier, ein paar Granatsplitter da, aber nichts Lebensbedrohendes oder eine bleibende Behinderung Verursachendes. Er hatte auch das große Glück gehabt, nicht in Gefangenschaft zu geraten.

Im Mai 1945, als der von den meisten Menschen herbeigesehnte Krieg ein Ende hatte, als noch niemand wusste, dass das Kriegsopfer sechzig Millionen Menschen betragen sollte, harrte der Lehrer, damals fünfundzwanzig Jahre alt, zusammen mit einigen Kameraden an der Ostfront aus, zu der er kurz zuvor Nachschub gebracht hatte. Viele Soldaten hatten von Gerüchten gehört, dass das Deutsche Reich seine Herren und Meister in Form der Alliierten Mächte gefunden hätte, dass die Kapitulation kurz bevorstehe, und alle hofften inbrünstig, dass es sich nicht nur um ein Gerücht handelte, keiner jedoch glaubte wirklich daran.

Der Tross war gerade daran, zurück nach Wien zu reisen, da kam die Bestätigung der Kapitulation der Deutschen Reichsmacht. Die Soldaten schleuderten aus Freude ihre Helme und Mützen der Sonne entgegen, tanzten einen

Reigen des Jubels zwischen den Schützengräben und machten sich auf die Socken, endlich für immer zu ihren Frauen, Kindern und Eltern zurückkehren zu können.

Nach der Ankunft des Pädagogen in spe fühlte er sich wie neugeboren. Gesund und wohlerhalten aus dem Krieg heimgekehrt, war sein Plan, die Ausbildung zum Volksschullehrer fortzusetzen, die er seiner Einberufung wegen fünf Jahre zuvor hatte abbrechen müssen.

Die letzten noch fehlenden Lehrgänge und Abschlüsse am Pädagogischen Institut konnte er rasch erfolgreich hinter sich bringen und er war bereit, auf Kinder losgelassen zu werden. Er fühlte sich in angemessenem Maße gut vorbereitet für seine zukünftige Aufgabe in der Volksschule seines Heimatdorfes, hatte er doch bald nach Abschluss die Zusage erhalten. Doch manche Gedanken, die nächtlich in seinem Kopf rotierten, machten ihm Sorge. Da spukte es, da trieben die Kriegsgeister ihr Unwesen. Albträume plagten ihn, in denen von Panzern zermalmte Körper neben ihm im Bett lagen, in denen er markerschütternde Schmerzensschreie von Kameraden hörte, die ihre Hände um Hilfe bittend nach ihm ausstreckten, doch er konnte sich nicht rühren, lag wie gelähmt im Bett. Schweißtriefend schrak er oft im Schlaf hoch, wachte wegen einer Granatendetonation schlagartig mit Herzrasen auf und musste sehen, dass er bereits im Bette stand, bereit war für den Kampf gegen die Geister.

All der Spuk schien im Laufe der Jahre nicht abschwächen zu wollen. Im Gegenteil, zehn Jahre nach Kriegsende, er hatte bereits etliche Jahre in der Volksschule zu unterrichten, wurde sein Leiden im Schlaf von Jahr zu Jahr schlimmer. Er wusste nicht, wie ihm geholfen werden konnte. Zwar hatte er von Behandlungsmethoden der einschlägigen Psychiater gehört, diese Kammerjäger für Hallen und Säle in menschlichen Schädeln ordinierten aber alle in den großen Städten fernab seines Heimatortes und die Honorarnoten der Doktoren hätten wohl sein gesamtes Einkommen verschluckt. Hin- und hergerissen, nachts von Geistern geplagt, tags selbst Kinder plagend, sah er keinen anderen Weg, als darauf zu hoffen, dass sich die Gespenster aus seinem Kopf irgendwann mal selbst austreiben würden. Diese Ohnmacht verschlimmerte all die Plagen, die Hilflosigkeit in den Träumen setzte ihm auch tagsüber zu, und es äußerte sich manchmal in Zuständen der Rage während des Unterrichts. Er ließ seine unbeherrschte Wut an den Kindern aus, was er für den einzigen Fluchtweg hielt. Bereits Kleinigkeiten brachten ihn schlagartig aus der Bahn, das leise Tratschen zweier Kinder hinter vorgehaltenen Händen, das nervöse Trippeln der kleinen Kinderfüße unter der Schulbank, Fehler bei Diktaten. All das waren Anlässe für das Umklappen eines Schalters in seinem Kopf.

Die Rasereien dauerten nie lange, es verging kaum eine Minute, da fand der Lehrer wieder zurück in seinen üblichen, freundlichen Seelenzustand, bereute auf die Sekunde sein Tun, brachte jedoch niemals ein Wort der Entschuldigung an die Kinder über die Lippen. Er wusste, dass er von Eltern auf sein Leiden nicht angesprochen werden würde, denn die Kinder hätten sich zu Hause nie darüber zu sprechen oder gar zu klagen getraut, wussten sie doch, dass eine weitere Bestrafung in Form von Hieben durch Vaters Hände auf den Fuß folgte.

So musste der Lehrer sein Kriegstrauma wohl oder übel selbst verwalten und hoffen, dass irgendwann mal Schluss sein würde, was ja naturbedingt stets Gültigkeit hatte.

Irgendwann war immer Schluss, irgendwann hatte es immer aufgehört mit den hässlichen und auch schönen Facetten des Lebens, denn irgendwann hatte jedes Leben ein Ende, musste der Tod seinen Schlussstrich ziehen. Und so verging Woche für Woche, Monat für Monat und Jahr für Jahr mit blauen Flecken auf Kinderhaut, gedemütigten Seelen kleiner, wehrloser Menschen und ihr Hoffen auf baldigen Aufstieg in die nächsthöhere Schulstufe, wo dann der Direktor sein Unwesen trieb, was jedoch mitnichten vergleichbar war mit den Quälereien und Demütigungen des Lehrers der dritten Klasse.

Die Art und Weise der Bestrafung der Kinder, die der Lehrer immer gewählt hatte, war Hiebe mit einem Stock, daumendick und stabil genug, um nicht abzubrechen, wenn auf die Kinder eingeschlagen wurde.

In guten Tagen, wenn seine Schüler Glück hatten, waren es ein paar Stockschläge auf die zu einer Blütenknospe zusammengehaltenen Fingerkuppen oder fünf Hiebe auf den Hintern, ohne die Hose nach unten lassen zu müssen. In schlechten Tagen jedoch konnte es vorkommen, dass Schüler kriechend das Klassenzimmer verließen, minutenlang im Gang verharrten, um sich zu erholen und mit den Schmerzen besser umgehen zu können, und schließlich aus dem Schulgebäude langsam flüchteten, gekrümmt und hinkend, die Zähne zusammenbeißend, um ja nicht ihre Pein der Welt außerhalb der Schule spüren zu lassen. Zu Hause angekommen kam auf die Frage der Eltern, was sie wohl hätten, warum sie nicht gerade gehen könnten, die Ausrede, man hätte in der Unterrichtspause gerauft, wäre hin- oder vom Baum gefallen. Manche Schüler, denen die Bestrafungen weniger ausmachten, meist Buben, kamen oft mehrmals im Monat malträtiert nach Hause und die Eltern wunderten sich, warum sie bloß ein so patschertes oder raufwütiges Kind großgezogen hatten. Mütter sagten, die Raufwut wäre ja typisch Vater, Väter meinten, das Kind hätte das Patscherte von der Mutter geerbt. Selten aber doch kam es manchen Eltern eigenartig und verdächtig vor, denn es konnte ja nicht sein, dass ihre Kinder sowas von unbelehrbar waren und immer wieder Blödheiten im Sinn hatten. Sie vermuteten Bestrafungen durch den Lehrer, jedoch angebracht und mit Maß, da ja manche Kinder kleine Teufel waren. So sahen es Eltern und machten sich keine weiteren Sorgen über das pädagogische Treiben in der Volksschule. Wenns Prügel gab, dann wird es schon seine Gründe gegeben haben!

Milo hatte nun schon fast drei Jahre mit Aranka die Schulbank gedrückt, sie waren ein eingeschweißtes Team, halfen einander, wann immer Not am Kinde war, immer auf ihre eigene, persönliche Weise. Milo mochte es, wenn er den wortlosen Erklärer oder Beschützer spielen konnte, und an beschützenden Gelegenheiten mangelte es nicht, denn Aranka war zusammen mit Stunk manchmal der Spielball für einige Mitschüler. Sie war die Aussätzige der Klasse, ein Mädchen aus der Hüttensiedlung der Zigeuner, einen mit Pusteln übersäten Körper ihr Eigen nennend, und das war Grund genug, um fast jeden Tag eine Demütigung einstecken zu müssen. Milo nahm an ihren Verletzungen teil, tröstete sie wann immer nötig und verteidigte sie im Rahmen seiner beschränkten körperlichen Möglichkeiten, denn Milo war einer der kleinsten Buben der Klasse. Sein tonloses und schwer einzuordnendes Verhalten in Kombination mit seiner

Fähigkeit, Menschen zu beeinflussen, ohne ein Wort zu sagen, war jedoch seine größte Waffe, und Milo fühlte sich immer gut nach einer erfolgreichen Verteidigung seiner Freundin. Nicht wie ein Held, nein, das war er nicht, er hatte sich nie etwas eingebildet auf seine Fähigkeiten, aber es tat wohl zu sehen und zu spüren, dass sein Tun positive Auswirkungen hatte. Und er liebte es, wenn ihn Aranka mit ihren schwarzen Augen dankbar anblickte.

Sie wiederum war Balsam für Milos Seele, wenn ihn mal ein anderer Schüler anpöbelte oder körperlich attackierte. Sie hätte sich nie getraut, sich in solche Szenen handgreiflich einzumischen, denn dann wäre sie wohl gebückt vor Schmerzen aus dem Schulgebäude gekommen. Ihre Unterstützung war die Fähigkeit, Menschen auf eine Weise trösten zu können, die fast alles an Pein, Qual und Schmerz linderte, ja fast beseitigte. Aranka strich in solchen Situationen über Milos Körper und spendete Trost in einem Tonfall, der ihn in den sechsten Himmel hob, denn er glaubte sich durch Arankas Zutun nahezu ins Schlaraffenland des Seelenheils katapultiert zu werden.

Die Beziehung zwischen den beiden wird mehr als nur Freundschaft gewesen sein, es war wohl die Liebe zwischen zwei Kindern auf die ihnen eigene Art und Weise. Sie wären keinesfalls auf den Gedanken gekommen, dass hier Liebe im Spiel hätte sein können, denn was wussten diese kleinen, unschuldigen Kinder schon von diesem hehren Gefühl. Und sowieso war Liebe was für Erwachsene. Igitt!

Aranka war nicht nur der Spielball der Mitschüler, nein, sie war es auch für den Lehrer der dritten Schulstufe. Dieser hegte grundsätzlich kein Vorurteil gegen arme Leute,

Zigeuner oder vom Ausland kommende Menschen, doch in seinen zwar kurzen, aber häufigen Anfällen von Rage war Aranka ein Opfer, das es auch nur bei den kleinsten Auffälligkeiten im Unterricht abbekam.

Ein Vorfall blieb Milo sehr lange in Erinnerung, denn an diesem Tag stieß gar er an seine Grenzen der Trostspendung und Aufmunterung. Der Lehrer ging mit den Kindern in Naturkunde die heimischen Baumarten durch und erklärte den Unterschied zwischen Hart- und Weichholz. In diesem Moment musste Aranka husten, denn sie war erkältet, es hatte Minusgrade. Ihr Schulweg war lang und sie trug löchrige Schuhe, denn ihre Eltern hatten nicht das nötige Geld neue zu kaufen. In diesem Moment also hustete Aranka ein paar Mal in die Erklärung des Lehrers hinein, der seinen Vortrag anhielt und wartete, bis es ihr besser ging. Niemand schöpfte Verdacht, dass Eskalation kurz bevorstand.

Der Lehrer ging zu Aranka, baute sich vor ihr auf und drohte.

„Aranka, du weißt, dass im Unterricht nicht gestört werden darf. Weißt du das?"

Sie hatte eine leise Entschuldigung parat und blickte dabei zu Boden.

„Ja, Herr Lehrer, ich weiß, aber ich bin erkältet und hab husten müssen. Es tut mir leid."

Kurze Stille durchflutete das Klassenzimmer, bevor der Sturm losbrach. Der Lehrer steigerte seine Lautstärke auf ungekanntes Niveau.

„Was in Teufels Namen fällt dir ein, mich in meinem Vortrag zu stören. Ich hab die verdammte Pflicht, euch Fratzen etwas beizubringen. Kann schon sein, dass dich Bäume nicht im Geringsten interessieren."

„Aber sicher interess....", wollte Aranka beschwichtigen, doch der Lehrer fuhr in ihr Flüstern.

„Du brauchst dich nicht herausreden! Verflucht noch mal, du rotzfreche Göre, du Ausgeburt eines Zigeuners!"
Er nahm Aranka an einem Ohr und zog sie in eine der hinteren Ecken des Klassenzimmers, wo ein Tisch stand, der für so manches schon hergehalten hatte, doch noch nie für das, was jetzt kommen sollte. Der Lehrer nahm Aranka an Arm und Bein, hob sie auf den Tisch, legte sie auf den Bauch und zog das Kleid so weit hoch, dass ihr Hintern zum Vorschein kam, nackt und mit Pusteln übersät lag dieser vor dem Lehrer.

„Nicht mal eine Unterhose hast du an, um deine Pusteln zu verdecken! Schämst du dich nicht?", schrie er.
Aranka wollte erklären und wimmerte.

„Ich, meine Eltern, wir können uns nicht viel leisten."
Aranka begann zu weinen, was Milo, der wie alle anderen Kinder die schreckliche Situation mit aufgerissenen Augen mitverfolgen mussten, Tränen aus den Augen trieb.
Der Lehrer hatte keine Einsicht mit Arankas misslicher familiärer Lage.

„Eine einzige Unterhose werdet ihr euch ja leisten können!"
Er hob daraufhin den bekannten, berüchtigten und gefürchteten Stock, wie ein Wunder hatte er diesen samt Aranka auf den Weg zur Schulbank in der Ecke des Raumes unbeobachtet mitnehmen können, und begann damit auf Arankas Hintern einzuschlagen, als hätte es kein Morgen gegeben. Man hörte den Stock zu viele Male durch die Luft zischen und auf Arankas Haut aufklatschen. Bei jedem Hieb schrie das Mädchen, von Hieb zu Hieb lauter werdend, denn

sie hatte höllische Schmerzen. Der Lehrer brachte seine ganze Kraft ins Spiel, um seiner Rage ein Ende zu bereiten, dass sehr spät kam, denn diesmal dauerte sein Anfall zu Arankas Leidwesen länger als üblich. Er hörte nicht einmal auf, als Blut aus der durch die mannskraftstarken Schläge aufgeplatzten Haut kam und die Pusteln unsichtbar machte. Fünfzehn, zwanzig oder mehr wuchtige Hiebe musste Aranka erdulden, bis der Lehrer endlich schweißgebadet innehielt. Er schnaufte vor Erschöpfung, musste sich auf der Schulbank kurz abstützen, richtete Rock und Hemd zurecht und ging dann wieder an die Tafel, als ob nichts gewesen wäre.

Aranka lag noch immer mit hochgezogenem Kleid wimmernd auf der Schulbank und tat Milo unendlich leid. Die anderen Kinder wussten mit der Situation nicht umzugehen, waren eingeschüchtert und heilfroh, dass nicht sie den Stock zu spüren bekamen. Manche Kinder verstanden die Reaktion des Lehrers gar, war Aranka doch eine Zigeunerin und hatte es anscheinend verdient. Die Eltern oder Großeltern dieser Kinder mochten der nationalsozialistischen Gilde des Faschingstreibens des Zweiten Weltkriegs angehört haben.

Aranka konnte sich nicht alleine aufrichten, zu stark waren die Schmerzen. Milo hätte in diesem Augenblick so gerne wie noch nie Wörter aus seinem Munde gebracht, doch er blieb stumm. In ihm schäumte es, er kochte innerlich vor Wut auf Satan, der gerade an der Wandtafel begann Baumarten hinzuschreiben.

Milo zitterte, blickte auf Aranka, dann auf den Lehrer und schlussendlich auf die Mitschüler, die noch immer stocksteif und eingeschüchtert, ohne einen Mucks zu machen in ihren

Bänken saßen. Er konnte sich nicht mehr halten, lief nach vor zur Tafel, blickte zuerst dem Lehrer ins verblüffte Gesicht und dann für ein paar Sekunden zu Boden. Keiner der Schüler konnte sich einen Begriff davon machen, was in den beiden an der Tafel gerade vor sich ging, es zeigte jedoch Wirkung, denn Milo griff des Lehrers Hosensack, nahm dessen Taschentuch, lief zu Aranka, tupfte damit ihren Hintern ab, zog ihr Kleid wieder nach unten und begann sie zu trösten. Aranka lag noch immer mit dem Gesicht nach unten, doch sie wusste, dass es Milo war, und der Seelenschmerz begann zu schrumpfen. Der Lehrer verzog währenddessen keine Miene und stand regungslos an der Tafel. Milo versuchte Aranka das Aufrichten zu erleichtern und schaffte es sie hochzuhieven. Sie blickte ihren Freund, der ihr unter die Schultern griff und beim Aufstehen half, mit verweintem Gesicht an, danksagend und hilflos. Er gab ihr zu verstehen, dass sie warten solle und alles gut werde, ging zur Schulbank, räumte seine und Arankas Schulsachen in die Taschen und kam mit diesen zurück zu seiner Freundin. Ohne Worte zu verlieren und Lehrer und Schüler mit nur einem Blick zu würdigen, verließen die beiden, so schnell es Aranka möglich war, das Schulgebäude und begaben sich auf den Weg zur Zigeunersiedlung. Aranka krümmte sich vor Schmerzen und kam nur sehr langsam voran, mit Milos Hilfe wusste sie aber, dass sie alles schaffen konnte.

Der Lehrer stand noch immer teilnahmslos und wie gelähmt neben seinen Baumarten und hatte das Geschehen beobachtet, ohne eingreifen zu können. Dann fand er wieder seine Fassung, ging kurz zum Fenster, um den beiden Kindern nachzublicken, schüttelte den Kopf und fuhr mit dem Unterricht fort.

„So, nach dieser kurzen Störung machen wir weiter im Naturkundebuch auf Seite vierunddreißig. Nadelbäume und Laubbäume. Wer kann mir sagen, welche Nadelbäume es bei uns gibt und welche davon gute Dienste als Christbaum leisten?", forderte der Lehrer mit sanfter Stimme die Schüler zur Mitarbeit auf, die noch immer im Begriff waren, ihre Gefühle geordnet zu bekommen.

Besondere Schule

Neben dem Volksschulgebäude stand vierzig Meter entfernt auch ein kleines Häuschen, herabgekommen und zu zwei Funktionen degradiert. Auf der linken Seite befand sich das Klo für Lehrer und Schüler, wo nicht unterschieden wurde, ob eine Frau ein Bedürfnis hatte oder ein Mann, ob ein Bub pieseln musste oder ein Mädchen. Die Zeit im Dorf war noch nicht reif für eine Trennung der Geschlechter, aber es war für alle Normalität und nicht einmal der Direktor wäre auf den Gedanken gekommen, hier etwas ändern zu müssen.

Oft stank es bestialisch aus den Urinalen und Muscheln, denn die Spülung ließ zu wünschen übrig. Zum Glück wurden die Volksschüler durch die örtliche Separierung dadurch nicht belästigt, doch es gab noch eine zweite Funktion des Gebäudes, denn ein abgetrennter Raum wurde als Sonderschulklasse genutzt. Die bösen Zungen des Dorfes hatten immer schon behauptet, dass diese örtliche Annäherung der Sonderschüler an das Klo seine Berechtigung hatte. Es musste ja eine Differenzierung zu den anderen, normalen, klügeren Kindern geben, wo käme man denn hin. Schmutz gehörte zu Schmutz, Reinheit zu Reinheit.

Wie in jedem Dorf oder in jeder Stadt gab es auch in Milos Heimat Menschen, deren Brote immer mit der Butterseite nach unten in den Dreck fielen, und jene, die das Glück oder zumindest kein Unglück gepachtet hatten. Gott hatte es schon immer darauf angelegt, Intelligenz und Glück per Zufallsprinzip unter den Menschen zu verteilen, und so manche zogen den Kürzeren. Aranka gehörte zu jener Bevölkerungsgruppe, die nach dem Aufheben des Jausenbrots immer den Schmutz von der Butter wegstreichen mussten. Sie hatte das Pech, in eine Familie geboren worden zu sein, die von vielen des Ortes geächtet wurde, sie hatte aber gerade noch das Glück gehabt, nicht in die Sonderschule gesteckt zu werden, da ein Bekannter des Volksschuldirektors auf sie aufmerksam wurde und ihr Potenzial rechtzeitig erkannte. Hätte es diesen Hinweis nicht gegeben, Aranka würde jeden Tag von einer Aura des Gestanks nach Urin und Kot von der Schule nach Hause gekommen sein.

Der Sonderschullehrer war ein alter Nazi-Drecksack, wie ihn seine Kollegen von der Volksschule immer hinter vorgehaltener Hand nannten, ohne zu wissen, dass auch in ihren Kreisen so manches Gedankengut als Relikt des Zweiten Weltkriegs in Köpfen schlummerte. Manch jemand der Volksschullehrerschaft bezichtigte den Sonderschullehrer spaßeshalber auch der psychischen Inkontinenz, was nicht selten an der Umgangsweise mit seinen Schülern zu erkennen war.

Der alte Drecksack war jener Dorflehrer, den man getrost auf die Sonderschüler loslassen konnte und die so eine alte Respektsperson auch nötig hatten. So empfand es der Bürgermeister als angemessen, denn er hatte schon immer auf die Erteilung der Lehrerposten des Dorfes maßgeblichen Einfluss gehabt.

Milo hatte in der Schule oft das Schreien des Lehrers oder das Weinen von Schülern bis in sein Klassenzimmer vernommen. Es ist ihm wie Wehgeschrei von Nutzvieh vorgekommen, das auf dem Wege zur Schlachtbank in Todesangst ihrem Kummer freien Lauf ließ, denn er kannte solche Laute, da er in der Nähe eines Fleischhauerbetriebes wohnte, in dem jede Woche einige Kühe und ein paar Schweine geschlachtet wurden.

Milo war heilfroh, Aranka neben ihm in der Schulbank zu wissen und nicht im anderen, stigmatisierten Schulgebäude. Unvorstellbar, dass er seine Freundin leiden hätte hören müssen oder gar schreien aus Angst vor dem Drecksack, der dafür bekannt war, noch üblere Strafen auf die Schüler zu verteilen als ihr Lehrer der dritten Klasse Volksschule, dem er seine Freundin entreißen hatte müssen.

Milo konnte einst beobachten, dass der Sonderschullehrer einen seiner Schüler zur Strafe in das Klo verbannte, um dort mit heruntergezogener Hose im Winkel neben dem Urinal drei Stunden knien zu müssen. Hätten Tränen die Farbe des Blutes, das Urinalgerinne hätte sich rot gefärbt, und so manches Kind, das gerade seinem Bedürfnis nachgehen hätte wollen, wäre sich in einen Horrorfilm versetzt vorgekommen. Ein Bub kniend vor dem Urinalabfluss, Blut rann in Strömen.

In den Schulpausen wurde im Hof gespielt, Kinder liefen lachend und kreischend umher, spielten Fangen oder rauften meist spaßeshalber, manchmal auch in Ernst. Die Zeiten der Pausen wurden bewusst so eingeteilt, dass sich Schüler der Volksschule nie mit jenen der Sonderschule im Hof begegnen konnten. Mussten aber Volksschulkinder aufs Klo, was nur in der großen Pause oder in den paar Minuten zwischen zwei Schulstunden gestattet wurde, konnte es schon mal vorkommen, dass sie Sonderschülern begegneten, was manchmal einem Spießrutenlauf gleichkam. Es trafen zwei Welten aufeinander oder, im Jargon der Zoologie bleibend, zwei Schimpansenhorden, und da waren Probleme an der Tagesordnung.

Es gab einen Sonderschüler, den sie alle Hänschenklein nannten, minderbegabt, wenn nicht von Gott gar übersehen und noch dazu körperlich schwach und gänzlich den Wutausbrüchen der Kinder beider Schulen ausgesetzt. Ein jämmerliches Bild, das dieser Bub abgab. Milo hatte großes Mitleid mit ihm, er war aber zu feige zu helfen, denn die Angst war groß, dass auch Milo in die Fänge der älteren Buben käme.

Hänschenklein bekam täglich sein Fett ab. Angepöbelt von anderen Buben, gehänselt von den Mädchen, geschubst, gestoßen und verprügelt, wann immer es den anderen danach gelüstete. Hänschenkleins Zukunft war zum Scheitern verurteilt, er war die Ausgeburt eines Omega-Wolfes. Diesen Vergleich vor Augen habend, könnte man meinen, die Evolution hatte es ja so vorgesehen, siehe Wolf und alle anderen Tiere, wo es ums Überleben geht. Wieso sollte es dann schlecht sein? In der Mitte Europas der Sechziger- und Siebzigerjahre des Zwanzigsten Jahrhunderts aber ging es nicht ums Überleben, denn keine Existenz war vom Hungertod bedroht, keiner, der nicht auf irgendeine Weise vom Staat unterstützt wurde, der aufkeimenden und prosperierenden Sozialdemokratie dank. Man hätte also annehmen können, die Menschheit wäre mit so viel Grips ausgestattet, um Grausamkeiten und Gräueltaten untereinander zu vermeiden. Dem war jedoch noch nicht so und würde vermutlich auch nie so werden, denn in jedem Menschen steckte immer noch der Vorfahre aus der Urzeit, der Zeit vor Hunderttausenden von Jahren, wo Familiengruppen oder Rudel bei zufälligem Aufeinandertreffen einander die Schädel einschlugen und am abendlichen Feuer mit ihren Heldentaten prahlten.

Und genau solche Silberrücken liefen auch in Schulhöfen umher, um bei jedem noch so kleinen Verdacht ihrer Macht beraubt zu werden um sich schlugen, andere verletzten oder gar seelisch töteten. Auch in der Sonderschule gab es zwei Ausgaben dieser Spezies, ein Junge aus der Dorfmitte, ironischerweise ein Sohn des ansässigen Hausarztes, und ein anderer, der aus der Zigeunersiedlung kam und Arankas Nachbar war. Sie hatte Milo schon manchmal von diesem Wüstling erzählt, der auch sie von Zeit zu Zeit belästigte. Aranka aber hatte Glück, da sich der Hass des Jungen vielmehr gegen die Bourgeoisie des Dorfes, also gegen die herrschende soziale Oberschicht richtete. Er hatte Aranka sogar ein paarmal gegen andere Buben in Schutz genommen, da sie ja aus demselben Holz geschnitzt war wie er, so war seine Annahme.

Diese beiden trieben ihr Unwesen in der Klasse und im Schulhof und hatten geradezu einen Mietvertrag für das Klo mit dem Sonderschullehrer abgeschlossen, denn die Hälfte der Zeit verbrachten sie kniend neben dem Urinal, was man auch an der ungewöhnlich dicken Hornhaut erkannte, die über ihren Kniescheiben lag.

Die übelste Konstellation waren Begebenheiten, wo beide Silberrücken mal wieder schlechte Laune hatten, das kam alle paar Tage vor, und Hänschenklein gerade in Griffweite war. Nicht selten kam der arme Junge mit blauen Flecken, Kratzern oder gar schlimmeren Wunden nach Hause, beklagte sich aber nie bei seinen Eltern, denn er vermutete, sie hätten einen Pakt mit dem Sonderschullehrer geschlossen.

Ein Maitag ließ das Fass von Hänschenkleins Vater jedoch überlaufen. Sein Sohn kam blutüberströmt von der Schule nach Hause gerannt, ein Silberrücken hatte ihm gehörig zugesetzt und mit dessen selbstgeschnitztem Messer stark blutende Wunden zugefügt, weiß Gott aus welchem Grunde, vielleicht hatte Hänschenklein ihn nur für fünf Sekunden angestarrt.

Der Vater ließ nicht locker und presste aus seinem Sohn alle Einzelheiten heraus, ging in die Küche, nahm das größte Messer aus der Bestecklade und eilte zur Schule. Die große Pause war gerade zu Ende gegangen, die Schüler saßen schon alle in ihren Bänken im Klassenzimmer, da stürmte Hänschenkleins Vater zur Tür herein und schrie aus Leibeskräften den Namen des Täters, der vom Lehrer augenblicklich denunziert wurde. Hänschenkleins Vater war groß von Gestalt, kein Rohling, aber mit ihm war nicht zu spaßen, und genug war bei Weitem genug. Er ging auf den identifizierten Schüler zu, nahm das Messer aus seiner Hose und hielt es dem verängstigten Jungen an die Kehle.

„Ich sag dir jetzt eines: Wenn du noch einmal meinen Sohn an die Gurgel gehst, dann können deine Eltern dich oder was von dir übrig geblieben ist, auf dem Friedhof besuchen. Hast du das verstanden?"

Der Mann schien es ernst zu meinen, so sah es auch der rasend schnell verblassende Bub, dem seine Angst anzusehen war, denn er stand vor dem Rächer, die Messerklinge drei Millimeter vor der Halsschlagader und zitterte am ganzen Körper.

„Hast du das verstanden?", schrie der Mann lauter.

Eine leise, bebende Zusage entfleuchte der Kehle des Jungen, was kaum jemand hörte oder gar verstand.

Hänschenkleins Vater wendete sein Ohr dem Mund des Jungen zu.

„Was hast du gesagt?", fragte er in angsteinflößendem Ton nach.

„Ich, ich hab ja gesagt…", kam nun etwas verständlicher. Der Mann ließ nicht locker.

„Was ‚ja‘, was meinst du mit ‚ja‘?"

Der Junge war sich der Ernsthaftigkeit der Lage bewusst, er steckte in der größten Krise seines Lebens.

„Ich meine, ich hab es verstanden, ich werde Ihrem Sohn nie mehr wehtun."

Hänschenkleins Vater sah, dass dieses Versprechen mit dem einem Kind größtmöglichen Ernst gegeben wurde, ließ langsam von ihm ab und sagte noch in ruhigem Ton, dass er dies auch hoffen will. Der Lehrer machte in keiner Sekunde eine Regung, schien nicht eingreifen zu wollen, denn die Racheaktion des Mannes war im Einklang mit seiner Lebenseinstellung.

Hänschenkleins Vater machte sich daran zu gehen, schickte aber noch mit erhobenem Zeigefinger vorsichtshalber eine Drohbotschaft an all die anderen der Klasse.

„Und das gilt für euch alle. Wenn mein Sohn noch einmal verletzt nach Hause läuft, dann Gnade euch Gott, dann fließt auch hier im Klassenzimmer Blut, aber nicht das von meinem Sohn."

Der Mann ging langsam zur Tür, hielt noch immer das Messer in der Hand, verschwand dann vom Schulgelände und hinterließ einen zitternden Buben mit uringetränkter Hose. Die Situation hätte von einem kitschigen Wild-West-Film stammen können, mit viel Pathos, Stolz und Gerechtigkeit, das aber nur für diesen kurzen Augenblick gegolten hatte. Wenige Sekunden später ging ein Raunen durch die Klasse, Schüler grinsten und hänselten den armselig in seiner Bank sitzenden Silberrücken, der anscheinend eine Lehre fürs Leben erhalten hatte.

Einige Tage später kam es wieder zu einem Vorfall mit dem Jungen, der seine Wut an einem anderen ausließ. Hänschenklein aber war bis zum Ende seiner sonderschulischen Laufbahn von größeren Grobheiten verschont geblieben und war ab diesem Tag mächtig stolz auf seinen Vater. Er ging fortan mit ein wenig höher erhobenem Haupt durchs Leben, hatte es jedoch nie leicht gehabt.

Die Schule war Ort der üblichen kleinen Brandschatzungen auf der Kinderseele, die aber in homöopathischen Mengen gar so wichtig und nahrhaft für die Entwicklung eines unreifen Menschleins waren. Schule konnte ein Ort der Eintracht sein, aber auch der Zwietracht und Niedertracht, war Ort des Fragens und der Antworten, Ort des Lehrens und Lernens, der Einsicht und des Unverständnisses, war Ort der Verschmähung, des Ausgelachtwerdens und der Scham. Die Schule konnte ein Ort sein, an dem Kinder frühmorgens aufrechten Ganges das Gebäude betraten und nach dem Unterricht gebückt herauskamen. War ein Kind von Unglück gesegnet, war dies ein kontinuierlicher Zyklus, der es jeden Tag etwas weniger aufrecht hinein und etwas mehr gebückt hinausgehen ließ.

Lederhand

Fast vier Jahre schon kannten die Kinder nun einander, drückten gemeinsam in guten und in schlechten Tagen die Schulbank. Milo, Aranka und Stunk saßen auch in der vierten Schulstufe nebeneinander und am weitesten entfernt vom Lehrer, der schon seit vielen Jahren auch der Direktor der Schule war. Mit lederbezogener Kunsthand führte er ein strenges Regiment, unter dem sich kein Kind aufzumucken traute. Das Aufbegehren musste wohl oder übel auf ein höheres Alter verschoben werden.

Gerne verwendete der Direktor seine Handprothese als Vollzugsobjekt der Züchtigung und zog den Schülern damit die Ohren lang. Wäre es eine lebende menschliche Hand gewesen, die Kinder hätten sich damit nicht verschrecken lassen, aber eine harte, etwas bewegliche Lederhand schien gar gruselig und furchterregend zu sein. Außer dem Ohren-Langziehen und die obligatorischen einige Hundert Male irgendetwas Blödes schreiben, gab es keine Bestrafungen, soviel Humanität schlummerte nun doch in der Respektsperson an der Tafel, obwohl er genug Grausamkeiten im Krieg gesehen hatte, um zehn Menschen zu brutalen Monstern zu machen.

Das Trio in der hintersten Reihe der Klasse hatte beim Direktor ein Stein im Brett, denn Milo war sein Liebkind und Milos beste Freunde gingen einfach mit in der Gunst. Zudem wusste der Direktor Milos Anteil an Klassenfrieden und Harmonisierung des Klassenwissens zu schätzen, konnte er doch oft beobachten, wie Milo Mitschüler lautlos unterstützend auf seine spezielle Art motivieren und im Lehrplan um eine Stufe weiterbringen konnte. Er hatte sein Geheimnis zwar noch nicht geschnallt, würde aber schon noch dahinterkommen, ermutigte er sich täglich. Vor allem Milos blitzgescheites Köpfchen hatte es dem Direktor angetan, denn kein Unterrichtsfach, kein Wissensgebiet war dem Jungen fremd. Milo fühlte sich überall sattelfest, konnte auf seine stumme Art und Weise sein Wissen bezeugen und die Mitschüler mitreißen. Aranka und Stunk profitierten davon am meisten, denn sie verband die Tugend der wahren Freundschaft mit Milo, der für die beiden Mädchen Mentor, bester Freund, Spielgefährte und Welterklärer gleichzeitig war.

Oft kam es im Schulhof oder gar im Klassenzimmer zu Handgreiflichkeiten unter den in diesem Alter schon beachtenswert testosterongefüllten Buben. Beleidigende Worte oder abschätzig bewertende, despektierliche Begrifflichkeiten wurden wie Tennisbälle durch das Klassenzimmer geschossen. Wehe dem, der den Ball auffing und die Konfrontation unterbrach, er wurde unweigerlich zum zentralen Angriffspunkt der Mächte und musste weinend den Heimweg nach dem Unterricht antreten.
Die Kinder hatten nun fast vier Jahre Vorbereitung für das Erwachsenenleben hinter sich, Jahre der Ermutigung, aber auch Verzweiflung, Jahre der Demütigung, aber auch des Ansporns. Breit gefächert waren die Charaktere, die sich verdammt wichtig, erwachsen und einfach nur großartig vorkamen vor den anderen Schülern der ersten drei Klassen. Als das Ende des Schuljahres nahte, wurden die Kinder der Tradition der Schule entsprechend auf eine Prüfung

vorbereitet, die als eine Art Eignungstest für die zukünftige schulische Laufbahn gedacht war. Der Direktor hatte sich vor vielen Jahren, kurz nachdem er zum Schuloberhaupt ernannt worden war, in den Kopf gesetzt, diesen Test einzuführen. Eltern wussten oft nicht, ob ihr Kind für ein Gymnasium geeignet war und schickten es ob ihrer Unsicherheit und ihres Wankelmutes vorsichtshalber in die Hauptschule, um ja nicht in die prekäre Situation eines Schulwechsels zu kommen. Mit diesen Entscheidungen wurden Kindern manchmal Chancen auf eine bessere Zukunft verbaut. Um das zu vermeiden, hatte der Direktor den Schuleignungstest eingeführt, dessen Durchführung und Ergebnisverkündung zelebriert wurde, als hätte es sich um die Weihung zu höheren Ämtern gehandelt.

Nüchtern betrachtet war es ein schlichter schriftlicher und fächerübergreifender Test, für den die Schüler zwei Stunden Zeit fanden. Die Fragen hatte der Direktor einst nach seinem Gutdünken ersonnen, was ihm einigermaßen gut gelungen war. Ein Themen-Potpourri aus vierzig Fragen bestehend, die die Kinder an den Rand des Wahnsinns brachten, denn manche der Fragen hatten es in sich, trieben Schweißperlen auf die Stirne der Kleinen.

Der Tag der Prüfung war nur für diese reserviert, es gab sonst keinen Unterricht. Die Schüler konnten auch etwas länger schlafen, denn der Test war für neun Uhr dreißig angesetzt. Stunk und Aranka standen bereits eine halbe Stunde früher vor dem Schulgebäude und hielten einander die schweiß- nassen Hände, denn sie hatten Angst vor den Ergebnissen. Keines der beiden Mädchen wollte gut genug für das Gymnasium sein, denn sie fanden sich selbst als minderbegabt und hatten keine Lust, den Schulort zu wechseln, denn die Hauptschule befand sich in ihrem Heimatort. Dennoch wollten sie ihren Eltern zeigen, was sie draufhatten, wollten diese voller Stolz auf ihre Töchter sehen. Eine Zwickmühle sondergleichen, aus der sie kaum ungeschoren davonkommen konnten.

Milo wusste Bescheid über die Bredouille seiner Freundinnen und beschloss daher, ihnen bei der Prüfung nicht beizustehen und den Geschehnissen freien Lauf zu lassen, denn jegliches Eingreifen hätte unweigerlich Folgen auf die weiteren Lebenslaufbahnen. Sie würden es schon machen, vertraute ihnen Milo. Was seinen eigenen Test betraf, entschloss er sich zur Verweigerung. Nicht, dass er spaßeshalber einfach vorhatte, still und bewegungslos in der Schulbank zu sitzen und keinen Finger zu rühren, er wollte dem Direktor schlicht und einfach keine Genugtuung erlauben. Dieser dürfte sich nicht selbst auf die Schulter klopfen können, er dürfte nicht stolz darauf sein können, was er doch für ein Genie in der Klasse hatte, das nur durch dessen Unterricht diesen Erfolg erzielen konnte. Milo wollte verweigern, sein Wissen preiszugeben.

Alle Schüler hatten sich im Schulhof versammelt, die Prüfung stand nahe bevor. Aufgeregt trappelten die Kinder umher, tuschelten in Grüppchen, lachten verzweifelt und überschätzten die Wichtigkeit der Prüfung maßlos. Der Direktor beobachtete das Treiben im Schulhof wie jedes Jahr und ergötzte sich an der Nervosität seiner Schüler, denn er fand es zeitgemäß, den Kleinen die Furcht vor dieser Prüfung einzutreiben und sie vor Angst erstarrt auf dem Schulhof stehen zu sehen. So schlimm war es ja nie gewesen, wusste er, bisher hatten die Prüfungen stets ein gutes Abbild seiner Einschätzung gezeigt, spiegelten das wider, was sich über das

Schuljahr an Leistungen verteilt hatte. Eltern und Schüler aber sollten sehen, dass Können, Wissen und Leistung die Essenz der zukünftigen Lebensqualität der Zöglinge waren. Lederhand, wie manche Schüler ihren Direktor im Stillen nannten, wusste, dass er durch die Prüfung schon so manchen Vater oder manche Mutter davon überzeugen konnte, den Nachwuchs zwecks gehobener Ausbildung den Genuss einer besseren Schule zu erlauben. Das sollte nicht heißen, dass Hauptschulen schlechte Orte der Bildung waren, nein, Lederhand war von der Qualität der Lehre an diesen Schulen überzeugt, aber begabte Kinder müssten die Chance bekommen, mehr aus ihrem Leben machen zu können, denn Wissen war Macht, Einfluss und Wohlstand und ein Garant für eine friedliche Welt, davon war Lederhand überzeugt.

Um Schlag neun Uhr dreißig wurde die Tür zum Klassenzimmer aufgesperrt und die Kinder betraten den an diesem Tag ehrwürdigen Raum, ohne ein Wort miteinander auszutauschen. Jeder suchte eilends seinen Platz in der Bank, packte die Schreibutensilien aus und wartete geduldig auf das, was da kommen mochte. Prüfungsbögen mit vierzig Fragen, die auf Beantwortung sehnsüchtig warteten, lagen bereits auf den Bänken und Lederhand hielt eine kurze Einführung, um den Kindern erneut die Wichtigkeit der Prüfung einzubläuen.

„Kinder, ihr wisst, dass diese Prüfung keine Beurteilungsgrundlage für das Jahreszeugnis darstellt, aber eine Entscheidungsgrundlage für euren weiteren Schulweg und euer Leben. Also gebt euer Bestes, ihr habt dafür zwei Stunden Zeit. Ihr könnt beginnen."

Bei der vorletzten Silbe des letzten Wortes von Lederhands Einleitung drückte er auf die Stoppuhr, die vor ihm auf dem Lehrertisch stand.

„Und ich will niemand beim Schummeln erwischen, habt ihr gehört!"

Dies war von Lederhand nicht als Frage gedacht, was die Kinder auch durch die Betonung so verstanden. Jedem war der Ernst der Situation bewusst, und schon fetzten die Bleistifte über die Zettel nur so dahin. Die Zeit verrann, Köpfe rauchten, es begann im Klassenzimmer langsam nach Schweiß zu riechen, der schnell Stunks Stallgeruch übertünchte. Anbrechendes Gemurmel wurde von Lederhand im Keim erstickt, Fußgetrippel ebenso. Das einzige von ihm geduldete Geräusch war das Ticken der Stoppuhr und das Klacken seiner Schuhe beim Durchschreiten der Gangreihen. Die einzigen von ihm geduldeten Bewegungen waren jene des Zeigers der Stoppuhr, seine Kontrollrunden im Klassenzimmer und die Handbewegungen der Schüler. Nervöses Kreisen der Zungen über Ober- und Unterlippen wurde nicht geahndet.

Die meisten Schüler gaben wie geheißen ihr Bestes, manche hielten diese Prüfung für eine Farce und einer boykottierte gar die Veranstaltung. Lederhand sammelte nach geschlagenen zwei Stunden die Prüfungsbögen ein und musste feststellen, dass jener von Milo unbeschrieben war.

„Milo, du gibst ja vollkommen leere Zettel ab!"

Lederhand drehte und wendete jedes einzelne von Milo abgegebene Blatt, um vielleicht nicht doch noch Geschriebenes zu entdecken, aber da war nichts. Milo hatte zwei Stunden lang geschickt verheimlichen können, dass er nicht gewillt war, an der Prüfung teilzunehmen.

„Wieso hast du keine einzige Frage beantwortet?", fragte Lederhand in lautem Ton und dem Wissen. Gerade von Milo hatte er sich Großes erwartet, ein geradezu grandioses Ergebnis, dass diese Schule noch nie erlebt hätte. Und jetzt das! Die Enttäuschung war Lederhand anzusehen, die Überraschung Milos Mitschülern. Manche tuschelten mit dem Banknachbarn und beobachteten Milo, der seelenruhig neben Aranka in seiner Bank saß.

„Ich weiß nicht, was ich davon halten soll, Milo. Das wird ein Nachspiel haben, ich werde deine Mutter zu mir beordern müssen, das wird dir doch einleuchten."
Milo nickte.

„Sonst fällt dir nichts dazu ein?", fragte Lederhand ohne daran zu denken, dass er von Milo ja keinen Laut herauspressen konnte.

„Nun gut, es ist so. Ihr könnt gehen."
Alle Schüler packten blitzartig ihre Sachen ein und liefen nach Hause. Einzig Milo blieb noch im Klassenzimmer, saß schweigend in seiner Bank und blickte den Direktor eine Zeit lang starr an und danach einige Sekunden zu Boden. Lederhand glaubte plötzlich zu verstehen, ja, er wusste, warum Milo die Prüfung verweigert hatte. Dieser musste von sich selbst, von seinen Fähigkeiten und seinem Wissen so überzeugt gewesen sein, dass die Prüfung für ihn keinen Sinn gemacht hatte. Ein Bombenergebnis hätten die anderen Schüler wohl missbilligt oder wären davon im besten Fall eingeschüchtert gewesen. Lederhand hatte Milos Verweigerung verstanden und deutete ihm an zu gehen.
Milo verließ das Gebäude und sah, dass Aranka und Stunk auf ihn gewartet hatten. Sie begannen Milo mit Fragen zu löchern, warum er denn nicht mitgemacht hatte, ob er sich

nicht vor Konsequenzen fürchtete. Milos kurzer, wortloser Monolog überzeugte seine beiden Freundinnen von seiner Entscheidung und sie freuten sich, ihn zum Freund zu haben. Er hatte nicht beabsichtigt, den Direktor zu kompromittieren, auch nicht, seiner Unlust dadurch Ausdruck zu geben. Er wusste, dass es für alle, Klasse und Direktor, eine gute Entscheidung gewesen war. Sein Boykott war kein Protest, es war eine kluge Stellungsbezeugung, der gerechtfertigte Eingriff in die weiteren schulischen Laufbahnen seiner Kameraden. Lederhand hingegen hätte verdammt gerne Milos herausragendes Prüfungsergebnis mit Direktoren anderer Schulen geteilt, nur um zu demonstrieren, welches grandiose Talent in seinem Ort schlummerte. Er hätte einfach nur gerne angegeben mit Milo, um seine eigene Leistung und seinen Beitrag zu Milos Erfolg zu festigen. Mit der Verweigerung seines Klassenprimus ist es bei einem Wunsch geblieben und Lederhand musste sich wohl gedulden, bis wieder einmal ein kleines Genie durch die Tür in sein Klassenzimmer finden würde. Angesichts seines nun doch schon fortgeschrittenen Alters und der in ein paar Jahren bevorstehenden Pensionierung hielt Lederhand dies aber für verdammt unwahrscheinlich.

Letzter Schultag

Die Kinder hatten sich schon seit Wochen auf diesen Tag gefreut, den letzten Schultag der vierten Klasse Volksschule. Dieser Tag bedeutete für sie einerseits beginnende Sommerferien und andererseits auch der Übergang in ein neues Kapitel ihrer Entwicklung und Ausbildung, denn sie würden der Volksschule den Rücken kehren und nach den Ferien in einen anderen Schultyp wechseln. Fast alle von ihnen entschieden sich für die örtliche Hauptschule, meist aus Gründen der Bildung, denn nur wenige waren geeignet für das Gymnasium, manche aber auch, weil die Schule eben im Dorf lag oder weil sich Schüler weigerten, Freundschaften zu trennen.

Das Klassenzimmer war bereits erfüllt mit Gelächter und Geschrei, Gerenne und Hänseleien. Das Trio hingegen saß still in den Bänken. Stunk roch seit ein paar Tagen gar nicht mehr nach Stunk, denn ihre Eltern hatten endlich eingesehen, dass etwas geschehen und mehr örtliche Trennung zwischen Wohnbereich und Stall eingeführt werden muss, aber auch achteten sie nun auf mehr Hygiene und dass täglich frisch gewaschene Kleidung für Stunk zur Verfügung stand. Aranka war sichtlich nervös, denn sie konnte die Übergabe des Zeugnisses und den Beginn der Ferien nicht mehr erwarten. Milo war still wie immer.

Für Aranka und Stunk war der weitere Bildungsweg keine Frage des Grübelns, denn der Befehl aus dem Elternhaus lautete ,Hauptschule', obwohl beide Chancen auf einen positiven Abschluss des Gymnasiums gehabt hätten. Milos Mutter wusste, dass ihr Sohn das Zeug dafür hatte, das

Gymnasium mit Bravour zu bestehen, doch er gab ihr eindeutig zu verstehen, in die Hauptschule gehen zu wollen, und es war in ihrem Sinne, seinem Glück nicht im Wege zu stehen.

Die Hauptschule war der Standardbildungsweg in diesen Jahren und Gymnasium nur etwas für ‚die Schlauen', wie im Dorf geredet wurde, und ‚die Schlauen' wurde meist mit einem herablassenden Unterton gesagt, der alle Bände sprach. Allein diese Meinung ließ den von Milo gewählten Weg in einem guten Licht erscheinen. Insgeheim aber hatte sich seine Mutter oft vorgestellt, wie ihr Sohn ein ehrwürdiges, altes Schulgebäude des Gymnasiums betrete, Professoren und Direktor staunen ließ und alle Schulstufen als Jahrgangsbester abschließe. Sie wusste, er hätte ihre Träume erfüllen können, trotz seiner Stille und seines ungewöhnlichen Verhaltens.

Es gab Tage, wo Eszter erhobenen Hauptes durch den Ort stolzierte, doch es gab auch schlechte Tage, an denen sie sich am liebsten im Bett verkriechen wollte, und das hatte nichts mit Milos Verhalten zu tun, sondern allein mit Eszters Depression. Diese zwang sie, wenn es schlimm war, in tagelange Isolation. Sie war dann nicht einmal imstande, zum Hausarzt zu gehen, so sehr hatte sie Angst vor dem Bösen, das da draußen vor ihrem Haus auf sie warten würde. Ein Anruf beim Arzt genügte, dieser wusste, dass Eszter wieder einmal in das ihr wohlbekannte Loch gefallen war und schrieb sie krank mit der Auflage, sie müsse in drei Tagen wieder in seine Praxis kommen. Nach drei Tagen, so der normale Ablauf, hätte sich Eszters Zustand wieder soweit gebessert, dass einer Gesundschreibung nichts im Wege stand. So war es bisher immer gewesen und könnte es in

Zukunft auch immer wieder so sein, denn ein Abbiegen in frohere und glücklichere Zeiten war nicht absehbar.

Die Schüler hielten ihre Zeugnisse in Händen. Die meisten hüpften vor Freude, zwei von ihnen jedoch hatten Tränen in den Augen und würden sich vermutlich erst gegen Abend zu Hause blicken lassen. Ihnen war die Schule so wohlgesonnen, dass sie sich von den beiden nicht trennen konnte. Für alle anderen aber hieß es, nie mehr wieder in diesem Klassenzimmer sitzen zu müssen.

Dem Direktor wurde höflich adieu gesagt, und schon waren alle nach draußen gelaufen, um im Schulhof noch den Ferienbeginn zu feiern. Aranka, Stunk und Milo hielten einander an den Händen. Sie waren ein eingeschweißtes Team geworden, besonders Milo und Aranka, deren Bande von Jahr zu Jahr stärker wurden und schier unzerreißbar waren. Das Trio vereinbarte ein Wiedersehen am Samstag der zweiten Ferienwoche an der roten Sitzbank am Waldrand, wo sie schon so manches Mal Spaß hatten miteinander. Von da an wollten sie sich jeden Tag sehen, so ihre Eltern nicht anderes mit ihnen vorhaben würden. An solche Vereinbarungen hatte man sich pünktlich zu halten, denn Absprachen waren nicht immer einfach, zumal Arankas Eltern kein Telefon im Haus hatten. Ein kurzes Umarmen und Schwören auf ewige Freundschaft gefolgt vom Nachhauseeilen, um den Eltern das Zeugnis voller Stolz zu präsentieren, denn Aranka und Stunk hatten sich dank Milos Unterstützung herausgemausert und keinen einzigen Dreier im Zeugnis. Dies hätte sich keine von beiden je zu träumen gewagt.

Das Trio freute sich bereits auf das baldige Wiedersehen.

Rote Bank

Die Sonne meinte es gut mit dem Landstrich, denn sie erhitzte Wiese, Wald und Gemüter in den ersten Wochen der Ferien und brachte die Freude der Kinder zum Kochen. Es wurde Fußball gespielt, Räuber und Gendarm, Mädchen wurden an Bäume gefesselt und von Indianern gefoltert, Buben von Cowboys erschossen, Bäche aufgestaut, Fische gefangen und mit bloßen Händen per Handschlag in die ewigen Jagdgründe befördert. Wer es sich leisten konnte, fuhr in den Urlaub und verbrachte eine Woche am Wörthersee oder gar in Lignano Sabbiadoro. Das Leben im Dorf konnte schöner nicht sein.

Milo fuhr mit dem Rad umher und verbrachte viel Zeit mit Freunden und seine Mutter hatte den ganz Tag über keinen blassen Schimmer, wo ihr Sohn steckte. Erst spät abends hörte sie das Fahrrad an die Wand geknallt werden, bevor Milo das Haus betrat, staubig, mit roten Backen und blutigen Knien und still und stumm nach Essen bettelnd, was sein knurrender Magen Eszter bereits mitteilte, bevor ihr Sohn um die Ecke gebogen war.

Die Leichtigkeit des Seins erfuhr in den Ferien ihren Höhepunkt, alles flirrte der Hitze wegen, alles schien eine Fata Morgana zu sein, die sich den Kindern beim Näherkommen als Glückseligkeit des Müßiggangs entpuppte. Milo genoss sichtlich die Unbeschwertheit. Ein einziger Wermutstropfen jedoch trübte die Suppe, denn er konnte in den ersten Tagen seine beiden Freundinnen Aranka und Stunk nicht sehen.

Der vereinbarte Tag des Treffens rückte langsam, aber stetig näher. Milo wachte früher als üblich auf. Nervös trippelte er in seinem Zimmer umher, räumte dies und das hervor und versuchte die Zeit totzuschlagen, bis er zum Treffpunkt aufbrechen konnte. Nach dem Mittagessen war es dann endlich soweit und Milo packte sein Fahrrad und strampelte zur roten Sitzbank am Waldrand. Er blickte auf die Uhr, um sich zu versichern, dass er ja nicht zu spät kam, denn Unpünktlichkeit war von ihm verhasst. Fünf Minuten vor der vereinbarten Uhrzeit traf er ein und sah Stunk bereits auf der Bank ungeduldig warten.

„Milo, servus! Ich freu mich so dich und Aranka wiederzusehen." Stunk sprang auf und umarmte ihn, der zuvor lieblos sein Rad in den Staub geworfen hatte, um ja keine Sekunde zu verlieren, seine Freundin umarmen zu können.

Milo ließ sie spüren, wie sehr er sich freute, sie zu treffen. Stunk sah etwas verändert aus, kam Milo seltsam erwachsen vor. Mag sein, dass es an der neuen Frisur lag oder aber daran, dass sie eben um zwei Wochen älter war, als sie sich das letzte Mal gesehen hatten.

Die beiden wurden ungeduldig, denn Aranka ließ noch auf sich warten. Es war bereits fünf nach eins, ihre Freundin war sonst immer pünktlich gewesen. Um die Zeit zu überbrücken, erzählte Stunk von ihren ersten zwei Ferienwochen, wie sie kaum in den Genuss der freien Zeit gekommen war, denn sie musste auf dem Feld helfen. Ihre Eltern hatten einen Bauernhof mit Rindern und Schweinen und auch einiges an Ackerfläche zu bestellen. Als Bauerntochter musste Stunk ihre Freunde oft beneiden, deren Eltern einem anderen

Broterwerb nachgingen, denn die Mithilfe der Kinder war in diesen Familien nicht sehr gefragt oder gefordert.

Milo schilderte Stunk auf seine stille Weise, was er mit seinen Freunden alles angestellt hatte, schielte dabei alle fünf Sekunden zum Weg, woher Aranka kommen sollte. Keine Spur von dem Mädchen, außer einem streunenden Hund kam ihnen keine Gestalt näher. Der Hund bog dann in den Wald ab und hinterließ die beiden mit wartenden Blicken. Eine Viertelstunde schon hatte sich Aranka verspätet, das war ganz und gar nicht ihre Art. Milo spürte Nervosität aufsteigen, er fing an, Schlimmes zu befürchten, denn seltsame Schwingungen machten sich hinter seiner Stirn breit. Er fing Gedanken von jemand auf, den er nicht identifizieren konnte, und die wie in einer Nebelsuppe verschwommen vor ihm kreisten. Was war die Botschaft? Wessen Gedanken hatte er aufgespürt? Milo versuchte sich zu konzentrieren, vermochte jedoch nicht, den Nebel wegzublasen.

Stunk machte Kreise um Milo und war wie er unruhig und nervös.

„Hast du von Aranka etwas gehört? Weißt du, wo sie stecken könnte?"

Milo verneinte, Sorgenfalten verunstalteten seine Stirn. Warum verspätete sich Aranka? Die gute Laune der beiden Kinder schien verdorben zu sein. Ihre Freundin kam nicht und Enttäuschung machte sich breit. Milo schlug Stunk lautlos vor, sich auf die Suche nach Aranka zu machen. Die beiden bestiegen ihre Fahrräder und fuhren entlang des Waldrandes bis zu den ersten Häusern. Keine Spur von ihr.

„Sie hätte uns das gesagt."

Stunk war überzeugt davon, dass Aranka etwas Wichtiges oder Schlimmes dazwischengekommen war und sie daher nicht kommen konnte. Was aber wäre wichtiger, als die beiden zu treffen, fragte sich Milo.

Stunk machte den Vorschlag, zu Aranka zu fahren, vielleicht würde sich die Angelegenheit dann ja aufklären. Vielleicht war sie krank, lag mit Fieber im Bett und konnte nicht anrufen, da ihre Eltern aus Geldmangel sich bisher noch kein Telefon leisten konnten. Die beiden starteten ihre Räder und begaben sich auf den Weg durch den Fuchswald bis zur Zigeunersiedlung. Milo war bisher nur zwei-, dreimal dort gewesen, hatte die Siedlung immer mit einem unwohlen Gefühl betreten, da man Gerüchte hörte über die Zigeuner, die ihm Angst machten. Diese Gerüchte passten nicht zu Aranka, sie war ganz anders, als die Leute im Dorf von den Zigeunern erzählten, denn Aranka war ein besonders liebenswertes Menschenskind. Diese Unstimmigkeit galt es noch aufzuklären.

Milo wusste den Weg zu Arankas Haus, die erste Gasse links und dann noch etwa fünfzig Meter, wobei es sich doch eher um eine Hütte handelte. Stunk und Milo standen vor eben dieser Hütte, wo keine Menschenseele zu sehen war. Anscheinend war niemand daheim. Milo blickte sich um, die Sonne brannte ihre gleißenden Strahlen auf die beiden darnieder.

„Komm, wir klopfen mal an", forderte Stunk Milo heraus.

Sie näherten sich zögernd der Eingangstür, noch nie zuvor war Milo der Hütte so nahe. Kein Laut war von drinnen zu hören, irgendwo in der Nachbarschaft spielten Kinder, war Getratsche zu vernehmen. Stunk klopfte vorsichtig, leise und nur zweimal, ein eigenartiges Hallen war zu vernehmen, das klang, als ob die Hütte leergeräumt wäre. Sekunden der Stille gefolgt vom erneuten Klopfen an die Tür, nun viermal, fester und mit Nachdruck. Ein drittes Mal trauten sich die beiden nicht zu klopfen und entfernten sich einige Meter vom Haus, um nicht den Eindruck zu erwecken, lästig oder aufdringlich zu sein.

Stunk und Milo standen stramm und Hände haltend vor der Hütte, wie ein zu Tode enttäuschtes Brautpaar vor der geschlossenen Kirchentür. Kein Laut, keine Regung, kein Nichts.

Eine Frau kaum aus dem übernächsten Haus getreten, das diese Bezeichnung schon eher verdient hatte, machte sich daran, die Rosen im Garten zu pflegen. Milo deutete Stunk zur Frau zu gehen und sie um Auskunft zu bitten. Stunk zögerte, folgte dann aber Milo, der bereits vor dem mit der Frau bestückten Haus stand. Er blickte kurz zu Boden, bis die Frau die beiden entdeckte und stieß Stunk mit dem Ellbogen in die Seite.

„Was wollt ihr?", fragte die Frau unwirsch.

Stunk brachte kaum ein Wort heraus, sprach zögernd.

„Wir, wir, wir möchten fragen, ob Sie wissen, wo Aranka ist."

„Aranka? Die Tochter von den Sarközis?"

Milo bejahte durch Kopfnicken.

„Die sind nicht mehr da."

Milo durchfuhr ein Blitz.

Stunk bohrte zögerlich nach.

„Wieso nicht mehr da, wie meinen Sie das?"

Die harsche Frau schien von den beiden bereits genervt zu sein.

„Die sind nicht mehr da, sind vor einer Woche weggezogen!"

Der Blitz in Milo entfaltete seine ganze Entladung und brachte die Knie zum Zittern.

Stunk fragte überrascht nach.

„Die sind weggezogen? Wohin?"

Der Frau wurde die ständige Fragerei der Kinder zu viel.

„Weggezogen, eben weggezogen, die wohnen nicht mehr hier. Ich hab gehört, sie sind zu ihren Verwandten nach Pressburg gezogen. So, und jetzt verschwindet und lasst mich in Ruh!"

Sie drehte den Kindern den Rücken zu und überließ die beiden Schockierten ihrem Schicksal. Milos Knie knickten ein, hielten dem Druck nicht mehr stand, er sackte zu Boden.

„Milo, was hast du? Komm steh auf, wir verschwinden lieber."

Stunk half ihrem Freund aufzustehen, der physisch wieder zu sich kam. Sie griffen nach ihren Rädern und machten sich auf den Weg fort von diesem verfluchten Ort. Mitten im Fuchswald blieb Milo stehen, stieg vom Rad und setzte sich vor eine stattliche Tanne mit dickem Stamm. Stunk nahm neben ihm Platz und beide starrten in die Dunkelheit des dichten Nadelwaldes und versuchten, sich vom Schock zu erholen.

Wieso, ließ Milo Stunk spüren, wieso ist Aranka weggezogen und hat den beiden davon nichts gesagt? Wieso?

Milo begann geräuschlos zu weinen und vergrub sein Gesicht in die Innenflächen seiner schmutzigen Hände. Stunk legte einen Arm um ihren Freund, streichelte ihn am Wuschelkopf und versuchte zu trösten.

„Wahrscheinlich haben sie von einem Tag auf den anderen das Dorf verlassen und Aranka hat keine Möglichkeit gehabt, uns das zu sagen. Wahrscheinlich ist jemand von ihrer Familie gestorben und sie haben schnellstens wegmüssen. Wahrscheinlich …"
Stunk fiel nichts mehr ein, um Milo trösten zu können. Sie legte ihren Kopf auf seine Schulter und ließ ein paar Tränen freien Lauf. So saßen die beiden enttäuschten Kinder stundenlang an die Tanne gelehnt, bis ein vorbeifahrender Wagen sie aus ihrer Trauer riss.

„Komm, wir fahren heim. Mir tut schon mein Rücken weh. Es hat ja keinen Sinn, hier auf Aranka zu warten. Vielleicht kommt sie ja bald wieder."
Milo ließ Stunk wissen, dass Aranka nicht mehr wiederkommen wird. Er ahnte, dass die vor Stunden gespürten Gedankenwellen von ihr gekommen waren, dass sie in diesen Sekunden an Stunk und Milo gedacht hatte, dass sie geweint hatte und der Ohnmacht verfallen war.
Die beiden schoben ihre Räder Richtung Dorf, verabschiedeten sich voneinander und jeder machte sich auf den ihm eigenen Pfad der Trauer heimwärts.
Nichts wird jemals wieder so sein, wie bis zu diesem Tag.

Zurückgezogenheit

Tiefste Dunkelheit herrschte bereits, als Milo lautlos und von Mutter und Großmutter unbemerkt in das Haus schlich und sich in seinem Zimmer vergrub. Eszter saß gerade am Rand von Marikas Bett, die bereit war, krank und vom Alter gezeichnet den letzten schweren Gang anzutreten. Sie bat ihre Tochter um die Medikamente und etwas Tee. Eszter wusste, dass es ihre Mutter nicht mehr lange tun würde, wusste, dass es dem Ende zuging und sie bald mit Milo allein im Hause leben werde müssen.

Im Obergeschoss beabsichtigte jemand, seinem Dasein ein Ende zu bereiten und versank in pathetischem Leid. Milo wollte nichts mehr zu tun haben mit all den Unpässlichkeiten, Unsäglichkeiten und Unsinnigkeiten, die einem jungen Leben entgegenschwappten. Alle Welt schien auf ihn einzustürzen, denn Aranka war für ihn nicht mehr. Sie war fortgezogen, war aus seinem Leben von einem Augenblick auf den anderen verblasst, als ob sie sich einen Camouflage-Anzug übergezogen hatte. Sie lebte noch, aber nicht in Milos kleiner Welt.

Warum zum Teufel hatte sie ihm keine Nachricht hinterlassen? Wollte sie ihn nicht unnötig belasten oder hatte sie der Mut verlassen, ihn und Stunk mit der Wahrheit zu konfrontieren? Hatte Aranka einen anderen Freund, den sie ihm vorzog? War sie gar sterbenskrank und in die Klinik nach Pressburg gebracht worden? Man konnte nicht innerhalb von zwei Wochen sterbenskrank werden! Milo verstand seine Welt nicht mehr, mit der er sich bis zu diesem Tage doch so fein arrangieren konnte. Wird er bis an sein Lebensende in seinem Zimmer verharren müssen? Wenn er sich morgen umbrächte, wäre es nur ein Tag. Da hatte es wohl schon Zeiten gegeben, in denen er sich am Stück länger im Zimmer verschanzt hatte. Also machte es für Milo nach reiflicher Überlegung in diesem Augenblick keinen Sinn, sich das Leben zu nehmen. Er entschloss sich weiter zu atmen und schlief aus Müdigkeit und Verwirrung ein.

Halb elf abends, Eszter machte sich immense Sorgen um ihren Sohn. Schon oft war er spät nach Hause gekommen, aber immer noch vor zehn Uhr, und es war wegen des Neumonds stockdunkel draußen. Ein erschreckender Gedanke erwischte sie: Was, wenn Milo schon seit Stunden in seinem Zimmer war und sie den Tag nur geträumt hatte? Eszter hastete über die Stiege nach oben und öffnete leise die Tür. Im Schein der Vorzimmerlampe sah sie ihren geliebten Sohn im Bett schlafen. Sie schloss wieder lautlos die Tür und nahm sich vor, alles daran zu setzen, um nicht durchzudrehen.

Frühmorgens versorgte Eszter erst ihre Mutter, dann sich selbst. Milo würde etwas später aus dem Bett kriechen, nahm sie an, aber ihr Sohn war wankelmütig, was die Uhrzeit des Aufkommens betraf. Phasen des Wachwerdens mit den Hühnern wechselten sich ab mit Phasen nachtaktiver Tiere. Eszter war schon immer ein Rätsel gewesen, wovon dies abhing. Milo hatte aber, das war ihm anzurechnen, noch nie den Beginn der ersten Unterrichtsstunde versäumt, denn er hasste seine eigene Unpünktlichkeit.

Sie war gerade am Tischdecken und das Haus erfüllt von herrlichem Duft nach Hühnersuppe und Braten, die Kirchturmuhr schlug Mittag. Sie verglich die Zeit der

Küchenwanduhr mit dem Turmgeläute, da fiel ihr ein, dass sich Milo an diesem Morgen noch nicht hatte sehen lassen. Es war Essenszeit, also ging Eszter die Stufen hoch und wollte Milo wecken, doch sie fand ihren Sohn nicht im, sondern neben dem Bett. Er hockte am Boden, die Hände im Schoß verschränkt und schien zu meditieren.

„Milo, komm, das Essen ist fertig", wollte Eszter ihren Sohn ermuntern. Sie schüttelte ihn zärtlich zwei, drei Sekunden lang an der Schulter, keine Regung.

„Milo, komm, sonst wird das Essen kalt."

Langsam kam Bewegung in den Körper, Milo drehte den Kopf und blickte starr auf seine Mutter, die zurückwich und sofort begriff.

„Wie, du brauchst heute kein Essen? Aber wieso? Bist du krank?"

Milo hielt den Kopf noch immer starr mit Blick Richtung Mutter, allein seine Augen zeigten Bewegung.

„Na gut, wenn du meinst. Mit dem Magenknurren musst du leben."

Eszter verließ das Zimmer und ging mit verletztem Stolz die Stiege hinab. Da machte sie sich solche Mühe mit dem Kochen und dann das! Ihr Fazit des Tages: Undank war der Mütter Lohn.

Milo war nicht zum Hungerstillen zumute, er hatte alle Mühe, Trauer und Kummer zu bändigen, die in seinem Kopf um den Sieg fochten. Die tiefste Enttäuschung seines Lebens hielt ihn davon ab, das Zimmer zu verlassen. Nicht von Aranka enttäuscht, denn sie mochte gar keine Schuld an ihrer Abwesenheit haben, aber vom Leben an sich enttäuscht, von Gott verlassen fühlte sich Milo. Es herrschte eine Leere in seiner Seele, wie er sie nur aus Büchern der Astronomie kannte, die die Beschaffenheit des Universums erklärten. Nichts außer nichts und ab und zu kleinste Kügelchen aus Masse, die durch die Leere zischten und Milos Körper gerade noch am Leben hielten. Er nahm sich vor, nie mehr sein Zimmer zu verlassen.

Am vierten Tag von Milos Protest riss Eszter der Geduldsfaden. Sie hatte ihrem Sohn nun drei Tage lang Essen und Getränke in sein Zimmer gebracht, immer hatte sie ihn meditierend vorgefunden. Das konnte nicht mehr so weitergehen, beschloss sie und beriet sich mit ihrer Mutter, die für solche Angelegenheiten meist einen pragmatischen Vorschlag parat gehabt hatte.

„Du solltest ihm nichts mehr zu essen und trinken raufbringen, dann kommt er von alleine runter, verlässt zumindest mal sein Zimmer."

Marikas Rat hatte was für sich. Dem Sohn die mütterliche Umsorgung zu entziehen, klang für Eszter zwar wie eine Anklage, die vor Gericht hielt, sollte es zum Eklat oder gar zu Milos Tod kommen, es war dennoch verlockend und einen Versuch wert. Eszter beschloss, ihren Sohn nicht mehr zu versorgen und auf die Rückkehr aus seinem wirren Seelenzustand zu warten, musste den Versorgungsboykott aber am dritten Tag abbrechen, denn Eszter konnte es nicht mehr übers Herz bringen, Milo im Obergeschoß in großem Leid zu wissen, zumal drei Tage ohne Flüssigkeit schon lebensbedrohend sein konnten. Eszter sah sich schon auf der Anklagebank des Bezirksgerichts, beschuldigt der fahrlässigen Vernachlässigung ihres Kindes mit Todesfolge. Dafür stand ein Mindeststrafausmaß von fünf Jahren. Allein der Gedanke an die Tuscheleien und den Dorftratsch um ihre

Einweisung in die Haftanstalt zwang Eszter nach oben zu gehen und ihren Sohn von den Qualen zu befreien. Langsam stieg sie Stufe um Stufe hinauf, hatte Angst vor dem Öffnen der Tür, denn sie konnte sich nicht ausmalen, was sie in Milos Zimmer erwarten würde. Käme ihr bereits der Geruch eines verwesten Kindskörpers entgegen? Sie musste ihr selbst eine Ohrfeige geben solcher Gedanken wegen. ‚Bilde dir nicht so einen Blödsinn ein und öffne jetzt gefälligst die Tür!‘, brachte sich Eszter selbst zur Vernunft.

Sie fand Milo in derselben Position vor, wie sie ihn das letzte Mal vor drei Tagen verlassen hatte. Konnte es sein, dass er all die lange Zeit am Boden gehockt war? Konnte er in dieser Stellung Schlaf gefunden haben?

„Milo, hörst du mich?"

Eszter fand, dass sein Körperzustand nicht schlechter war als vor drei Tagen. Sie hatte davon gehört, dass manche Menschen die Fähigkeit besaßen, sich in einen trance-gleichenden, meditativen Zustand zu versetzen, in dem die Körperfunktion auf ein Minimum herabgesetzt und daher der Energieverbrauch drastisch reduziert wurde. Anscheinend hatte auch ihr Sohn diese Fähigkeit, anders konnte sich Eszter die Situation nicht vorstellen.

Milo spürte die Gedanken seiner Mutter und wurde aus der Abwesenheit gerissen. Er wendete seinen Kopf und blickte Eszter einige Sekunden lang tief in die Augen, die danach erleichtert die Gewissheit hatte, dass es ihm gut ging und er um Nahrung bat. Sie wusste, dass Milo nicht so schnell sein Zimmer verlassen würde. Eszter hatte dies zu akzeptieren, allein die Ungewissheit über den Grund seines Verhaltens machte ihr Sorgen. Warum bloß hatte Milo beschlossen, sein Zimmer nicht zu verlassen? Es musste etwas Dramatisches geschehen sein, etwas, das Milos Seelenzustand massiv ins Wanken gebracht hatte. Eszter würde schon noch dahinterkommen, wollte vorerst aber ihren Sohn unbelästigt lassen und ausschließlich seine Körperfunktionen erhalten. Jetzt fiel ihr ein, dass Milo in den letzten Tagen sicher irgendwann mal aufs Klo gemusst hatte. Wie konnte er das schaffen? Vermutlich verstohlen nächtens aus dem Zimmer geschlichen, um seiner Mutter nicht eingestehen zu müssen, seinen Plan nicht durchziehen zu können.

Eszter machte sich daran, das zuvor zubereitete Gulasch und ein Glas Wasser auf einem Tablett nach oben zu bringen.

Vier Wochen der Ferien waren bereits vergangen, als es an der Haustür klingelte. Eszter öffnete und sah Stunk vor der Tür stehen. Diese hatte eine erwartungsvolle Miene aufgesetzt und grüßte höflich. Eszter fragte, was sie denn wollte. Sie hatte das Mädchen noch nie gesehen, wie denn auch. Stunk und Aranka waren kein einziges Mal bei Milo gewesen, immer hatten sich die drei am vereinbarten Treffpunkt im Dorf oder im Wald getroffen. Eszter war auch nicht die Frau, die den Kontakt mit der Dorfbevölkerung suchte, ging auch kaum in den Straßen spazieren. Dieses Mädchen war ihr noch nie aufgefallen.

Stunk erklärte, sie wäre eine Schulfreundin von Milo seit der ersten Klasse und fragte, ob er denn zu Hause wäre.

Eszter witterte eine Chance für Milo aus seinem Schneckenhaus wieder langsam rauszukommen und schilderte die Situation.

„Ja, er ist daheim, aber, ich nehme an, du weißt das nicht, er ist seit zwei Wochen nicht aus seinem Zimmer rausge-kommen. Ich hab keine Ahnung warum, weiß nicht, was passiert ist, dass er sich so eigenartig verhält. Du kannst gerne zu ihm, vielleicht schaffst du es ja, ihn dazu zu bewegen, endlich wieder ein normales Leben zu führen."

Eszter bat Stunk ins Haus und ging mit ihr nach oben zu Milos Zimmer. Sie öffnete die Tür, er lag schlafend im Bett, sie ersuchte Stunk ihren Sohn aufzuwecken. Wenn er seine Freundin sehen würde, mochte er hoffentlich auf andere Gedanken kommen, sehnte sich Eszter nach einer Besserung der Lage.

Sie ließ die beiden allein, schloss die Tür, blieb aber im Vorraum stehen und wartete ab.

Stunk schüttelte sanft Milos Arm und flüsterte.

„Milo, wach auf. Wach auf."

Nach einer weiteren Aufforderung, das Land der Träume zu verlassen, kam Regung in Milo. Er wollte sich auf die andere Seite drehen, öffnete dabei die Augen und erblickte Stunks in schattiger Dunkelheit gehülltes Gesicht, das er nicht sofort erkannte, jedoch bemerkte, dass es nicht seine Mutter war. Er schreckte tonlos hoch.

Stunk versuchte, ihn mit sanfter Stimme zu beruhigen.

„Milo, ich bin es nur, brauchst dich nicht schrecken."

Milo seufzte und sackte wieder zurück in das Bett.

„Ich wollte dich mal besuchen, wir haben uns ja schon seit zwei Wochen nicht gesehen und du hast dich nicht gemeldet."

Stunk wusste, dass Milo sie richtig verstanden hatte, denn mit ‚melden' meinte sie eine Botschaft, die nur Milo auf die ihm eigene Weise schicken kann.

Er nahm Stunks Hand und presste sie an seine Brust, ein Zeichen von inniger Freundschaft. Stunk bemerkte, dass er anfing, lautlos zu weinen, seine Augen spiegelten die intensive Traurigkeit wider, die ihn schon seit ihrem letzten Treffen gefangen gehalten hatte, da Aranka nicht erschienen war. Milo versuchte, Stunk seinen Zustand auf seine Art zu erklären, er wollte, dass sie seine Entscheidung Arankas Abwesenheit wegen verstünde.

„Milo, mir ist klar, dass du sehr enttäuscht bist", erwiderte Stunk.

„Aber du kannst dich nicht die ganze Zeit in deinem Zimmer verstecken. Komm mit raus, wir könnten Freunde treffen, um etwas zu unternehmen."

Milo war bei Gott nicht gewillt, seinen Protest aufzugeben, der gegen die ganze Welt gerichtet war, diese aber nicht die geringste Notiz davon nahm. Stunk spürte das, ging noch auf einen weiteren Versuch ein, Milo zu überzeugen, dass dies alles keinen Sinn machte und nur er selbst Schaden davontrüge. Sie merkte jedoch alsbald, dass er sich nicht überzeugen ließ und weiter in Selbstmitleid versinken wollte.

„Milo, du machst mich traurig. Ich werde wieder gehen. Du weißt, dass ich für dich da bin. Deine Mutter kann ja bei uns anrufen, wenn du mich brauchst."

Stunk strich Milo über den Kopf, gab ihm einen Kuss auf die Wange und verabschiedete sich. Sie sah, wie sehr es Milo berührte. Er hatte mit sich selbst zu kämpfen, focht mit sich selbst einen Kampf aus um seine Zukunft. Er musste mit der größten Enttäuschung seines Lebens auskommen, und es lag an ihm, daraus unbeschadet herauszukommen.

Nebenbei sollte auch erwähnt werden, dass im Laufe der Ferienzeit einige von Milos Freunden bei ihm zu Hause angeklopft hatten, um ihn zu besuchen. Seine Mutter musste jedes Mal eine Notlüge erfinden, damit die Freunde wieder abzogen und sie kam sich schlecht und unwürdig vor, die

Buben mit Unwahrheiten von einem Besuch abzuhalten, doch wollte sie Schlimmeres und Unheil auf die Familie vermeiden.

Woche für Woche dasselbe Bild, Milo meist auf seinem Zimmer, selten in Bad oder Klo, Eszter bereitete Essen und Getränk und brachte es ihrem Sohn ins Obergeschoß. Meist hatte sie Milo neben seinem Bett vorgefunden, manchmal im Bett und dann aber auch einige Male stehend, die beiden Arme ausgestreckt gegen eine Mauer gedrückt, die Beine gespreizt, wie man es in amerikanischen Filmen sehen konnte, wenn Verdächtige von der Polizei gefilzt wurden. Seine Mutter konnte das nicht mehr länger mitansehen. Sie hatte Milo oft gebeten, ihr zu erzählen, was ihn denn so sehr bedrückte, dass er in diesen Zustand verfallen war, doch es kam keine Botschaft, kein Hinweis. Ihr Sohn schien auf den ersten Blick nicht immens leidend, aber es konnte kein Zustand sein, der von einem angenehmen Erlebnis ausgelöst worden war. Sieben Wochen waren nun schon seit dem letzten Schultag vergangen, sieben Wochen der Sorge und des Grams. Eszter hatte nun neben ihrer Arbeit, der sie ja gezwungenermaßen nachgehen musste, um Geld zu verdienen, zwei pflegebedürftige Menschen zu versorgen. Ihre Mutter bedurfte mehr körperliche Fürsorge, denn sie tat sich schon äußerst schwer mit dem Hochkommen, aus dem Bett steigen und aufs Klo gehen, aber die seelische Qual bereitete ihr Milo, denn mit seinen zehn Jahren war er ein Kind, dass noch so viel Entwicklung und Ausbildung vor sich hatte. Mütter litten Höllenqualen im Angesicht der Kindesnot, und Eszter wusste nicht, wie lange sie das noch aushalten würde. Die letzten Tage über hatte sie versucht, eine Lösung zu finden, Erleichterung und Unterstützung, damit sie ihren Alltag mit etwas weniger Sorgen verrichten konnte. Eine Hilfskraft, die ein-, zweimal am Tag vorbeischaute und ihre Mutter pflegte, wenn Eszter in der Arbeit war. Milo konnte sie tagsüber allein lassen, das würde sicher kein Problem sein, denn er blieb sowieso immer auf seinem Zimmer, abgesehen von den nötigen Kurzausflügen ins Erdgeschoß. Aber für ihre Mutter brauchte sie unbedingt Unterstützung.

Eszter hatte auch darüber nachgedacht, wie sie ihren Sohn dazu brächte, das Haus zu verlassen und ein paar Schritte im Garten zu machen, an die frische Luft zu kommen und ein paar Sonnenstrahlen an die Haut zu lassen, doch Milo war gänzlich unzugänglich und verwehrte ihr jegliche Einflussnahme. Sie hatte auch schon an einen Besuch bei Spezialisten gedacht, Ärzte, die dafür ausgebildet waren, Menschen wie Milo zu helfen und sie wieder zurück in einen normalen Alltag zu führen. Eszter aber hatte Zweifel, denn ihr Sohn war kein gewöhnlicher Junge. Er war ein galaktischer Reisender, der sie für bestimmte Zeit auf Erden besuchte. Psychiater würden nur mit den erlernten Methoden auf Milo einwirken wollen, und dies waren irdische Methoden, die bei Milo nicht gegriffen hätten. Einen Versuch wäre es jedoch immer wert gewesen, entschied Eszter, sie wollte aber noch abwarten, schließlich stand ja das neue Schuljahr vor der Tür, was möglicherweise eine Verbesserung bewirken würde. Sie hatte Milo vor einiger Zeit an der lokalen Hauptschule angemeldet und nahm sich vor, ihn in den nächsten beiden Wochen, die ja die letzten Ferienwochen sein würden, auf die neue Aufgabe vorsichtig vorzubereiten, ihn mit Bedacht im wahrsten Sinne des Wortes einzuschulen. Sie machte sich keine Sorgen über den weiteren Lernerfolg, aber die soziale und gesellschaftliche Komponente würde darunter leiden. Eszter musste sich eingestehen, dass sie Milo zwar schon neun Jahre ihren Sohn nennen durfte, ihn jedoch nicht einschätzen konnte und, was beschämend war für eine Mutter, ihn nicht gut genug kannte, seine Psyche, seine Seele nicht kannte. Er war für sie eine ja fast fremde Person, musste sie bei genauerer Analyse der Situation feststellen. Eine Träne bildete sich in ihrem linken Auge, bereit dafür nach unten zu stürzen und am Boden unhörbar aufzuklatschen.

Eszter war davon überzeugt, eine schlechte Mutter zu sein. Es hatte schon im ersten Augenblick des Kennenlernens begonnen, als Milo auf die Erde geprallt war und sie ihm sich selbst aus reinem Egoismus und Eigennutzen zwecks Erfüllung ihres Glückes als seine zukünftige Mutter aufoktroyiert hatte. Milo wurde damals jede Chance der Wahl genommen, denn Eszter kam und entschied. Aber war das nicht immer so bei Familiennachwuchs? Wann hatte je ein Neugeborenes die Möglichkeit der Entscheidung gehabt? Wann hatte ein Kind je die Eltern ablehnen können? Der Nachwuchs war dazu verdammt, mit seinen Eltern leben zu müssen. Stets waren Kinder als hilflose Winzlinge auf die Fürsorge und Obhut Erwachsener angewiesen. Bei genauer Betrachtung der Jahre mit Milo kam Eszter zum Schluss, dass sie immer nur auf ihr Eigenwohl bedacht gewesen war. Selbstverständlich hatte sie sich gut genug um ihren Sohn gekümmert, damit er ein angenehmes Leben führen konnte, sofern er sich dieses selbst erlaubte, aber der eigentliche Motivator war der Zug zum Eigenglück und dafür schämte sie sich. Sie war definitiv keine gute Mutter gewesen, was sie auch an ihrer Unfähigkeit sehen musste, auf Milo in einer positiven Form einwirken und ihn zum Verlassen seiner Blase überzeugen zu können.

Der erste Schultag in der Hauptschule war gekommen, und Milo hatte seit sieben Wochen, von den Gängen zur Toilette abgesehen, nie sein Zimmer verlassen. Seine Mutter war verzweifelt und fühlte sich macht- und hilflos wie nie zuvor. Was sollte sie dem Direktor sagen? Ihr Sohn wollte nicht in die Schule gehen? Er war sterbenskrank? Auf jeden Fall brauchte sie an diesem Tag eine Ausrede, rief in der Früh in der Schule an und sagte, ihr Sohn wäre krank und wird diese Woche vermutlich nicht kommen können. Sie sprach mit zitternder Stimme der Verzweiflung begründet auf der Situation ihres Sohnes wegen und der Lüge, die sie zuvor auftischen musste. Es war noch nie ihr Ding gewesen, Unwahrheiten sagen zu müssen. Eszter war schon immer eine wahrheitsliebende Frau gewesen und die einzige Lüge ihres Lebens bis zum jetzigen Tag war Milos Adoptionsgeschichte, die sie vor neun Jahren der Welt aufgetischt hatte. Sie litt noch immer an diesem Makel, der sie bis an ihr Lebensende verfolgen würde.

In einem ihrer häufigen Albträume machte sie sich schuldig an Ernös Abhauen, denn er hatte ihr vorgeworfen, ihn permanent angelogen zu haben, was Milos Adoption betraf, und daher nun den Entschluss gefasst, die Familie zu verlassen. Er könnte nicht mehr mit der Schuld seiner Frau leben, hatte er im Traum gesagt. War Eszter tatsächlich der Grund dafür gewesen? An bösen Tagen kam ihr dieser Gedanke, diese Selbstbeschuldigung, doch am Tag darauf war dies alles wieder verpufft und Eszter schimpfte wieder mit Ernö vor sich hin, hieß ihn nichts, was für Kinderohren gedacht war. Sie wünschte ihm nichts Böses, nichts

Schlimmes, aber er sollte die Hölle auf Erden haben, sollte schmoren im Fegefeuer der Vergeltung! Was aber, wenn ihm nichts zur Last zu legen war, wenn er durch die Verkettung vieler unglücklicher Zustände verschwunden war, ohne dass ihn jemand nach der Abfahrt von zu Hause je gesehen hatte? Vielleicht hatte er einen Unfall, stieß mit dem Auto einen Graben hinunter, fiel in ein tiefes Erdloch und ward nie mehr gesehen? Vielleicht kam das Auto ins Schleudern, fuhr schnurstracks in einen See und versank, ohne je entdeckt zu werden? Tat ihm Eszter unrecht? Sie würde es wohl nie erfahren.

Eszter legte den Hörer auf und begann für ihren Sohn das Frühstück zu richten, das sie wohl oder übel wieder nach oben ans Bett bringen musste, wie schon alle Tage der letzten sieben Wochen. Wenn sie bloß wüsste, welches Ereignis, welches erschütternde Erlebnis Milo so weit gebracht hatte, sich auf diese erschreckende Weise aus dem Alltagsleben zurückzuziehen. Er musste ein Trauma haben, aber wovon? Eszter beschoss in diesem Augenblick, bei einem Psychiater Hilfe zu suchen. Sie kannte niemand von dieser Branche, hatte bisher solch Hilfe auch noch nie in Anspruch nehmen müssen. Es musste ein Psychiater sein, der auch Hausbesuche machte, denn sie könnte Milo niemals dazu bewegen, das Haus zu verlassen, schon gar nicht, um zu einer psychiatrischen Behandlung zu gehen.

Eszter brachte ihrem Sohn das Frühstück, fand ihn wie üblich neben seinem Bett hockend und meditierend vor. Ohne ein Wort mit ihm zu wechseln, verließ sie wieder sein Zimmer, nahm das Telefonbuch in die Hand und versuchte die Nummer eines Psychiaters in der nächstgelegenen Stadt zu finden, was sich als mühsames Unterfangen herausstellte, denn sie musste mehr als sechstausend Eintragungen durchforsten. Der Name des Arztes könnte mit jedem beliebigen Buchstaben beginnen, von A bis Z. Oder hatten Psychiater nur auserwählte Anfangsbuchstaben ihrer Familiennamen? Eszter brauchte vier Stunden, um alle Eintragungen der Stadt durchzuackern und sie wurde fündig. Es gab zwei Psychiater, einer begann mit F, den hatte sie ja schon nach einer dreiviertel Stunde gefunden, gab sich aber noch nicht zufrieden und suchte weiter. Es konnte ja sein, dass dieser gute Mann keine Hausbesuche machte. Der zweite, und da hatte sie wohl großes Pech, begann mit Z. Mit zwei Telefonnummern sollte sie wohl das Auslangen finden. Sie rief auf der Stelle jenen mit Z an, denn intuitiv erhoffte sie bei ihm Hilfe.

Eine nette Frauenstimme begrüßte Eszter und fragte nach ihrem Begehr. Eszter schilderte die Notlage, in der sich die Familie befand und versuchte, Milos Verweigerung zu erklären, das Haus zu verlassen. Sie fragte, ob es denn möglich wäre, dass Doktor Zachoval zu ihnen nach Hause käme. Die Frauenstimme bestätigte dies, wies aber auch darauf hin, dass die Kosten dadurch natürlich höher sein würden. Eszter wollte noch wissen, wann der Arzt kommen könnte und wie viel eine Sitzung kostete, was einerseits eine positive Überraschung lieferte, denn der Arzt hätte schon am nächsten Tag die Möglichkeit, den Hausbesuch zu machen, andererseits eine schockierende Information, was die Kosten betraf. Eszter würde sich eine längere Behandlung nicht leisten können, wollte aber die Chance nicht an Milo vorüberziehen lassen und sagte zu. Die Frauenstimme bestätigte noch die Uhrzeit und hinterließ Eszter zwiespältig. Ob ein paar Behandlungen reichen würden?

Eine seltsam diffuse Lethargie überfiel Eszter, der plötzlich vieles unwichtig wurde, denn sie sah Schlimmes auf ihre Familie zukommen.

Abends, als sie etwas Ess- und Trinkbares zu Milo brachte, wollte sie ihren Sohn auf den Besuch des Psychiaters vorbereiten, der sich für den nächsten Tag angekündigt hatte.

„Milo, ich muss dir etwas sagen. Ich mache mir große Sorgen um dich, um deine Gesundheit und deinen Zustand, und habe deshalb mit einem Arzt Kontakt aufgenommen."

Arzt klang für Eszter besser als Psychiater, denn diese Berufsbezeichnung hatte oft arge Befürchtungen in Menschen hervorgerufen, so als ob der Patient schon komplett übergeschnappt und geisteskrank wäre. Sie wollte Milo nicht in dieser Art überfallen und Arzt war für sie die geeignetere Wortwahl, um Milo nicht zu verschrecken.

Ihr Sohn zeigte keine Regung, Eszter fuhr fort.

„Er kommt morgen um drei und wird sich ein Bild von dir machen wollen. Dieser Arzt kann dir helfen, Milo."

Ihr Sohn wendete den Kopf zu seiner Mutter und blickte ihr besorgniserregend in die Augen. Eszter spürte, was Milo ihr gerade mitteilen wollte.

„Mach dir keine Sorgen, das ist ein netter Mann, der weiß, wie dir geholfen werden kann."

Milo erkannte wieder einmal erschreckend deutlich, dass seine Mutter nicht wusste, was ihm guttäte. Er versuchte ihr den Grund seines Zustandes und seinen Wunsch nach Isolation zu vermitteln, konzentrierte sich einige Sekunden und blickte zu Boden. Kurz darauf schien Eszter verstanden zu haben.

„Wie, das ist wegen Aranka, deiner Freundin? Wieso das denn? Hast du sie in den ersten Ferienwochen nicht getroffen?"

Wellen von Gedanken wogen hin und her und versuchten in Eszters Gehirn einzudringen, was teilweise gelang. Eszter vernahm die Botschaft, konnte aber Milos Überreaktion nicht verstehen. Das alles nur, weil eine seiner Schulfreundinnen nicht mehr im Dorf wohnt und er sie nicht treffen konnte? Das war ja wohl kein Grund, sich so gehen zu lassen und in Selbstmitleid zu versinken, meinte Eszter, und bemerkte in diesem Moment nicht, dass sie gerade einen Vorwurf an sich selbst legte, denn sie hatte sich ihr ganzes Leben so verhalten, ja ihr Leben war per se ein einziger Vorwurf an alles und alle da draußen außerhalb Eszters Blase, aus der sie nie herauskommen konnte.

Sie versicherte nochmals, dass der Psychiater Milo helfen würde, strich ihrem Sohn über den Kopf und verließ das Zimmer. Milo wusste, dass seine Mutter nicht im Ansatz einen Funken von Verständnis aufbringen konnte, aber er nahm sich vor, ihr einen Gefallen zu tun und den hoffentlich gebildeten Mann zu sich ins Zimmer zu lassen.

Der Psychiater kam pünktlich, begrüßte Eszter, die ihn ins Wohnzimmer bat, einen Kaffee anbot und eine kurze Einführung in die Situation machte. Nun wusste sie wenigstens, wieso Milo sich so verhielt, was der Anstoß der Lebensverweigerung war, obgleich sie kein Verständnis dafür hatte. Doktor Zachoval beruhigte Eszter und bestätigte ihr, dass er schon einige ähnliche Fälle hatte, wo er in der Lage war zu helfen. Kinder und Jugendliche verfielen selten, aber doch in solche Psychosen, ausgelöst durch traumatische

Situationen oder Erlebnisse, schilderte der Psychiater. Er würde sein Bestes geben, um Milo wieder aus diesem Tal der Hölle zu führen, meinte er noch, bevor Eszter ihn nach oben zu Milo brachte. Als ob hier in diesem Hause das Tal der Hölle wäre, empörte sich Eszter lautlos und zweifelte, dass sie den richtigen Schritt gemacht hatte.

Eszter öffnete die Tür zu Milos Zimmer und bat Doktor Zachoval einzutreten. Sie hatte für ihn zuvor schon einen Sessel bereitgestellt, auf dem er Platz nahm und mit gefalteten Händen nun dasaß und hoffte, er hatte sich für den richtigen Behandlungsansatz entschieden, denn solch einen Fall hatte er noch nie, ein Kind, das nicht sprach, nicht sein Zimmer verließ. Eine Herausforderung sondergleichen, aber ein interessanter Fall.

Bevor Milos Mutter die beiden allein ließ, versuchte sie, ihren Sohn noch mit ein paar Worten auf die nächsten Minuten oder Stunden vorzubereiten.

„Milo, mein Schatz, das ist Doktor Zachoval. Er ist gekommen, um mit dir zu reden und wird dir sicher helfen können. Ich lass euch jetzt besser alleine."

Ein schnelles Zuwerfen eines Kusses an den Buben und ein wohlwollendes, kurzes Kopfnicken zum Psychiater, dann überließ Eszter die beiden ihren Schicksalen.

„Guten Morgen Milo. Deine Mutter hat mich gebeten, mir ein Bild von dir und deiner Geschichte zu machen. Ich bin spezialisiert auf traumatisierte Kinder und konnte schon vielen helfen. Ich weiß auch, dass du nicht sprichst, was die Sache natürlich wesentlich schwieriger machen wird, aber ich und du, wir beide werden unser Bestes geben, hoffe ich."

Milo saß im Bett mit angewinkelten Beinen und blickte den Psychiater ratlos an. Wieso sollte dieser Mann ihm helfen können? Wie kam seine Mutter überhaupt auf den Gedanken, dass er Hilfe bräuchte? Milo suhlte sich in Selbstmitleid und kam sich gut vor darin. Selbstmitleid, das eine dreckige Schicht auf Milos Haut hinterließ, durch die keiner hindurchdringen konnte, eine Schutzschicht gegen alle Angriffe von da draußen. Niemand sollte ihm helfen müssen, ja helfen können. Allein Aranka könnte ihn aus der misslichen Lage ziehen, denn es war nun die ihr von Milo auferlegte Pflicht, ihn zu retten, wie lange er auch darauf warten sollte, wie lange sich Aranka auch nicht blicken ließe. Milo hatte Zeit. Für ihn war Zeit noch nie ein Maßstab oder lebensbestimmender Faktor gewesen, denn Zeit war eine maßlos überschätzte Wichtigkeit in den Leben der Menschen und hatte unbegründet immensen Einfluss auf ihr emsiges Tun und Lassen. Milo hatte sich auf die Seite der Tiere begeben, für die Zeit gar nicht existierte, und er wollte es ihnen gleichtun.

Der Psychiater musterte den Jungen, versuchte dessen Mimik und Haltung zu interpretieren, damit sie gewisse Aufschlüsse auf den Krankheitszustand geben könnten.

Als Milo spürte, dass der Mann das Wort Krankheit in dessen Gedanken aufnahm, kam in ihm Groll auf gegen den vermeintlichen Helfer. Er war nicht krank, ihm ging es gut. Er hatte einfach nur die Aufgabe zu warten, bis ihn Aranka wieder in die Welt da draußen führen würde, denn es lag nun an ihr das zu tun, und sie wusste es, wenn sie noch lebte. Milo hatte in all den Wochen seit jenem schwarzen Tag des missglückten Treffens mit Aranka immer wieder versucht, durch Gedanken Kontakt mit ihr aufzunehmen. Manchmal glaubte er, eine Antwort von seiner Freundin zu vernehmen, er verspürte zwar Wellen der Energie, aber von so geringer

Intensität, dass er nichts entschlüsseln vermochte und auch nicht wusste, ob diese real waren oder er sich das nur eingebildet hatte. Milo wusste, dass Aranka noch am Leben war, doch sie war weit weg, zu weit, um mit ihr in konkreten Kontakt kommen zu können.

Die Welt brannte. Loderndes Feuer zierte den Horizont, die rotgelbe Helle des Himmels tauchte das Land in eine ungewisse Zukunft. Rauchschwaden zogen unter dem Firmament und tauchten all die unwichtigen, kleinen Leben der Biester, die sich in ihrem Größenwahn anmaßten, die Welt regieren zu wollen, in Dunkelheit. Grell zuckende, gleißend gelbe Blitze gefolgt von einem bebenden Donner kreuzten den Himmel und verhießen nichts Gutes. Es war der Tag der Erleuchtung gekommen, der Tag der Sühne und der Wahrheit. Die Menschheit musste in drastischer Weise darauf hingewiesen werden, dass sie sich über Jahrtausende zu viel erlaubt und die Götter herausgefordert hatte. Nichts durfte ungestraft bleiben, nichts durfte der Rache entgehen.
Am Horizont tauchten zwei dunkle Gestalten auf, die sich langsam näherten. Eine kam von links, eine von rechts. Blitz und Donner gestalteten permanent die Umgebung und zeugten von Belang und Bedeutsamkeit des Augenblicks. Die Gestalten wurden größer, jedoch nicht erkennbar. Sie kamen näher, gefährlich nahe, gingen jetzt nebeneinander. Die Schemen ließen kein Erkennen zu, aber es schienen ein Mann und eine kleine Frau, vielleicht ein Mädchen zu sein. Ein gewaltiger Donner tauchte das Land in eine Klangglocke, die vor Angst bebte. Die beiden Gestalten hielten inne, starrten in Richtung Beobachter und fixierten diesen mit stechenden Blicken. Die Trübung der Luft nahm

langsam ab und ließ sie klarer erscheinen, bis sie vollkommen erkennbar und identifizierbar waren: Milos Vater und Aranka.

Die beiden nahmen einander an den Händen und begannen unter zynisch-sarkastischem, grellen Lachen miteinander zu verschmelzen, bis nur mehr eine hellrote Kugel aus wabbelnder Masse zu sehen war. Die Kugel beschleunigte langsam in den bedeutungsschwangeren Himmel, nahm Fahrt auf und zischte senkrecht Richtung Zenit, immer kleiner werdend, bis sie schließlich gänzlich verschwand. Ein tosendes Gegröle von den tausenden Stimmen der Höllenkreaturen begleitete die Fahrt der Kugel und wurde zunehmend leiser, bis es zusammen mit Ernö und Aranka verstummte. Sekunden der Stille, dann ein markerschütternder Knall, wie von der Detonation einer Wasserstoffbombe, gefolgt von einer Ruhe und Helligkeit, die die Welt noch nie gesehen hatte. Rote Federn schwebten vom Himmel, schaukelnd in der Stille des Moments, sammelten sich auf der weißen Erde und machten aus ihr einen zauberhaften Flor roter Behutsamkeit, um das Ende zu würdigen, das unmittelbar darauf in Form von absoluter Geräuschlosigkeit und Dunkelheit folgte, wie sie die Welt nie mehr sehen würde, denn sie hauchte ihr Leben aus in einem schwarzen Loch.

Doktor Zachoval schnellte hoch, sein Puls raste und er hatte Schnappatmung. Er versuchte, sich in eine Ecke des Zimmers zu drängen und die Wände hochzukommen, so groß war das Verlangen nach Flucht vor dem, was ihm seine Fantasie zuvor Furchterregendes vorgespielt hatte. Es war kein Albtraum, dafür müsste er geschlafen haben, es war eine

Art von Wachtraum, sein Geist hatte ihm einen Streich gespielt. Warum aber jetzt, in diesem Augenblick, wo er doch gerade daran war, sich ein Bild von den seelischen Leiden seines Patienten zu machen? Was in Gottes Namen hatte gerade jetzt diesen Ausbruch verursacht? Das konnte doch kein Zufall sein, das musste mit dem Jungen zu tun haben, der nach wie vor im Bett saß und den Psychiater milde anblickte, als ob nichts Besonderes geschehen wäre.

Zachoval büßte in diesen Minuten alle Sünden ab, die er je in seinem Leben begangen hatte. Er hockte hineingedrückt in die Raumecke mit weit aufgerissenen, blutunterlaufenen Augen und starrte angstergeben auf Milo. Der Puls des Psychiaters beruhigte sich im Laufe der Minute langsam, war aber noch ein Stück von einem üblichen Erregungspuls entfernt. Zachoval fing sich gemächlich, nahm seine Tasche, schlich an die Wand gedrückt bis zur Tür und verschwand in Windeseile nach unten. Eszter sah den Mann gerade noch aus dem Haus laufen und die Tür hinter ihm zuschlagen, wollte ihm noch hinterherrufen, was denn los wäre, was er denn hätte, aber zu spät. Sekunden danach vernahm sie das Motorgeräusch seines Wagens und die quietschenden Reifen. Dies war das erste und auch letzte Mal, dass Eszter Doktor Zachoval getroffen hatte. Sie ging nach oben zu Milo, um dem Grund der panischen Flucht des Psychiaters nachzugehen. Milo saß im Bett wie immer, schien nicht verstört zu wirken, Status quo.

„Milo, was war los? Wieso ist der Arzt wie von der Tarantel gestochen aus dem Haus gelaufen? Hast du ihm etwa suggeriert, dass dies nicht sein Fall sei und er schleunigst verschwinden soll?"

Milo ließ seiner Mutter spüren, dass dieser Mann nicht der richtige war und er deshalb gehen hatte müssen.

Eszter verstand seine Bedenken, aber nicht die Manier, in der Zachoval das Haus verlassen hatte.

„Mit Verlaub, so verlässt man normalerweise kein Haus, außer es spukt oder man hat den Teufel gesehen."

Kaum ausgesprochen, hatte Eszter verstanden, dass sie mit der Bemerkung gar nicht weit weg war von den Tatsachen. Manchmal war Milo ihr unheimlich, meist war sie aber gerade deshalb stolz auf ihn. Sie fuhr fort, als ob nichts geschehen wäre.

„Hast du Hunger?"

Die Bejahung vernahm Eszter mit Freude und machte sich daran, das Essen zuzubereiten.

Den Albtraum, den Milo Doktor Zachoval durch mentale Übertragung vorgespielt hatte, war jener Traum, den er schon oft erlebt hatte, erstmals eine Woche nach Arankas Nichterscheinen. Sein Unterbewusstsein spielte mit ihm, die dunklen Mächte seines Geistes wollten ihm einreden, dass Aranka und sein Vater gemeinsame Sache gemacht hatten, um Milo ins Verderben zu schicken. Er konnte aber nicht glauben, dass das Verschwinden seiner zwei wichtigsten Bezugspersonen gegen ihn persönlich gerichtet war, dass sie ihm schaden wollten. Es durfte keine Absicht der beiden dahintergesteckt haben, er selbst konnte nie und nimmer der Grund der Trennung von Aranka und seinem Vater gewesen sein.

‚Helft mir doch statt mich in den Wahnsinn zu treiben!', forderte er die beiden wortlos auf. Keine Antwort, keine Schwingungen. Milo kam sich verlassen und allein vor auf dieser immer unvertrauter werdenden Welt, die sich gegen ihn gerichtet hatte. Er beschloss, sich weiterhin von allem da draußen abzuschotten, er wollte mit dem Bösen nichts zu tun haben.

Zehn Minuten später kam Eszter und brachte Milo das Abendessen, das er mit Genuss verschlang.

Boykott

Der erste Schultag war angebrochen, Eszter war flau im Magen. Sie hatte die letzten Tage immer wieder versucht, eine gute Ausrede für den Schulboykott ihres Sohnes zu finden, jedoch war kein Gedanke gut genug. Was sollte sie dem Direktor sagen? Die Wahrheit? Das wäre wohl ihr seelischer Untergang, denn die Dorfleute würden sich das Maul zerreißen und sie selbst gleich dazu. Es müsste eine in sich schlüssige, logische Erklärung gefunden werden, die sowohl von der Schule, von den Leuten als auch von der Fürsorge, die würden sicher vom Schuldirektor eingeschaltet werden in solch einem Fall ohne großes Nachfragen akzeptiert werden konnte. Eine physische Krankheit konnte ausgeschlossen werden, da käme es erst mal zu einem Hausbesuch des Amtsarztes, der keine körperlichen Schäden oder Krankheiten feststellte, die Schulbehörde über seine Untersuchungsergebnisse informierte, die wiederum auf Milos Schulbesuch beharrte, und dann stünden sie erneut am Anfang. Ein psychisches Leiden, was tatsächlich vorlag, würde zwar mit Sicherheit bestätigt werden, Eszter hatte aber Angst vor Milos Einweisung in eine Anstalt. Sollte der Fall offizielle Wege nehmen, das Gesundheitsamt eingeschaltet werden und Milo die Ärzte wie Doktor Zachoval in die Flucht jagen würde, dann käme es wohl zu einem Besuch von ein paar mit Zwangsjacken bewaffneten, starken Männern.

Was könnte Eszter sonst noch an Ausreden und Erklärungen heranziehen, um die Schulbehörde zu beschwichtigen? Milo mag einfach nicht? Das ginge gar nicht, da könnte ja jedes

Kind damit kommen! Wenn das Schule machen würde, ein pointierter Vergleich, dann kämen gar viele Schüler auf die Idee, sich einfach zu weigern, denn es könnte sie ja keiner zwingen. Aber was spräche denn wirklich dagegen? Wenn sich ein Kind absolut weigerte, sich sträubte und dagegen auch körperlich wehrte, was könnten Amt und Schule schon unternehmen? Die Polizei einschalten? Das wäre doch kontraproduktiv. Eszter fing der letzte Gedanke an zu gefallen. Das hatte Pepp, das könnte klappen, meinte sie. Das ewige Schweigen Milos käme all dem zugute, denn niemand könnte mit ihrem Sohn sprechen. Natürlich hätte Eszter einigen Erklärungsbedarf, sie würde durchlöchert werden, müsste Stellung nehmen zum Problem und erklären, warum ihr Sohn nicht sprach. Doch Eszter käme vermutlich ganz gut aus der leidlichen Angelegenheit raus, es gab einerseits Ernös Abgang, der offensichtlich Milo zum Schweigen gebracht hatte und andererseits Arankas Abgang, wegen dem Milo den Schulbesuch verweigerte. Zwei Begründungen also, die Eszter heranziehen könnte, um ihren Sohn und sich selbst weiteren Repressalien zu entziehen.

Eszter entschloss sich, Milos schlichte Schulbesuchsverweigerung als Begründung zu nehmen, was ja den Tatsachen entsprach, und griff zum Telefon. Sie ließ sich zum Schuldirektor verbinden, dem ersten Eindruck zufolge schien er ein netter Mann zu sein, und versuchte die Situation ihres Sohnes so plausibel wie möglich zu erklären. Der Direktor meinte, es sei kein Problem, sie würden sich in ein paar Tagen wieder kurzschließen. Er meinte, er würde auch mit seinem Kollegen der Volksschule Kontakt aufnehmen, um sich ein Bild machen zu können. Eszter wollte noch die schulischen Leistungen ihres Sohnes anbringen, die ihresgleichen suchten, aber der Direktor könnte sich ja bei seinem Kollegen danach erkundigen. Sie beschwichtigte, dass Milo ein außergewöhnlich kluges Köpfchen habe und den anderen Schülern der Volksschule immer meilenweit voraus gewesen war. Seine Abwesenheit von gar einem Jahr würde da nicht ins Gewicht fallen, meinte sie. Der Direktor unterbrach Eszter sogleich, meinte, dass diese Beurteilung sie schon den Fachleuten der Schulbehörde überlassen müsse, aber sie würden sich, sollte Milo sich weiter weigern, die Schule zu besuchen, von der Lage natürlich ein genaues Bild machen. Eszter bestätigte noch, dass sie alles daransetze, ihren Sohn von einem Schulbesuch zu überzeugen, da es ja zu seinem Vorteil wäre, und dass sie sich Anfang nächster Woche wieder melde, sollte Milo noch immer nicht gewillt sein.

Sie atmete auf, nachdem sie den Hörer aufgelegt hatte, und wusste, dass dies alles nur eine Verzögerungstaktik war, denn so gut kannte sie Milo, was er sich in den Kopf gesetzt hatte, zog er auch bis zum bitteren Ende durch.

Eszter hatte es vorausgesehen: Ihr Sohn ließ sich nicht zum Schulbesuch bewegen. Sie hatte eine Woche lang versucht, ihn mit gutem Zureden, den Teufel in Gestalt von Auswirkungen auf seine Zukunft an die Wand malen, ja gar Androhung von Konsequenzen wie Einlieferung in eine Anstalt und Gerichtsverfahren, in denen Eszter als Erziehungsberechtigte und für Milo Verantwortliche Geldstrafen auferlegt bekommen könnte, ihn zu überreden. Er könnte es wenigstens mal versuchen, hatte sie gemeint. Er solle mal schauen, welche Schulkameraden er denn hätte und wie die Lehrer so wären. Vielleicht käme er dann auf den

Geschmack. Jedes Mal ließ Milo seine Mutter spüren, dass er sich von ihren Argumenten nicht einschüchtern oder überzeugen ließ. Er war in eine Welt gefallen, aus der er nicht so schnell wieder rausfinden konnte, nicht mithilfe von dahergelaufenen, mittelmäßigen Psychiatern, die sich von einem schlichten, harmlosen Albtraum einschüchtern ließen, und schon gar nicht allein. Eszter ahnte, dass es eines Impulses bedurfte, um ihn wieder auf die rechte Bahn zu bringen und dieser Impuls konnte nur in Gestalt von Aranka kommen, denn ihr wortloser Abschied war es, der Milo in seine fatale Lage gebracht hatte. Sollte Aranka gestorben sein, würde auch Milo den Tod finden, seelisch zugrunde gehen. Eszter nahm sich vor, die Hintergründe von Arankas Verschwinden zu erforschen, doch zuvor musste sie noch der Gefahr der über ihr schwebenden Damoklesschwertern „Schule" und „Fürsorge" ausweichen, so ihr Plan.

Der vereinbarte Anruf beim Hauptschuldirektor war unumstößlich, also wählte Eszter eine Woche nach dem ersten Telefonat wieder die Nummer der Schule und beichtete dem Direktor ihr Unvermögen. Dieser erwähnte sein Gespräch mit dem Volksschuldirektor, bei dem es um Milos schulische Leistungen der vier letzten Jahre ging. Dieser bestätigte Eszters Schilderungen des ersten Telefonats. Der Volksschuldirektor hätte gemeint, dass es noch nie so einen Schüler seit Bestehen der Schule gegeben hatte, ein Junge, der in Windeseile alles Gelehrte aufnahm und ohne viel Zutun auch jederzeit abrufen konnte, der seiner Schulstufe trotz Stummheit weit voraus war und bei dessen sogar langer Abwesenheit vom Unterricht sich der Volksschuldirektor keine Sorgen machen würde. Eszter seufzte erleichtert auf, der Hauptschuldirektor mahnte jedoch, dass es nicht nur um die schulischen Leistungen ginge, sondern auch um die soziale und gesellschaftliche Entwicklung des Jungen, und die würden nur gut verlaufen, wenn Milo auch in die Schule käme, um mit seinesgleichen viel Zeit verbringen zu können. Er machte Eszter den Vorschlag, ihr Woche für Woche den durchgemachten Stoff zu überbringen, damit sie ihren Sohn auf dem Laufenden halten konnte. Er würde dadurch vermutlich von selbst auf den Geschmack kommen und sich einen Ruck geben, um die Schule zu besuchen. Der Direktor erwähnte abschließend, dass er das Sozialamt und die Fürsorge von diesem Fall unterrichten müsse, Eszter würde das hoffentlich verstehen. Sie bejahte, bedankte sich für des sein Verständnis und verabschiedete sich bis zum nächsten Gespräch, zu dem sie gerne in der Schule vorbeikäme.

Eszter war erleichtert, dass vom Thema Schule etwas Druck genommen werden konnte. Jetzt galt es, mit der Fürsorge klarzukommen, und Eszter nahm sich vor, noch am selben Tag und tunlichst vor dem Schuldirektor dort anzurufen, um ihr einen kleinen Vorsprung zu verschaffen, quasi als Milderungsgrund im Falle einer Anzeige wegen Vernachlässigung.

Als Eszter nach Milo sehen wollte, fand sie ihn in einer eingerollten Haltung vor dem Bett kauernd, wie jemand, der große Schmerzen erdulden müsse.

„Was ist mit dir los, Milo? Tut dir was weh? Warum kauerst du am Boden?"

Milo gab ihr keinen Hinweis, rührte sich nicht.

„Soll ich einen Arzt rufen?", fragte seine besorgte Mutter.

Etwas Bewegung kam in den Jungen, er entrollte sich und blickte auf Eszter, die in dem Augenblick feststellen konnte, dass es ihrem Sohn gut ging, mal abgesehen von der allgemeinen beschissenen Lage, in der er und auch sie sich seit fast drei Monaten befanden.

Milo hatte ein paar Tage zuvor durch Zufall herausgefunden, dass er in der eingerollten Haltung besser mit der Außenwelt kommunizieren konnte, und versuchte nun innig, Schwingungen von Arankas Gedanken zu empfangen, so sie intensiv gedacht haben mochte. Er wünschte sich nichts sehnsüchtiger als ein Wiedersehen mit seiner herzallerliebsten Freundin, die ihm so viel mehr Freude als alle anderen Menschen in den letzten Jahren gebracht hatte, so viel Schönes in der Welt gezeigt hatte. Würde Milo vom Tod Arankas erfahren, er nähme sich das Leben, um an ihrer Seite sein und ihr im Jenseits beistehen zu können. Ohne sie hätte seine Existenz weder Berechtigung noch Sinn, obgleich sich Milo diese Frage noch nie gestellt hatte, denn er betrachtete das Leben aller, Homo sapiens, Fauna und Flora, als generell sinnlos. Das Suchen vieler nach dem Sinn des Lebens wäre per se sinnlos, so seine Ansicht. Milo dachte pragmatisch und beurteilte aus Sicht des Planeten Erde, dem es stets gleichgültig gewesen war, welche Plagegeister und Parasiten ihn quälten. Ob Laus, Floh oder Homo sapiens, der Planet würde alle überleben. Jegliches Dasein auf Erden hatte für ihn selbst keine Berechtigung, da kein Nutzen, eher Schaden. Was hatten sich die zum Herrscher der Erde selbsternannten Menschen immer schon eingebildet. Selbstverliebte, egozentrisch-narzisstische Lebensansätze und Daseinsbegründungen bewohnten den Erdball von einem Pol zum anderen. Der Mensch hatte sich angemaßt, die bestimmende und definierende Größe aller Dinge zu sein, aber worauf begründet? Klein und schwach war der Mensch und in Bälde zum Scheitern und Aussterben verurteilt. Nein, das Leben dieser Spezies hatte global gesehen noch nie Sinn gemacht. Trotz all dem hegte Milo noch Hoffnungen, Aranka eines Tages wiederzusehen und in die Arme nehmen zu dürfen. Dann würde ein Quäntchen Rechtfertigung in sein kleines, biederes Leben treten, ob es der Erde gefiele oder nicht. Also beschloss Milo, die Suche nach Aranka nie aufzugeben.

Fürsorge

Eszter war es schon gewohnt, ihren Sohn im Haus kaum zu sehen, geschweige denn zu hören. Still kam es ihr vor in den eigenen vier Wänden. Ihrer Mutter ging es von Woche zu Woche schlechter und ihre Stimme war bereits schwach. Der Hausarzt hatte Eszter nichts Gutes prophezeit, er stellte sie mit seinem empathielosen Wesen vor vollendete Tatsachen und meinte lakonisch, Eszter solle sich darauf einstellen, ihre Mutter in spätestens drei Monaten zu Grabe zu tragen. Sie müsse den Tatsachen ins Auge sehen und er wollte ihr nichts vormachen, in ihr keine großen Hoffnungen hegen, was Eszter ihm dann aber doch anrechnete, denn so war es ihr möglich, alle für den schweren Schritt notwendigen Vorbereitungen zu treffen. Sie wollte nicht überrascht werden vom Ableben ihrer Mutter, sie wollte sich auch seelisch auf jenen Augenblick einstellen können, da sie die Tür zu Marikas Zimmer öffnen und ihre Mutter tot auffinden würde. Eszter war keine Überraschungen liebende Frau, und so auch Marika. Eszter wusste, dass sie ihre Mutter mit den Tatsachen konfrontieren und ihr ins Gesicht sagen konnte, was es geschlagen hat.

Also öffnete sie die Tür zu Marikas Zimmer und trat mit dem Tablett vor sich tragend ein.

„Guten Morgen. Hier hast du dein Frühstück, Mutter."

Sie drapierte das Tablett auf dem Bett, half ihrer Mutter beim Hochrichten und schüttelte das Kissen.

Ein leises ‚Danke' entfuhr Marika, der schon jede Bewegung sichtlich schwerfiel. Eszter setzte sich an den Bettrand, nahm die Hand ihrer Mutter, strich ihr sanft über den Handrücken.

„Was willst du?", fragte Marika leise, aber doch mit schroffem Ton. Eszter erkannte, dass es nur der Körper ihrer Mutter war, der nachgab, nicht aber ihr Geist. Wach und rational wie immer. Schön, dass sich ihre Mutter nicht verändert hat in all den Jahren.

Eszter war plötzlich in ihre Kindheit zurückversetzt, als sie ihre Mutter manchmal bewundert hatte, weil die sich von niemandem etwas hatte gefallen lassen und sie wann immer nötig verteidigt hatte. Gab es Probleme in der Schule, Marika war in Windeseile beim Lehrer oder Direktor und machte alles klar. Marika war sich nie zu schade gewesen, mit Dorfbewohnern, Bürgermeister oder gar Polizei ins Gericht zu gehen, sie verteidigte ihren Nachwuchs wie eine Löwenmutter. Was Eszter aber in all der Zeit vermisst hatte, war die zärtliche Seite einer Mutter, denn diese gab es nicht. Eszter konnte sich an keinen Augenblick erinnern, an dem Marika sie an sich gedrückt, über den Kopf gestreichelt, geschweige denn einen Kuss gegeben hatte. Eszter wusste, ihre Mutter würde ihr letztes Hemd für sie hergeben, jedoch nicht einen einzigen Kuss. Es war die schwere Zeit gewesen, die Marika geprägt hatte, die ersten zwanzig Jahre des Weltkriegsjahrhunderts.

Eszter schrak hoch und fand aus ihren Gedanken wieder zurück ans Bett der Mutter, als diese abermals fragte.

„Was gibts? Hast du mir etwas zu sagen?"

Eszter zögerte, gab sich dann aber einen Ruck und konfrontierte ihre Mutter mit der gar nicht guten Nachricht des Arztes, wohl aber ihrem Naturell entsprechend mit viel vorsichtigeren Worten.

Marika blickte ihre Tochter sekundenlang in die Augen und erwiderte lapidar.

„Nichts Neues, bin vorbereitet."

Sie drückte kurz Eszters Hand, was sie schon lange nicht gemacht hatte, und widmete sich ihrem Frühstück.

Ein Stein fiel Eszter vom Herzen, denn sie hatte sich schon Schlimmes ausgemalt, befürchtete den Zusammenbruch ihrer Mutter. So aber machte es Marika ihr leicht, das Kommende zu überwinden.

Zweieinhalb Monate später starb Marika, wie es der Arzt prophezeit hatte. Eszter fand sie eines Morgens im Bett liegend und mit friedlichem Gesichtsausdruck vor, sogar einen Anflug von einem Lächeln glaubte sie an ihrer Mutter zu entdecken.

Milo bekam von all dem nichts mit, denn Eszter wollte ihn nicht unmittelbar mit dem Tod seiner Großmutter konfrontieren, befürchtete sie doch ein noch tieferes Loch, in das ihr Sohn fallen könnte. Erst nach dem Begräbnis, als alles geregelt und unter Dach und Fach war, setzte ihn Eszter vor vollendete Tatsachen. Sie konnte an Milo keine Regung beobachten. Er verharrte in seiner üblichen Stellung auf dem Bett und blickte unverändert zu Boden. Eszter konnte nur ein kleines Augenzwinkern entdecken und da waren noch zwei Tränen, eine aus jedem Auge kullernd, die Milos Trauer um seine Großmutter bekundeten, hatte diese doch immer ihre schützende Hand über den geliebten Enkelsohn gehalten.

Eszter fand, dass es gut so war und fühlte sich um ein kleines Stück besser.

Der Direktor der Hauptschule hielt sein Versprechen und ließ Woche für Woche Informationsblätter über den durchgemachten Stoff bringen. Eszter hoffte nichts so innig, als dass sich Milos Verhalten wieder normalisieren würde. Konfrontiert mit den Lerninhalten und so mancher Schilderung Eszters, sollte Milo vielleicht auf andere Gedanken kommen und sich wünschen, doch endlich ein den Jugendlichen seines Alters entsprechendes soziales Leben wünschen.

Milo akzeptierte die Überbringung der Schulblätter, hatte seiner Mutter in der seinem Naturell entsprechenden Art und Weise mitgeteilt, dass er sich ihnen widmen würde, obgleich ihn Schule nicht mehr interessierte. Seit Aranka nicht mehr in seiner Welt weilte, machte alles andere für Milo keinen Sinn mehr, hatte alles andere keine Bedeutung mehr. Eszter konnte nie beobachten, ob und wie ihr Sohn die Schulblätter las, wusste auch nicht, ob er sich darüber Gedanken machte. Sie ahnte sehr wohl, dass das alleinige Lesen des durchgemachten Stoffes Milo schon reichte, um all das festzuhalten, all das in seinem Gehirn abspeichern zu können. Sie wusste, dass er ein besonderer Junge mit außergewöhnlichen, ja sogar überirdischen Fähigkeiten war, aber gerade deswegen machte sie sich oft Sorgen. Wäre er ein stinknormaler Bub gewesen mit mittelmäßigen schulischen Leistungen und vielen Freunden, mit denen er regelmäßig um die Häuser zog und das Dorfleben unsicher machte, ja dann hätte Eszter keinen Kummer, dann würden sich die Leute im Dorf nur das Maul über Milos Bosheiten zerreißen, nicht aber über seine absonderliche Art, die ihnen obskur vorkam. Eszter hätte immer gerne ein Leben mit einem Nullachtfünfzehn-Sohn geführt, mit einem Jungen, dessen Taten nicht auch auf sie überschwappten und sie in die Verantwortung genommen hätten. Einem schlimmen Jungen wurden die Streiche und Bosheiten verziehen, wurde die Verantwortung für sein Tun alleine ihm selbst übergestülpt, mit einem schlimmen Jungen als Sohn wäre Eszter nie in den Dunstkreis der Verantwortung hineingezogen worden.

,Na der Milo, der hats aber löffeldick hinter den Ohren.', hätte Eszter die Leute gerne erzählen gehört.

,In der Schule so lala, aber beim Raufen groß da', hätten die Frauen der Nachbarschaft hinter vorgehaltenen Händen getuschelt.

So aber war Milo ohne Zweifel gänzlich anders als alle anderen, die im Dorf der Erinnerung der Bevölkerung zufolge jemals gelebt hatten. Und alles außerhalb der Norm kam Menschen verdächtig, mit dem Teufel oder übernatürlichen Mächten im Bunde oder aber als vollkommen irre und durchgedreht vor, was das Schlimmste für Eszter war.

,Der spinnt doch total.', wäre noch das Harmloseste gewesen.

,Der gehört doch in die Klapsmühle, und das für immer!' Damit wäre Eszter nicht klargekommen, diese Ansage hätte sie am Boden zerstört und ihre Ehrfurcht vor ihr selbst zum Verpuffen gebracht.

Eszter wusste nicht, was die Nachbarn oder andere Dorfbewohner gerade jetzt, da Milo schon seit Monaten nicht außer Haus war, die Leute gar nicht wussten, ob er überhaupt noch lebte, alles an Gerüchten und Unwahrheiten über ihn verbreiteten. Eszter kam außer für Einkäufe und manch andere nicht vermeidbare Erledigung zwar unter die Leute, versuchte aber immer, Gespräche tunlichst zu unterlassen, um ja dem Gefühl der Schande zu entgehen. Wann immer möglich, vermied sie Blickkontakt, redete mit den Leuten auch nur das Notwendigste und hatte den Nimbus der ‚nicht dazu Gehörenden'. Eszter wusste, dass die Leute über sie und ihren Sohn tratschten und Gerüchte verbreiteten, sie war sich ihrer Rollen im Dorf bewusst.

Marika war anders gewesen, sie hatte mit den Menschen im Dorf viel Kontakt gehabt, wurde gemocht und respektiert, manchmal zwar auch als Streitbare gesehen, die ab und an auch mal polarisierte, jedoch hatte Marika ihren verdienten Platz inmitten der Gesellschaft gehabt und die Leute sahen sie als eine von ihnen.

Vermutlich war all das ein Vermächtnis von Sándor, Eszters Vater, der ein Eigenbrötler gewesen war. Er hatte sich zwar verstanden mit all den Männern, mit denen er im Gasthaus gesessen war und die ihm das Geld abgeknöpft hatten, denn zum Ausnehmen wie eine Weihnachtsgans war Sándor stets gut genug gewesen, Freunde aber hatte auch er keine im Dorf gehabt. Die wohlig warme Mitte der Gesellschaft war ihm fremd gewesen und dieses Wesen hatte er an seine Tochter Eszter weitervererbt. ‚Danke, Vater!' zog manches Mal zynisch durch Eszters Kopf. Sie wusste, dass sie nach ihrem Vater geraten war, denn all das, was einem ein normales Leben inmitten der Gesellschaft ermöglichte, hatte er an seine Tochter nicht weitergeben können. So war auch Eszter dazu verdammt, in Depression ohne erwähnenswerten Kontakt zu den Leuten des Dorfes für ein Leben lang zu darben. Welch eine Mutter für einen Jungen, der seinesgleichen sucht!

„Der Direktor hat wieder den Lernstoff gebracht."
Mit diesen Worten überreichte Eszter ihrem Sohn jede Woche die Schulblätter. Eines Tages kam ihr eine

wahnwitzige, gutgemeinte Idee und sie fragte Milo, ob sie ihn wohl mal prüfen sollte, damit sie sich ein Bild davon machen könnte, ob er auch mitkäme mit dem Stoff. Mehr hatte sie nicht gebraucht! Milo wendete blitzschnell seinen Kopf und schickte ihr einen Blick zu, der imstande gewesen wäre zu töten. Nur Milos Gnade war es zu verdanken, dass seine Mutter noch lebte. Eszter bereute augenblicklich, was sie soeben gesagt hatte, entschuldigte sich und verließ schleunigst das Zimmer. Es war eine Demütigung sondergleichen, die Eszter unendlich leidtat. Von da an erwähnte sie bei der Übergabe der Schulblätter nie mehr ein einziges Wort.

Es verging Monat über Monat, bis das Jugendamt an der Tür klingelte. Eszter dachte schon gar nicht mehr daran, dass der Hauptschuldirektor einst die Rute ins Fenster gestellt hatte. In dem Moment, als sie das Klingeln vernahm, erinnerte sie sich an sein Versprechen, das Jugendamt über Milos Verhalten zu informieren. Eszter öffnete die Tür und wusste, was es geschlagen hat. Die beiden Inspektoren des Jugendamtes, eine Frau mittleren Alters, adrett gekleidet, und ein älterer Mann in honorigem Anzug, er schien der Vorgesetzte der Frau zu sein, begrüßten Eszter höflich und baten um Einlass. Eszter führte sie ins Wohnzimmer, bat ihnen einen Platz auf dem Sofa an und fragte, ob sie wohl Kaffee mochten, denn bei einer Tasse ließe es sich doch viel gemütlicher reden. Der Mann meinte, dass von Gemütlichkeit keine Rede wäre, aber eine Tasse Kaffee konnte er nicht abschlagen. Die Frau winkte ab, da sie kein Koffein vertrüge, bat aber um ein Glas Wasser. Eszter vertröstete die beiden für ein paar Minuten und kam mit

Kaffee, Wasser und auch Kuchen zurück, den sie zum Glück am Tag zuvor für Milo gebacken hatte.

„Ich nehme an, es geht um meinen Sohn Milo."

Eszter versuchte keinen Anschein von Nervosität zu erwecken, begann aber an den Handflächen zu schwitzen und musste sich alle Minuten die Hände am Rock abwischen, was die beiden Inspektoren mitbekamen. Der erste Minuspunkt in ihrer Kartei, befürchtete Eszter.

„Sie haben recht, es geht um ihren Sohn. Wie Sie wissen, hat uns die Hauptschuldirektion über den Sachverhalt unterrichtet", begann die Frau die Thematik einzuleiten.

Ihr Vorgesetzter setzte in einem schrofferen Ton fort.

„Ihr Sohn hat die Schule nun schon fünf Monate nicht besucht, und Sie wissen sicher, dass wir seit nun schon mehr als zweihundert Jahren Schulpflicht haben in Österreich. Oder ist Ihnen das etwa entgangen?"

Eine provokante Frage, der sich Eszter kaum entziehen konnte. Beschwichtigend wollte sie sich aus der Affäre ziehen.

„Natürlich ist mir das bewusst, aber der Direktor wird Ihnen sicher unsere Situation geschildert haben. Mein Sohn hat ein Trauma, seitdem uns sein Vater vor vier Jahren verlassen hat. Er ist darüber noch nicht hinweggekommen. Es wird aber zunehmend besser, das kann ich Ihnen sagen. Mein Sohn wird sicher bald in die Schule gehen."

Eszter konnte nicht glauben, diese Worte in diesem Augenblick von ihren Lippen gelassen zu haben.

„Es war eine sehr schwierige Zeit für ihn und auch für mich, aber wir meistern das gemeinsam. Und der Direktor hat Ihnen von den außergewöhnlichen schulischen Leistungen meines Sohnes erzählt, hoffe ich doch. Da gibt es nichts zu bemängeln, und um ehrlich zu sein, mein Sohn braucht keine Schule, er war schon immer allen meilenweit voraus."

Eszter versuchte die Geschichte in die für sie beste Richtung zu lenken, doch es wurde ihr Einhalt geboten.

„Liebe Frau, es geht nicht nur um die Leistungen in der Schule. Es geht auch, und in einem nicht minderen Maße, um die soziale Entwicklung Ihres Sohnes. Glauben Sie nicht, dass der Kontakt zu Gleichaltrigen wichtig ist? Gerade in diesem Alter, in angehender Pubertät, ist dies essenziell für Ihren Sohn."

Eszter blickte zu Boden, denn sie wusste keinen Ausweg aus der Bredouille. Wie könnte sie die beiden aus dem Haus bugsieren? Eine Waffe zücken und sie zwingen zu verschwinden? Sie von hinten mit dem Nudelholz zwei über die Rübe zünden, damit sie in das Land der Träume fielen und sie die beiden in den Keller schleppen und vergraben müsste? Oder einfach nur Besserung versprechen und um einen erneuten Besuch in zwei Wochen bitten? Vieles ging ihr durch den Kopf, bis die beiden Inspektoren mit Milo selbst reden wollten.

„Wir sehen uns wohl oder übel gezwungen, mit Ihrem Sohn zu reden und uns ein Bild von seinem Zustand und der Situation zu machen. Wo steckt er gerade?"

Eszter suchte nach zeitschindenden Worten, doch machte es einen Unterschied, ob sie die beiden jetzt gleich oder erst in einer Stunde zu Milo bringen würde? Wenn, dann jetzt, dann hätte sie diesen Moment der Schmach hinter sich gebracht. Sie wollte nicht dastehen als Mutter, die ihr Kind vernachlässigt, die nicht alles Menschenmögliche versucht hat, um ihren Sohn wieder in die Normalität zurückführen zu können.

„Reden Sie nicht um den heißen Brei herum, führen Sie uns zu Ihrem Sohn", forderte der Inspektor Eszter auf.

Gesenkten Hauptes öffnete sie die Tür zum Stiegenaufgang und ging voraus. Bei Milos Zimmer angekommen, zögerte Eszter kurz, klopfte dann aber an und trat ein.

„Milo, hier sind Herrschaften vom Jugendamt, die dich sehen wollen."

Ihr Sohn stand am Fenster und blickte in die Ferne. Eszter bemerkte eine Veränderung an ihm, er schien erwachsener geworden zu sein, stand aufrecht in schöner Kleidung und wartete auf das, was kommen musste. Die beiden Inspektoren grüßten, Milo wandte sich ihnen zu und lächelte.

Eszter wiederholte, was sie ihnen schon beim Gespräch im Wohnzimmer erklärt hatte.

„Sie wissen, er spricht nicht. Die Kommunikation wird also schwierig."

Der Inspektor begann mit seinem Monolog, wies Milo darauf hin, dass der Schulbesuch gesetzlich vorgeschrieben war, dass Kindern und Jugendlichen der soziale Kontakt mit Gleichaltrigen nicht vorenthalten werden durfte, blablabla. Seine Kollegin machte derweil Notizen in einem kleinen, grünen Heft. Milo tat, als ob er geduldig zuhören würde, spann aber schon einen Plan, wie er die beiden verständnisvoll machen konnte, wie er sie auf die Einsicht bringen konnte, dass seine Lage ja gar nicht so schlecht wäre, wie sie alle angenommen hatten. Eszter wollte kurz einwerfen, dass in Ausnahmesituationen Unterricht von zu Hause genehmigt wurde, wenn die Lernerfolge den Vorgaben entsprächen, wurde aber vom Inspektor jäh unterbrochen.

„Fallen Sie mir nicht ins Wort. Wir können nachher darüber sprechen."

Dann wandte er sich wieder Milo zu, der einige Sekunden zu Boden blickte, was die Inspektoren als Zeichen der Einsicht oder schlechtem Gewissen interpretierten, doch nachdem Milo wieder den Kopf gehoben hatte, spürten sie Erleichterung. Die Frau blickte sich um und musterte Milos Zimmer. Es schien alles sauber und ordentlich zu sein, was Eszters Putzbedürfnis der letzten Wochen zugerechnet werden musste. Sie ahnte, dass das Jugendamt herein-schneien würde und hielt Milos Zimmer, ja nicht nur sein Zimmer, wohl alle Räume des Hauses blitzblank. Eszter opferte dem Sauberhalten des Hauses mehr Zeit als je zuvor und wusste, dass sie dies für längere Zeit noch so aufrecht-erhalten musste, denn das Jugendamt konnte ihnen bald wieder einen Besuch abstatten, um sich laufend von der Situation der Familie ein Bild machen zu können.

Milo genügten ein paar Sekunden, um die Inspektoren wortlos davon zu überzeugen, dass er in einem guten und behüteten Umfeld lebte, in dieser schwierigen Lebensphase keinen sozialen Kontakt mit der Außenwelt bräuchte und bestens aufgehoben war im Hause seiner Mutter. Von den schulischen Leistungen gar nicht zu reden.

Die Frau des Jugendamts schloss das Heft und steckte den Stift wieder ein.

„Herbert, ich glaube das genügt. Meinst du nicht auch?"

Der Inspektor warf seiner Kollegin einen zustimmenden Blick zu, blieb aber Eszter und Milo gegenüber ernst, um in ihnen nicht den Eindruck zu hinterlassen, dass alles gegessen war und der Schlendrian nun einziehen konnte.

„Wir haben uns ein Bild von der Situation gemacht und glauben, dass es für den Augenblick mal akzeptabel sein sollte. Für den Augenblick, verstehen Sie? Für den Augenblick."

Er sah Eszter mit ernster Miene an. Milos Mutter nickte.

Die Inspektoren verabschiedeten sich von Milo und gingen nach unten. Eszter hatte abschließend noch ein kurzes Gespräch mit ihnen, wo sie darauf hingewiesen wurde, dass es nun zu regelmäßigen und unangekündigten Besuchen kommen werde. Sie dürfe sich nicht in Sicherheit wiegen, wurde nachgelegt. Das Jugendamt hätte die Aufgabe, das Beste für Kinder und Jugendliche herauszuholen, und es war schon viele Male vorgekommen, dass Eltern ihre Kinder entzogen, in Heime gesteckt oder, wenn sie Glück hatten, Pflegefamilien zugeteilt wurden. Das Wohl der Kinder lag dem Jugendamt am Herzen, das versuchten die beiden Beamten Eszter zu vermitteln, die wiederum bestätigte, dass das wohl ihres Sohnes ihr nicht nur am Herzen lag, sondern auch ihr Lebensinhalt sei.

Bald darauf schloss sich die Tür und Eszter stand allein im Vorraum, allein mit ihren Sorgen und Ängsten, aber erleichtert, denn die schwer zu überspringende Hürde des ersten Jugendamtsbesuches war geschafft. Milo durfte sich weiter in seiner Blase verschanzen und die Außenwelt abwehren. Eszter blieb einzig die Hoffnung auf eine bessere Zeit, wo Milo wieder ein normales Leben führen sollte, wenn man stumm und wortlos durchs Leben zu gehen überhaupt als normal bezeichnen konnte. Wie aber hatte Milo gewusst, dass genau am heutigen Tag das Jugendamt vorbeikommen würde? Ihr lieber Sohn gab Eszter oft Rätsel auf, dessen Unbeantwortbarkeit sie wohl mit in ihr Grab nehmen müsste.

Bücher

Milo war belesen, hatte sich schon oft in Bücher vergraben und konnte Inhalte in Windeseile aufsaugen wie kein anderer. Eszter wusste, dass ihr Sohn mit dieser außerordentlichen Fähigkeit ausgestattet war, woher sonst wäre denn seine Leistung in der Schule gekommen. Manchmal war ihr Milo unheimlich. Eszter hatte ihn oft beobachtet, wie er über ein Buch oder Heft gebeugt im Bett gesessen war und zwei oder dreimal in der Minute umblätterte. Sie hatte keinen blassen Schimmer, wie Milo es anstellte, sich innerhalb von der kurzen Zeit all das Geschriebene zu merken. Und sie wusste, dass er das Gelesene nicht nur verstanden, sondern auch alles Wort für Wort im Kopf abgespeichert hatte. Er vermochte, alles bisher in seinem Leben Gelernte in jeder Sekunde eines Tages abzurufen. Eszter fühlte sich unwohl beim Gedanken, dass Milo ihr diesen oder jenen Vorwurf machen oder unangenehme Fragen stellen könnte.

‚Warum hast Du mir am dritten Februar vor acht Jahren die Bitte verweigert, meinen roten Rollkragenpullover zu waschen?'

Solche oder ähnliche Fragen könnten unvorhergesehen auftauchen, wenn denn Milo wieder sprechen würde können, wobei diese Frage ja noch harmlos wäre. Nicht auszudenken, sollte Milo ihr Vorwürfe vor die Füße werfen, die ins Eingemachte gingen, in ihre Erziehungsmethoden oder aber, was sie ihm nicht schon alles vorenthalten hatte. Milo wusste alles, was er seit seiner Ankunft in Eszters Welt je erlebt hatte, bis ins letzte, tiefste Detail. Ein bewundernswerter und gleichzeitig erschreckender Gedanke.

Nun war Milo in einer Phase der Askese, die er mit Wissen aufzufüllen gedachte. Er hatte seiner Mutter zu verstehen gegeben, dass sie ihm Bücher besorgen solle, jede Woche sieben Bücher, ein Buch pro Tag wäre für Milo ein wohlfeiles Pensum für den Anfang. Milo hatte sich in den Kopf gesetzt, mehr Wissen anzusammeln, als es je ein Mensch getan hatte. Er wollte alle Wissenschaften in seinem Kopf vereinen, die Welt verstehen lernen, in ihren Kern eindringen, um ihre Gefühle zu spüren. Der Drang nach überirdischem Verständnis war für Milo ein Zeichen der Auserlesenheit. Milo wusste, dass er nicht grundlos auf der Erde aufgeschlagen hatte. Er wurde sich seiner Mission bewusst, als er von Arankas Wegzug aus dem Dorf vernommen hatte, und das gab ihm unerwartet den Sinn seines Lebens zurück. Dieser Tag war ein Scheidepunkt gewesen. Milo widmete sich nur mehr dieser Mission, die in seinen Augen die Welt verändern würde.

Es gab eine Bücherei im Dorf, eine kleine, aber doch wohlfeil ausgestattete Bücherei, die sich großer Beliebtheit erfreute und von der die Bevölkerung regen Gebrauch machte. Eszter hatte bislang immer andere Sorgen gehabt, als Bücher zu lesen, vor einigen Jahren aber hatte sie sich eines entlehnt, einen Ratgeber für Eltern schwererziehbarer Kinder. Nach ein paar Seiten des Lesens legte sie es wieder zur Seite, da darin für sie nichts Brauchbares gestanden war, nichts, was ihr geholfen hätte, Milo besser verstehen zu lernen. Alle darin angeführten Ratschläge von sogenannten Spezialisten und Koryphäen, all diese Ratschläge waren zu gar nichts zu gebrauchen. Was wussten diese selbsternannten Retter der Kinderseelen schon von Eszters Sohn? Eszter hatte das Buch schlussendlich im Holzofen verheizt. Selbst der Brennwert war mickrig.

Nun aber sollte Eszter zur besten Kundin der Bücherei werden. Der Gedanke daran, Woche für Woche sieben Bücher auszuborgen, drückte ihr den Schweiß auf die Stirn. Was würde wohl Frau Lakatos, die Dame der Bücherei, davon halten? Zugegeben, Eszter würde zu ihrer wichtigsten Einkommensquelle werden. Ein Schilling Entlehnungsgebühr pro Buch, da käme die Bücherei auf dreihundertfünfundsechzig Schilling pro Jahr, eine gute Summe. Eszter würde sich das leisten können, hatte sie doch für sich selbst kaum Ausgaben mehr, da sie sehr zurückgezogen lebte.

‚Willst du mit den Büchern deine Nachbarschaft versorgen?‘, würde Frau Lakatos zynisch fragen.

Eszter öffnete die Tür zur Bücherei. Ein angenehmer Geruch nach oft berührtem Papier beherrschte den Raum. Frau Lakatos hieß sie willkommen. Eszter sah sich um und befürchtete, dass die Anzahl der zu entlehnenden Bücher nicht ausreichten, um Milo für sein Lebensende zu versorgen, einem Anfang jedoch stand nichts im Wege. Ihr Sohn hatte ihr aufgetragen, ihm Bücher zu bringen, jedoch nicht gesagt, welche Art von Büchern er lesen wolle. Sie kannte Milo aber so gut, dass sie wusste, es käme nicht darauf an, welches Buch er in den Händen hielte. Milo war gewillt, jedes Buch zu lesen, unabhängig vom Sachgebiet oder Inhalt. So suchte sie sieben Bücher aus, zahlte sieben Schilling und begab sich auf den siebenminütigen Heimweg.

Zu Hause angekommen bedankte sich Milo mit einem Lächeln und begann kurz darauf in die aus gepresster und bedruckter Zellulose bestehende Welt zu fallen.

Eszter sah, dass ein Buch pro Tag für ihren Sohn keine besondere Herausforderung war. Er las Tag für Tag. Die gelesenen Bücher legte er stapelweise vor seine Zimmertür, Eszter legte die neu ausgeliehenen ebenso stapelweise dort ab. Es war wie in einem Hotel, wo Pagen geputzte Schuhe vor der Hotelzimmertür abstellten und die schmutzigen einsammelten. Nicht nur der Buchdienst war hotelgleich, Milos ganzes Sein war, als ob er in einem Hotel leben würde. Nur musste er sein Zimmer verlassen, um aufs Klo zu gehen und ab und an sich mal zu waschen oder ein Bad zu nehmen, was nicht oft vorkam. Frühstück, Mittag- und Abendessen wurde ihm in das Zimmer serviert, er konnte alle Annehmlichkeiten eines Hotellebens genießen. Sein Leben war für ihn die Selbstverständlichkeit in Reinkultur. Eine selbst auserwählte Zelle, in der er wohnte. Käfigtiere hatten oft die bedauernswerte Eigenheit, sich artfremd zu verhalten, ständig denselben Bewegungsritualen nachzugehen, eigenartige Kreise im Käfig zu ziehen. Auch bei Milo waren es Ritualhandlungen. Der Vergleich hinkte keineswegs, denn selbst er kam sich nicht selten vor wie ein eingesperrtes Tier, dass von Woche zu Woche psychisch verfiel und autistische Kreise zog.

Ewige Leier

In Eszters Leben war nun schon seit Jahren nichts Besonderes vorgefallen, jeder Tag verging wie die bisherigen. Allein die arbeitsfreien Tage verliefen anders, denn da war Eszter all die Zeit zu Hause, und sie kam sich alleine vor. Manchmal, wenn sie gedankenverloren vor sich hinstarrte und geistig in andere Welten abdriftete, vergaß sie für einen kurzen Augenblick, dass sie einen Sohn hatte, der auf sie angewiesen war, um den sie sich kümmern musste.

Milo hatte keine großen Ansprüche. Er brauchte zu essen und zu trinken und hin und wieder frische Wäsche. Hin und wieder deshalb, da es für Transpiration in Milos Leben keine Gelegenheit gab, denn physische Bewegung lag nicht an seiner Tagesordnung, abgesehen von den kurzen Ausflügen ins Erdgeschoß, die ihn nicht sonderlich forderten. Milo war aus diesem Grund verfallen, was seinen Körper betraf. Die Jahre der Zurückgezogenheit und Askese in Körperstarre, wie es Eszter immer nannte, setzten Milo zu. Eszter konnte sehen, wie ihr Sohn von Monat zu Monat an Gewicht verlor. Nicht viel, aber dennoch stetig, was ihr nach einer gewissen Zeit Sorgen bereitete. Milo aß nicht viel. Er musste kaum Kalorienverbrauch decken, denn er fuhr auf Sparflamme. Was der Körper an Energie verbrauchte, um die Organe am Leben zu erhalten, war natürlich zuzuführen, doch diese Menge war verschwindend klein im Vergleich zu einem Durchschnittsbürger, der täglich zehntausend Schritte tat. Das Gehirn machte in Milos Fall den Großteil aus, denn geistig fuhr er zu jeder Sekunde im hochtourigen Bereich, sogar im Schlaf war an Erholung nicht zu denken. Milo war süchtig nach hochgeistiger Beschäftigung. Das Lesen war ihm wichtig, täglich ein Buch, doch das deckte nur einen kleinen Teil des Tages ab. Milo brauchte immer etwas neben ihm, wo er Gedanken eintragen konnte. Seine Mutter musste wöchentlich Notizbücher und Schreibzeug besorgen. Ihr Sohn hatte ihr aufgetragen, ihm die dicksten Notizbücher zu besorgen, die sie finden konnte. Jene des örtlichen Ladens reichten nicht, denn die Seitenanzahl kam ihm zu gering vor. So war Eszter einst mit dem Bus in die Stadt gefahren, um zu sehen, welch dicke Notizbücher sie im Papierfachladen wohl finden konnte. Die Auswahl war groß und es gab auch ihrem Anschein nach für Milos Bedürfnis passende, großformatig und mehrere hundert Seiten dick. Das sollte für eine Woche in Milos Leben reichen. Eszter wollte nicht wöchentlich in die Stadt fahren, vereinbarte daher mit dem Ladenbesitzer die monatliche Versendung eines Pakets mit vier Notizbüchern. Dem Mann kam ihr Wunsch sehr eigen vor, hatte er doch noch nie solch einen Auftrag erhalten.

„Meinen Sie nicht, dass Sie gleich zwanzig oder dreißig dieser Notizbücher mitnehmen sollten?", fragte der Ladenbesitzer.

„Dann würden Sie sich viel an Versandkosten ersparen." Eszter winkte ab, denn sie dachte immer an die Genesung ihres Sohnes, an die sie all ihre Hoffnungen knüpfte, endlich wieder ein den Anforderungen der Zeit entsprechendes, normales Leben führen zu dürfen. Was, wenn Milo plötzlich von einem Tag auf den anderen sein Leben ändern wollte und sich wieder mit Freunden treffen und die Schule besuchen würde? Dann säße sie auf Hunderten von Notiz-büchern, die sich ihrer Füllung entgegensehnten und doch verstaubt und vergessen in einem Winkel von Milos Zimmer den Rest ihres Daseins bis zum Abriss des Hauses verbringen mussten. Das konnte sie ihnen nicht antun, denn dies war nicht ihre Verheißung gewesen. Und im Falle der Erfüllung ihres sehnlichsten Wunsches würde ein Anruf im Laden genügen und die Versendungen wären storniert.

„Mir ist lieber, Sie schicken mir vier Notizbücher monatlich."

Von Eszter gewünscht, vom Ladenbesitzer gutgeheißen. Er merkte noch abschließend an, dass der Erlagschein mit der Sendung immer mitgehen werde.

Eszter sah, dass es sich mit einem Notizbuch pro Woche gut ausging. Wie es Milo schaffte, ein dreihundert Seiten dickes Buch innerhalb von einer Woche vollzukriegen, war ihr schleierhaft. Allein der Gedanke daran, dass sie dies bewerkstelligen müsste, ließ sie erschaudern. Doch Milo war anders. Eszter hatte sich daran gewöhnt, dass sie ihren Sohn nicht mit anderen Kindern vergleichen durfte, sie brauchte aber zwei Jahre dafür. Er war im vierten Lebensjahr gewesen, als Eszters Seele ihren Ruheplatz gefunden hatte. Seit damals konnte sie mit gutem Gewissen von sich behaupten, die Bedürfnisse ihres Sohnes zu verstehen und alles im richtigen Maße zu tun, um Milo ein gutes Leben zu gewährleisten. Sie hatte einen Sohn, der nun mitten in der Pubertät steckte, jedoch keinerlei pubertäre Züge zeigte. Er vergrub sich in seinen vier Wänden, beschäftigte sich mit Büchern und schrieb Notizen, und das tagaus, tagein, Woche für Woche, Monat für Monat, Jahr für Jahr. Eszter hatte ihren Rhythmus an den ihres Sohnes angeglichen. Auch sie steckte in ihren vier Wänden, nur beinhalteten diese auch jene des Büros, in dem sie arbeitete und den Postbus, mit dem sie morgens dorthin und abends wieder nach Hause fuhr. Sie steckte wie ihr Sohn in einem Hamsterrad, das sich unentwegt mit derselben Geschwindigkeit drehte. Eszter verschwendete selten, aber doch Gedanken daran, wie ihr Leben wohl gewesen wäre, hätte Milo ein stinknormaler Bub sein können, der abends mit aufgeschlagenen Ellbogen nach Hause käme und von seinen Schandtaten erzählte. Eszter war wohl oder übel dazu verdammt, auf jenen heißersehnten Augenblick zu warten, da Milo aus seinem Zimmer käme und ihr mit lauten Worten mitteilte, dass er mit Freunden Fußballspielen gehe. Den Satz ‚Mama, ich gehe mit Freunden Fußballspielen' hörte sie oft in ihrem Kopf. Dieser Satz barg die Erfüllung all ihrer Wünsche in sich, fühlte sich an wie die Ankunft des Messias oder die Heiligsprechung ihres Sohnes.

Erschreckend war für Eszter, dass sie sich nicht mehr an Milos Stimme erinnern konnte, schließlich hatte er vor sechs, sieben Jahren aufgehört zu sprechen. War sie eine schlechte Mutter? Da kam es wieder, das schlechte Gewissen, das sie eine Etage tiefer in ihre Depression schubste. Waren Mütter, die sich nicht mehr an die Stimme ihres Kindes erinnern können, schlechte Mütter? Bilder prägten sich viel länger ein, jedenfalls würde sich Eszter sehr lange an das Gesicht ihres Sohnes erinnern, hätte er einen Unfall gehabt, der dieses entstellte. Da kämen Erinnerungen selbst nach zwanzig, dreißig Jahren. Aber seit ein paar Jahren nicht mehr gehörte Stimmen verblassten zunehmend zur Unkenntlichkeit, was Eszter traurig machte. Jetzt, da Milo vermutlich kurz vor seinem Stimmbruch stünde, hätte sie liebend gerne die Veränderung der Tonlage begleitet. Allein die Hoffnung an den Augenblick, in dem sie seine Ankündigung vernehmen sollte, er gehe mit seinen Freunden Fußballspielen, hielt Eszter am Leben.

Das Haus der kleinen, mannlosen Familie stand eingehüllt in einen Nebelschleier am Straßenrand. Keiner der Dorfbewohner wusste, was darin vorging. Nur schemenhaft konnten sich die Nachbarn einen Reim aus den Beobachtungen machen und Begegnungen mit Eszter kamen selten vor, gerade mal, wenn sie sich auf den Weg zur Arbeit machte oder von ihr heimkam. Oder wenn sie sich daran tat, Besorgungen zu machen. Auf Fragen, wie es ihr denn ginge, antwortete Eszter stets kurz und nichtssagend. Die Menschen des Dorfes wussten, dass Milo anders war, kein normales Kind war, doch niemand hatte ihn seit Jahren mehr gesehen. Es flogen Gerüchte durchs Dorf, dass Milo verstorben wäre. Es wurde gar das Gerücht in die Welt gesetzt, dass Eszter sein Ableben verheimlichte, um das Kindergeld weiter einzustreifen, denn alle wussten, dass es der Familie, so sie denn noch eine wäre, an Geld mangelte. Eszters Beruf gab nicht viel ab, das wussten die Leute, denn sie hatte dies kurz nach Antritt ihrer Arbeit so nebenbei einer Nachbarin gesagt. Und wenn eine Nachricht bei einer Dorfbewohnerin ankam, verbreitete sich diese wie ein Lauffeuer, sodass der am weitesten weg Wohnende diese am Tag darauf schon vernahm. Man tuschelte an den Tischen der kleinen Kaffeesiederei neben der Kirche, dass Eszter im Erdkeller ihres Hauses Milos Grab geschaufelt hatte, nachdem er wohl aus Gründen der Vernachlässigung kraftlos von dannen gegangen war. Eszter wurde an den Pranger vorgehaltener Hände gestellt, was einer Ächtung gleichkam. Von manchen Leuten des Dorfes wurde ihr zur Last gelegt, den Tod ihres unversorgt gebliebenen Sohnes verschuldet zu haben. Nicht alle glaubten an diese Geschichte, je länger jedoch das Gerücht über dem Dorf schwebte, desto vehementer verteidigten es manche, sodass es mehr und mehr Bewohner für die unumstößliche Wahrheit hielten. Eszter wurde nie auf ihre Lebenssituation angesprochen. Wäre dadurch die Wahrheit ans Licht gekommen? Wollten die Leute die Wahrheit überhaupt erfahren? Für die Menschen im Dorf war es eine schaurige Geschichte, deren Ende niemand wollte. Jemand erzählte, er würde gar einen Mann kennen, der Milos Grab im Keller des Hauses gesehen hätte. Ein Grab wie jedes andere auch, sogar mit Grabstein. Eszter hätte angeblich eine von der Pflasterung der Einfahrt übrig gebliebene Steinplatte in den Keller geschleppt und dort stehend eingegraben, sodass zwei Drittel der Platte noch aus der Erde ragten. Auf die Platte hätte sie Milos Namen und seinen Todestag mit goldener Farbe gemalt. Das Gerücht besagte auch, dass auf der Platte kein Geburtsdatum stand, was den Leuten eigenartig, gar verdächtig vorkam. Wie zum Teufel kann jemand so abartig veranlagt sein? Wollte Eszter Milos Alter verheimlichen? Oder wusste sie es gar nicht? Die Leute im Dorf zerbrachen sich ihre Köpfe darüber, wie das alles abgelaufen sein konnte, unter welchen Umständen Milo zu Tode gekommen wäre und wie das Grab wohl aussähe.

Die Leute zerrissen sich wohl das Maul, hätten sie die Wahrheit gewusst, denn ein kleines Detail war nicht abwegig: Eszter kannte das Geburtsdatum ihres Sohnes nicht. Für die Ausstellung seiner Geburtsurkunde wurde von der Behörde das Alter des Kindes geschätzt und ein willkürliches Datum hergenommen, zwar mit Eszter damals abgesprochen, sie hatte sich ein Datum in einem eng eingegrenzten Bereich aussuchen dürfen, denn manche Tage sind Menschen sympathischer als andere, aber dennoch willkürlich.

Eszter hatte es zu ihrem Glück immer geschafft, die Wahrheit über Milos Ankunft auf der Erde zu verheimlichen. Nicht vorstellbar, welchen Rummel es um die Familie gegeben hätte, wäre das an die Öffentlichkeit geraten. Das Kind wäre wohl exkommuniziert und für alle Zeit aus der Dorfgemeinschaft ausgeschlossen worden. Vor dreihundert Jahren wäre Eszter am Scheiterhaufen gelandet und ihr Mann enthauptet worden.

Im Dorf taten viele Bilder die Runde, wie denn das Kellergrab geschmückt sei. Eine Frau der fernen Nachbarschaft beschrieb das Grab in schlichtem blassrosa Dekor, jemand anderer erzählte, dass eine große schwarze Schleife vor dem Pflasterstein läge. Ein Dritter, er mochte sich wohl seinem angeheiterten Zustand zugeschrieben einen sarkastischen Spaß erlaubt haben, verbreitete das Gerücht, auf dem Grabstein stünde ‚SEIN REST IN PISSE‘, was aber von der Dorfbevölkerung, wenn überhaupt verstanden, als nicht angebracht abgelehnt wurde.

Das abscheulichste Gerücht kam aus einer Ecke des Dorfes, die traditionell für stete Absurditäten des Alltags verschrien war. Eszter wurde unter der Hand bezichtigt, Milo im Garten an einem Ostersamstag verbrannt zu haben, um ja keinen Verdacht zu erzeugen, denn überall in der Umgebung zogen an diesem Tag Rauchschwaden gen Himmel. Die Asche hätte sie dann in eine Leibschüssel geleert, die jetzt im Keller vor dem Pflasterstein stünde.

Trotz all dieser Gerüchte musste den Leuten des Dorfes angerechnet werden, dass keines an Eszter persönlich herangetragen wurde. Sie wäre wohl aus Scham und Schande rumpelstilzchengleich im Erdkellerboden versunken.

Die Beamtin des Jugendamts, die mit ihrem Vorgesetzten einige Monate nach Milos Schulverweigerung Eszter den ersten Besuch abgestattet hatte, kam zweimal wieder, um nach dem Rechten zu sehen. Es waren kurze, unangekündigte Besuche, die keine neuen Erkenntnisse brachten. Die Frau konnte beide Male den Status quo von Milos Lebensverhältnissen feststellen. Grundsätzlich problematisch, jedoch unveränderbar. Milos Zustand wurde als traumatisch tituliert, jedoch in sich gefestigt mit einem Hauch von Manie, so die Frau. Ob dies eine professionelle Diagnose war, konnte Eszter nicht beurteilen. Die Beamtin konfrontierte sie mit der Diagnose in Milos Abwesenheit, der jedoch mit dieser mehr anfangen hätte können, da er auch medizinische und psychologische Fachbücher massenweise verschlungen hatte. Er hätte der Frau wohl seine fachkundige Meinung gesagt, wenn er denn geredet hätte. So aber schluckte Eszter die Diagnose hinunter, um sie mal verdauen zu können. Sie nahm sich vor, bei einem Spezialisten Rat zu holen, erinnerte sich aber an Doktor Zachoval, der fluchtartig das Haus verlassen hatte, als ob der Teufel persönlich hinter ihm her gewesen wäre. Eszter fand es also besser, alles still und heimlich über sich und Milo ergehen zu lassen, ohne zu wissen, was denn Milo fehlte oder er zu viel hatte. Ihr Sohn würde schon in geordnete Bahnen kommen, würde seinen Weg zurück in die Welt da draußen finden. Eszter wusste, dass sie ihm Zeit geben musste, so viel Zeit, wie er eben bräuchte. Sie hatte eingesehen, dass nichts erzwingbar war, denn was immer Milo in diese vermaledeite Situation auch gebracht hatte, würde ihn auch wieder aus dieser herausholen. Wie recht sie bei diesem Gedanken haben sollte, wagte sie in diesem Augenblick gar nicht zu denken.

Die Beamtin des Jugendamts beließ es bei den beiden Besuchen. Sie hatte einige Male mit dem Direktor der Hauptschule gesprochen, der ihr Milos einwandfreie Leistungen bestätigte. Somit blieb nur noch die soziale Situation, die ihr Sorge machte, aber sie hieß weitere Besuche für nicht notwendig und schloss den Akt „Milo", was Eszter sehr willkommen war, denn sie hasste Besuche aller Art.

Eszter konnte das Klingeln an ihrer Haustür seit Milos Verfall an einer Hand abzählen. Mit den Nachbarn hatte sie kaum Kontakt, wenn, dann nur bei zufälligen Treffen vor dem Haus oder im Geschäft. Der Briefträger entledigte sich seiner Postzustellungen stets am Briefkasten. Eszter hatte über all die Jahre nie etwas bestellt, bekam, abgesehen von den regelmäßigen Lieferungen der Notizbücher, die der Briefträger immer vor die Haustür legte, kein einziges Paket übergeben. Hatte sie Kleidung für Milo oder sich selbst gebraucht, fuhr sie mit dem Postbus in die Stadt und erledigte den Einkauf so schnell es ging, denn Eszter hatte es zu hassen gelernt, sich unter Leute zu begeben. Es war ihr ein Gräuel geworden, fremde Menschen zu berühren, sei es auch nur ein zufälliges Aneinanderstoßen in der Menge der Leute. Dichtes Gedränge in Geschäften oder auf Märkten mied sie wie der Teufel das Weihwasser. So trachtete Eszter immer danach, so wenige Einkaufsfahrten wie nur ging machen zu müssen. Was brauchten die beiden auch schon zum Überleben. Eszter besorgte Nahrungsmittel regelmäßig im nahe gelegenen Spar-Markt und entlieh jede Woche sieben Bücher aus der örtlichen Bücherei. Für etwaige zu besorgende Güter des Alltags wie Zahnpaste, Seife, Batterien, Nägel, Topflappen oder Handtücher gab es im örtlichen Laden. Speziellere Ge- und Verbrauchsgegenstände waren in einem Geschäft im benachbarten Ort erhältlich, wo sie vielleicht zweimal im Jahr einkaufte.

Eszter führte ein einfaches Leben, was die Öffentlichkeit betraf. Das Familienleben daheim aber ließ zu wünschen übrig. Ihr oberstes Ziel war, ihrem Sohn ein wohliges Zuhause zu bieten, so gut es in ihrer schwierigen Lage eben ging. Eszters zweithöchstes Ziel war, nichts an die Außenwelt durchdringen zu lassen. Was sich in ihrem Hause abspielte, ging niemand anderen etwas an. Keiner sollte sich einmischen dürfen in ihre familiären Angelegenheiten. So hatte Eszter auch in keinem Moment nach dem Verfall ihres Sohnes daran gedacht, sich einen Mann zu wünschen, der sie für den Rest ihres Lebens begleitete, ihr die Treue hielte und ihr und Milo ein rechter Beistand wäre. Sie hatte die Nase voll von Männern, denn einer war genug gewesen, um ihr Weltbild unveränderbar in Stein zu meißeln. Eszter sah ihr Tun und Lassen, ihren Lebenssinn einzig Milo geschuldet. Wie eine Glucke fokussierte sie ihren Sohn, las ihm seine Wünsche von den Augen ab und war für ihn da, wenn er seine Mutter brauchte, was jedoch zugegebenermaßen kaum vorkam.

Milo lebte in seiner kleinen Welt, in die er niemand hineinließ. Keiner durfte ihn stören in seinem Streben und Tun nach was auch immer. Er brauchte seine Mutter, was die absolut überlebensnotwendigen Bedürfnisse betraf. Die Eszter von ihm auferlegten Aufgaben beinhalteten die Besorgung von Nahrung, Kleidung, Zahnpaste, Seife, Bücher, Schreibutensilien, Notizbücher und Klopapier.

Eszters Lebensaufgabenliste war kurz und überschaubar, doch für sie waren diese wenigen Erledigungen immens schwierig, hatte sie doch immer ihre größte und anscheinend unlösbare Aufgabe vor Augen, die Rückführung ihres geliebten Sohnes in einen stinknormalen Lebenszustand.

Vier Jahre vergingen wie im Fluge und Milo hatte die Hauptschule mit Bravour gemeistert, was nach einem stinknormalen Leben eines pubertierenden Jungen klang. Dem war nicht so. Schulisch hielt er mit, ohne Zweifel war er Klassenprimus. Das allein war schon eine Absurdität für sich, denn Milo hatte seine Klasse nie von innen gesehen, geschweige denn seine Mitschüler. Wohl würde er viele noch von der Volksschule gekannt haben, aber er hatte all die Jahre keinen einzigen Gedanken an Schule und Freunde verschwendet. Zu groß war der Schmerz des Verlustes, zu groß der Zwang nach Absolvierung seiner selbst auferlegten Aufgabe. Milo lebte in einer Parallelwelt, aus der er kaum auszubrechen hatte. Für kurze Augenblicke musste er sie verlassen, Augenblicke, in denen er den schulischen Pflichten nachgehen musste. Seine Mutter hatte mit dem Hauptschuldirektor vereinbart, dass Milo keine Hausaufgaben machen bräuchte, wohl aber in jedem Fach einen Halbjahres- und Jahresabschlusstest. Die Testbögen wurden Eszter zwei Wochen vor Semesterende zugesendet und sie übergab diese Milo, der sich augenblicklich daran machte, sie pflichtbewusst auszufüllen. Am Tag darauf übergab seine Mutter die Bögen dem Direktor persönlich und das Zeugnis voller Bestnoten ließ nicht lange auf sich warten. Milo war dem Direktor immer unheimlich gewesen, obwohl sich die beiden nie kennengelernt hatten, vielleicht aber gerade, weil sich die beiden nie kennengelernt hatten. Milo kam ihm vor wie ein Wesen von einem anderen Stern. Er hatte dies Eszter einmal so nebenbei und scherzhalber gesagt, die daraufhin schmunzeln musste. Wie recht er doch hatte, dachte Eszter, wie recht der Direktor doch hatte.

Gerne hätte Eszter ihr, besser gesagt Milos Geheimnis jemandem anvertraut, doch sie wusste, dass dies das Ende ihres und Milos Lebens gewesen wäre. Kaum publik gemacht, hätten sich Ämter, Journalisten und Wissenschaftler um ihren Sohn gerissen. Die einen, um seinen Status im Staate Österreich zu hinterfragen, die anderen, um persönlichen Nutzen aus der außergewöhnlichen, ja nie dagewesenen Geschichte zu ziehen. Und für die Dritten wäre Milo zum Versuchskaninchen geworden, das eine Untersuchung nach der anderen über sich ergehen lassen müsste. Einwanderer aus dem Universum waren per se schon mal suspekt und der Wissenschaft ausgeliefert. Eszter hatte sich schon des Öfteren auszumalen versucht, wie denn ihr beider Leben verlaufen würde, wäre das Geheimnis an die Öffentlichkeit geraten. Unvorstellbar beider Leiden, für sie und vor allem für Milo, für den dies wohl den seelischen, geistigen und körperlichen Kollaps bedeutet hätte. Eszter hätte Milos Suizid befürchtet und um sein Leben zu retten, war es ihre verdammte Pflicht, das Geheimnis nie zu lüften.

Milo hatte schon acht Jahre Schule hinter sich gebracht, vier Jahre wie vom Staat und der Gesellschaft vorgesehen, vier Jahre im Exil. Seine Mutter wusste nicht, ob sie dieses Leben noch länger durchhalten würde. Zu sehr hatte der Gram Löcher in ihre Seele genagt. All die Sorgen um Milo kamen noch zu den Depressionen hinzu, denen sie schon seit Jahrzehnten ausgesetzt war. Als ob sie nicht schon genug gelitten hatte. Milo, ihr geliebter Sohn, der vom Himmel gefallene, der Bub von einem anderen Stern, machte ihr zu schaffen. Sie hatte all die Tagesabläufe und Aufgaben ganz gut im Griff, doch war es ein Grenzgang an der Scheide zwischen Durchbeißen und Durchdrehen. Es bedurfte nur ein klein wenig Unerwartetes, schon könnte sie auf der Seite vom Berg rutschen, wo es in die Klapsmühle ging. Eszter wusste, dass ihr Leben eine einzige Gratwanderung war. Sie beobachtete ständig ihr Seelenleben, ihren Mentalzustand und musste feststellen, dass ihr Nervenkostüm außergewöhnlich eng saß. Ein Kostüm, dessen Größe sie sich nie selbst ausgesucht hatte, sondern eines, das ihr einst übergestülpt wurde. Eszter fühlte sich in die Enge gedrängt, umzingelt von allem da draußen außerhalb der eigenen vier Wände. Sie kam sich geborgen und in Sicherheit vor, sobald sie von innen den Schlüssel der Haustür umdrehte, was sie auch immer tat, wenn sie ins Haus ging, unabhängig von der Tageszeit oder ihren Plänen, bald wieder nach draußen zu gehen. Selbst wenn sie vom Garten kam und in das Haus ging, um nur ein Glas Wasser zu holen und darauf wieder hinauszugehen. Selbst dann sperrte Eszter von innen die Haustür zu, um sie nach einer Minute wieder aufzusperren. Sie war eine Getriebene mit depressionsgesteuerten Zwängen, deren einziges erhabenes Gefühl war, keine Verschlechterung von Milos Zustand feststellen zu müssen. Ihr Sohn hielt sie noch am Leben und war aber zugleich ihr Untergang. Ohne Milo wäre ihr Dasein keinen Groschen wert gewesen, sie hätte aber ihr ganzes, kleines Vermögen hergegeben, wäre er dadurch ein ganz normaler Junge geworden, der liebend gern mit Freunden spielte, zur Schule ging, ab und zu Schabernack trieb und schon mal ein Auge auf hübsche Mädchen warf. Sie hätte wohl ihr Leben gegeben, wenn das Milo aus seiner Misere gebracht hätte. So aber galt es abzuwarten. Eszter fand sich ab mit ihrer Situation, war doch kein Ende absehbar.

Manchmal lag sie weinend im Bett und die Vorstellung vor Augen, dass Milo nach ihrem Tod wohl schutzlos der Öffentlichkeit ausgesetzt wäre, die gleich der Geschichte von Kasper Hauser mit dem Jungen Fürchterliches vorhätte. Er würde kein Verständnis für all seine absonderlichen Bedürfnisse finden, käme in eine Anstalt für geistig Abnorme und müsste bis zum bitteren Ende in seelischer Vergewaltigung vegetieren. Eszter hatte sich als Mädchen ein schöneres Leben vorgestellt.

Der Brief vom Landesschulrat kam ein paar Wochen nach Milos Hauptschulabschluss eingetrudelt. Eszter hielt ihn zitternd in den Händen, traute sich, ihn nicht zu öffnen, verhieß er doch nichts Gutes. Vermutlich stand darin, dass Milo nun in eine höhere Schule zwangseingewiesen würde oder gar Schlimmeres. Vermutlich stand darin, dass ihr geliebter Sohn ihr entzogen werden sollte, um ihm den Vorstellungen des Jugendamtes entsprechend eine rosige Zukunft bereiten zu können.

Eszter öffnete den Brief, begann zu lesen und ein riesiger Felsen fiel ihr vom Herzen. Der Landesschulrat bestätigte aus Gründen der schulischen Leistungen, in all den vier Jahren Hauptschule hatte es in Milos Zeugnissen nur Bestnoten gegeben, dass ihr Sohn keine weitere Ausbildung mehr machen müsse. Es wurde Milo somit die neunte

Pflichtschulstufe erlassen. Welchen weiteren Ausbildungsweg er einzuschlagen gedachte, wäre dahingestellt und der Familie überlassen.

Eszter hielt den Freibrief für ihr Leben mit Milo in Händen, was in diesem Augenblick einer Entlassung aus einer Haftanstalt gleichkam. Einige Sekunden danach jedoch wurde sie aus ihrer Glückseligkeit geholt und dachte an ihren Sohn, dessen Leben unbeeinflusst von diesem Brief im Exil weiter verlaufen würde. Sie eilte hoch in Milos Zimmer, der wie so oft im Schneidersitz auf dem Bett saß und las. Es musste wohl schon sein tausendvierhundertstes Buch gewesen sein, jeden Tag eines, und das über vier Jahre. Unvorstellbar das Wissen, das nun in Milos Gehirn abgespeichert sein musste, behielt er doch computergleich alles Gelesene auf seiner Festplatte abgespeichert.

Eszter hielt ihrem Sohn den Brief entgegen.

„Milo, ein Brief vom Landesschulrat. Du musst keine Schule mehr besuchen, dein Bildungsweg gilt öffentlich als abgeschlossen! Du kannst selbstverständlich, wenn du möchtest, einen Beruf erlernen oder in eine höhere Schule gehen, aber nur, wenn du möchtest. Stell dir vor, die Behörden werden uns nie mehr belästigen!"

Sie schilderte begeistert, lächelte voller Freude ihren Sohn an und erwartete sich eine positive Regung. Was aber kam, war das Hochziehen einer Augenbraue und ein von unten kommender, schräger Blick vereint mit dem Breitziehen der Oberlippe, was Eszter sagte, dass Milo es ja eh schon wusste. Sie hatte für ein paar Augenblicke die außergewöhnlichen Fähigkeiten ihres Sohnes vergessen und war sich nun wieder bewusst, dass es ihr nie möglich gewesen war, ihm etwas vorzuenthalten. Milo spürte die Gedanken seiner Mutter und hatte schon in dem Augenblick, als sie den Brief gelesen hatte, Bescheid gewusst.

Eszter machte kehrt und ging wieder nach unten. Mitten auf der Stiege erhielt sie noch Milos Botschaft, dass er Hunger hätte. Sie fragte sich, wieso in ihrem Sohn diese positive Mitteilung des Jugendamtes keine Regung der Freude oder gar Begeisterung verursachte. Er war anders und mit diesem Anderssein musste Eszter leben, womöglich bis zu ihrem oder Milos bitteren Ende.

In der Küche angekommen setzte sich Eszter. Sie legte ihren Kopf in die auf den Tisch gebreiteten Arme und weinte bitterlich, ließ ihrem Kummer freien Lauf. Minuten später machte sie sich schluchzend daran, das Essen zuzubereiten und so manche Träne wird dabei wohl in Töpfe und Pfannen gefallen sein.

Monat über Monat ging durchs Land, einer wie der andere. Schwer und trostlos lag die nebelige Winterzeit auf Land und Menschen, gefolgt von einer Aufbruchsstimmung, die ein Frühling immer mit sich brachte. Vögel taten kund, dass es ihnen gut ging. In Büschen und Gesträuch hockend zwitscherten sie sich die Seele aus dem Leib und begaben sich mit einem Schlag den Sommer erwartend in die Lüfte. Die Schwüle der Augustnächte drückte auf die Gemüter der Menschen im Dorf, doch verbreitete auch Freude der Wärme. Die Kinder konnten zwischen den Schuljahren neun Wochen der Unbekümmertheit genießen. Nicht alle, so manches Kind musste den Eltern am Bauernhof zur Hand gehen oder andere Arbeiten verrichten, doch die meisten wussten gar nicht, wie sie all die freie Zeit vollstopfen sollten. Wald und Bach waren stark frequentierte Orte und wurden umfunktioniert in Schauplätze der Kindereien. Das runde Leder hatte Hochsaison, wurde getreten, bis so manchem die Luft ausging, und die Buben betreten nach Hause liefen, um den Eltern Geld für einen neuen Ball zu entlocken. All das wurde jäh angehalten vom neuen Schuljahr, wo die Kinder in einer Nacht von einem Extrem ins andere gestoßen wurden. Dann saßen sie brav in den Schulbänken und horchten den Lehrern, die immer glaubten, dass alle Schüler mit großem Interesse ihren Vorträgen lauschten, was wohl doch nicht so war.

Die Menschen vollbrachten das, wofür sie großgezogen wurden, geschaffen und vorgesehen waren. Jeder tat seine Pflicht in einem Ausmaß, das seiner Prägung entsprach. So war der Lebenskreis, der sich Jahr für Jahr wiederholte. Und da gab es auch Milo, mitten drinnen, aber auch gleichzeitig außerhalb. Er entzog sich allem anderen Leben der Gemeinschaft durch sein selbst auferlegtes, eremitisches Dasein, das er aber für das richtige und ihm geeignete Mittel fand, um den Weg beschreiten zu können, den er gehen musste. Es war seine Bestimmung, denn durch den Rückzug seiner Freundin Aranka hatte auch er sich zurückgezogen und würde sie irgendwann wieder in sein Leben einbrechen, käme auch Milo aus seinem Exil hervor, würde er wieder ein Teil der Gesellschaft werden. So sein Plan. Die Zeit spielte dabei keine Rolle. Wie lange Milos Leben im Exil auch dauern mochte, ob er überhaupt da rauskommen sollte, all diese Gedanken waren nicht die seinen. Er verschwendete keine Energie an Unnützes. Was geschehen war, war geschehen, unumkehrbar sein Lebenspfad, und was half schon das Schwelgen in Wenn und Aber. Milo war mit sich selbst im Reinen. Ob sich eines Tages durch den Eintritt von

Unvorhergesehenem sein Leben schlagartig ändern würde? Er konnte es abwarten, denn seine Bedürfnisse hatte er sehr niedrig angelegt. Das für den Körper Lebensnotwendigste war ihm gut genug und für den Geist war durch die Lieferung von Büchern gesorgt. Da war aber auch noch die Seele, die gute und wichtige. Die hatte Milo auf dem Abstellgleis geparkt, stets bereit hervorgeholt zu werden, wenn es die Umstände erfordern sollten.

Und diese Umstände traten eines Tages ein, an dem sich das Leben Milos schlagartig änderte.

Erlösung

Der Frühling des Jahres 1980 zeigte sich von seiner schönsten Seite. Die Sonne brannte wärmer als sonst in dieser Zeit dem Sommer entgegen und erwärmte die Seelen und Gemüter der Leute im Dorf. Jeder freute sich auf ein gutes Jahr, jeder auf seine Art und mit seinen Wünschen. Die Bauern hofften auf ein Frühjahr mit so viel Regen, dass die Frucht auf ihren Äckern gut gedeihen mochte und auf einen trockenen August, um die Ernte ungestört einfahren zu können. Den Gastwirten war das Wetter reichlich egal, denn ob Regen oder Sonnenschein, Menschen wollten immer in gemütlicher Runde feiern oder einfach nur zusammensitzen. Milo bekam von all dem nichts mit, was sich draußen in der realen Welt abspielte. Kaum hatte er in den letzten sechs Jahren aus dem Fenster geblickt. Er zeigte kein Interesse an seinen Mitmenschen, an den Dorfbewohnern, an den Nachbarn, ja sogar keines an seiner Mutter, die seinen gewählten Lebensrhythmus unterstützte und alles daransetzte, sein Leben lebenswert zu halten. Milo vegetierte in seiner eigenen Welt, zurückgezogen, isoliert und abgeschieden. Asketisch und nahezu autistisch beging er seinen Alltag in Zimmer, Klo und Bad. Die anderen Räume des Hauses hatte er seit sechs Jahren nicht mehr betreten, geschweige denn den Garten.

Seine Mutter hatte im Laufe der Jahre ihr kleines Paradies in Grün erschaffen, war doch immer genug Zeit für entspannende Gartenarbeit übrig geblieben. Es war ihr nicht immer wohl dabei, sie fühlte sich von den Nachbarn beobachtet und es bestand meist die Möglichkeit, sie beim

Vorbeischlendern im Garten sehen und ansprechen zu können. Eszter hatte sich gemeinsam mit ihrem Sohn eingeigelt, nicht so radikal wie Milo, sie musste ja für ihn sorgen, Einkäufe tätigen, Besorgungen machen, dennoch radikal genug, um vom Leben im Dorfe kaum etwas mitzubekommen.

Gezwungenermaßen kam es zu Gesprächen mit den Leuten, doch die hielt sie kurz und bündig. Es waren Scham und die Angst, die Menschen könnten schlecht über sie und ihren Sohn reden, die Eszter in Distanz zur Außenwelt hielten. Auch schaute sie kaum fern. Nachrichtensendungen standen zwei- oder dreimal in der Woche auf dem Programm, sie wollte ja einigermaßen auf dem Laufenden gehalten werden, aber etwas für Seele oder Lachmuskeln vermied sie tunlichst. Sie überlegte gar, den Fernseher abzumelden, denn im Radio wurde die Nachrichten ebenso gebracht. Einzig der Gedanke an den Tag hielt sie davon ab, an dem Milo vielleicht von seinem Zimmer runterkommen, Eszter liebevoll in die Augen blicken und sich vor den Fernseher setzen würde, um einen Film zu sehen. Allein diese Hoffnung hielt sie von so vielem ab, auch vom Suizid. Sie hatte ihn schon oft, den Gedanken an den freiwilligen Tod, der sie von all den Plagen, der Schande und der Furcht befreien würde, doch ihr Sohn bewahrte sie davor, denn was würde er ohne seine aufopfernde Mutter anfangen?

In Eszter schlummerte noch immer ein kleiner Funke Hoffnung auf bessere Tage mit ihrem Sohn. Sie hatte sich schon seit langem damit abgefunden, dass Milo nicht sprach. Damit konnte sie leben. Den Tag aber, an dem er wieder so sein würde wie damals, als er noch zur Schule gegangen war, den Tag sehnte Eszter herbei wie nichts anderes. Einmal noch ihren Sohn mit dem Fahrrad zu einem Freund fahren sehen, dann könnte sie mit gutem Gewissen dem Tode entgegentreten und sich an der Himmelstür rechtfertigen, dass sie eine gute Mutter gewesen war.

Dass dieser Tag nun gekommen war, das vermochte sie gar nicht zu denken.

Eszter packte ihren Korb und machte sich auf den Weg zur Bücherei, um die nächsten sieben Bücher für Milo auszuleihen. Sie könnte die Augen schließen und erst wieder in der Bücherei öffnen, so gut kannte sie mittlerweile den Weg dorthin. An die dreihundert Mal musste sie diesen Gang schon hinter sich bringen, dreihundert Mal je sieben Bücher für Milo besorgen. Und an diesem Tage nun war es möglicherweise das dreihunderterste Mal, dass Eszter Frau Lakatos begrüßte, ihr einen guten Morgen wünschte und sich daran begab, Milos Forderungen zu erfüllen. Nach ein paar Minuten hatte sie den Korb voll und wollte zahlen. Frau Lakatos ließ sich auf ein belangloses Geplänkel mit Eszter ein, erwähnte dies und das, erzählte, was es Neues gab. Eszter folgte kaum den Schilderungen, interessierte es sie doch nicht, was sich im Dorf tat, als Frau Lakatos eine Neuigkeit von sich gab, die Eszter aufspitzen und horchen ließ.

„Hast du schon gehört, dass die Sarközis gestern wieder zurückgekommen sind? Weißt eh, die Zigeuner, die vor sechs Jahren zu ihrer Familie in die Tschechoslowakei gezogen sind, die hinterm Fuchswald."

Eszter kamen augenblicklich Gedanken an Milos damalige Freundschaft zu Aranka.

„Keine Ahnung, wieso die wieder hier sind. Vielleicht hats ihnen da draußen nicht so gefallen wie bei uns, hier bekommen sie ja Geld vom Staat. Österreich zieht solche Sozialschmarotzer an wie das Fleisch die Fliegen."

Frau Lakatos ließ kein gutes Haar an den Sarközis, Eszter aber war mit ihren Gedanken schon wieder weit weg und bekam gar nicht mit, was die Lakatos damit meinte.

„Ah, die sind wieder da. Gut, dann geh ich mal. Bezahlt hab ich ja."

Frau Lakatos bejahte und rief Eszter noch als Frage hinterher, ob es stimmte, dass die Tochter von den Sarközis oft mit Milo zusammen gewesen war. Eszter konnte aber nicht mehr antworten, da sie schon schnellen Schritts die Bücherei verließ. Sie war in Eile, denn Milo musste auf schnellstem Wege erfahren, dass Aranka zurückgekehrt war.

„Milo!"

Eszter rief nach ihrem Sohn, als sie noch die Stiege nach oben lief, den Korb in der Hand. Sie öffnete die Tür zu Milos Zimmer, versuchte wieder zu Atem zu kommen. Ihr Sohn blickte sie fragend an.

„Ja, ich weiß, lass mich mal verschnaufen, dann können wir reden."

Eszter setzte sich auf die Bettkante. Milo legte das Buch zur Seite und wartete auf das, was da kommen musste.

„Hier hast du mal die sieben Bücher. Ich hoffe, es ist keines dabei, das du schon gelesen hast."

Sie legte die Bücher auf das Bett. Milo wunderte sich, aus welchem Grunde seine Mutter so außer Atem war. Sie hetzte doch sonst nicht so umher, grundlos und ohne Anlass. Eszter machte noch einen langen, beruhigenden Atemzug und blickte ihren Sohn tiefgründig und mit einem ungewöhnlichen Maß an innerer Erwartung und Freude in die Augen.

„Weißt du, was ich soeben in der Bücherei erfahren hab?" Milo spürte eine Antwort, aber nur schemenhaft, nicht klar und deutlich. Da er sich erst seit zwei, drei Sekunden mit dem Erfassen der Schwingungen beschäftigte, war ihm noch nicht klar, welche Tragweite die Neuigkeit haben sollte.

„Milo, du wirst es nicht glauben: Aranka ist zurückgekommen."
Kaum hatte Eszter den Namen ausgesprochen, kam Leben in Milos Körper, Geist und Seele. Er zuckte hoch, blickte seine Mutter mit weit geöffneten Augen fragend an.

„Ja, frag nicht so, als hättest du nicht verstanden. Aranka ist wieder da! Ich hab es zuvor von Frau Lakatos in der Bücherei gehört. Aranka ist mit ihrer Familie wieder nach Österreich zurückgekommen. Sie wohnen seit gestern wieder im Haus in der Siedlung hinterm Fuchswald. Ich hab es selber nicht glauben können."
Milo saß wie versteinert auf dem Bett und starrte in die Leere. Langsam schoben sich seine Mundwinkeln nach oben und ein seliges Lächeln erschien, das bereit war für alles Schöne in der Welt. Eszter spürte, wie sich sein Herz öffnete, wie sein Gemüt in Wallungen kam. Noch zeigte der Körper keine Regung, im Inneren aber bahnte sich die für lange Zeit verloren geglaubte Freude an. Sechs Jahre hatte Milo schmachten müssen, sechs Jahre voller Warten und Sehnsucht, voller Leben im Exil und Entzug.
Eszter erhob sich, beobachtete noch für eine Weile ihren Sohn und ging dann nach unten. Sie spürte, dass eine neue Zeitrechnung angebrochen war und hoffte, dass Milo die nötigen Schritte tat, um der Chance zu huldigen. Eszter

setzte sich auf ein Sofa im Wohnzimmer und nagte an ihren Fingernägeln. Wie in Zeitlupe schwammen Gedanken in der Flüssigkeit ihrer Augäpfel, die sie sicherheitshalber hinter den geschlossenen Lidern verbarg. Wird ihr Sohn das Richtige tun? Sie befürchtete seinen weiteren Verbleib in den vier Wänden, die sechs Jahre lang sein Bau waren.

Von oben waren Geräusche zu hören, als ob jemand wie ein verstörtes Tier im Käfig festen Schritts von einer Wand zu anderen ging. Der Vergleich hinkte gar kein bisschen, denn Milo hatte sich die letzten Jahre wie ein solches verhalten, hatte routinemäßig Tag für Tag Abläufe gelebt, die jeder Psychologe als krankhaft bezeichnen müsste. Eszter betete zu Gott, flehte um Einsehen und Ermutigung ihres Sohnes, damit er sich aufraffen mochte und der Welt einen Stoß gäbe, um sie in eine andere Umlaufbahn zu zwingen.

In Milos Kopf spielten überreizte Gehirnströme mit ihm Katz und Maus. Er war verwirrt, wusste weder ein noch aus und hatte keinen Schimmer, was er mit dieser unvorhergesehenen Situation anfangen sollte. Er verfluchte seine Mutter, die ihm die Neuigkeiten erzählt hatte. Konnte sie gelogen haben? Wenn, dann unbewusst, da sie selbst einer Lüge aufgesessen sein musste. Sollte er all dem auf den Grund gehen und die dafür notwendigen Schritte außer Haus machen? Milo zögerte, wäre es doch das erste Mal seit sechs Jahren, dass seine Füße den Boden des Gartens betreten würden. Wie ein nach langem Eingesperrtsein in die Freiheit entlassenes Tier stand er vor der geöffneten Käfigtür und traute weder der Welt noch sich selbst. Durfte er es wagen? Sollte er es wagen? Ja musste er es gar wagen, um sich nicht in den Arsch beißen zu müssen wegen einer vertanen Chance, sein Leben zu ändern?

Es waren wohl Stunden, in denen Eszter Milos Schritte vernahm und sie gebannt im Wohnzimmer saß, bis, ja bis plötzlich kein Laut mehr zu hören war. Nach einigen Minuten Stille dann ein dumpfes Trippeln und das Öffnen der Treppentür. Milo stand vor ihr, lächelte und machte sich daran das Haus zu verlassen.

Eszter verfolgte die unsicheren Schritte ihres Sohnes. Sie kannte sein Vorhaben, denn es war eindeutig. Milo zog es zu Aranka, seiner besten Freundin aus nun schon alten Zeiten, von der er geglaubt hatte, sie nie mehr wiederzusehen.
Er schlüpfte in Schuhe und einen Satz Kleidung, was sich alles im Vorraum befand, gerade so, als ob es auf den Jungen gewartet hatte. Ohne sich zu wundern, kleidete sich Milo an. Er hatte seit sechs Jahren keine Schuhe an den Füßen gehabt, war seit damals auch gehörig gewachsen. Wie kam es, dass nun einem Sechzehnjährigen passende Kleidung parat lag? Eszter hatte in all ihrer Hoffnung auf jenen Tag, da ihr Sohn sein Exil und somit das Haus verlassen würde, immer danach getrachtet, dass Schuhe und Kleidung in einer dem Tag angepassten Größe bereit lag. Diesen Plan versuchte sie durchzuziehen bis zum bitteren oder süßen Ende, käme was da wollte. Und sie betrachtete es als gutes Omen, das in ihr ein klein wenig Freude am Leben hielt.
Milos körperlicher Zustand war nicht vergleichbar mit jenem vor sechs Jahren. Einem gebrechlichen, alten Menschen gleich vollzog er seine Tagesabläufe, die physische Anstrengung beschränkte sich auf die Gänge zu Bad und Klo. Weniger als hundert Schritte täglich, kein Vergleich zu den vielen Tausend eines Durchschnittsbürgers. Der Mangel an Bewegung hinterließ ohne Zweifel Spuren. Dazu kam

noch die Tatsache, dass seine Haut in diesen sechs Jahren kein einziges Mal wärmenden Sonnenstrahlen ausgesetzt gewesen war. Man sah es Milo an. Fahl und bleich sein Teint, hager, ja fast ausgemergelt seine Gestalt. Seiner Mutter kam sein Erscheinungsbild nicht besorgniserregend vor, denn sie hatte ja die Veränderung schleichend miterlebt. An diesem Tag jedoch, als Milo nun vor ihr stand und über das ganze Gesicht strahlte, wie sie ihn seit langem nicht mehr gesehen hatte, wusste sie, dass die Aufbruchsstimmung gerade rechtzeitig gekommen war, denn viel länger hätte er ohne bleibende Schäden rein physisch nicht durchgehalten. Ihr Sohn schien alle Kräfte zu mobilisieren, um sich auf die Suche nach Aranka zu begeben. Er schickte seiner Mutter noch eine unmissverständliche Botschaft, damit sie über sein Vorhaben Bescheid wusste, ging zum Schuppen und holte sein Fahrrad heraus. Er wollte gerade in die Pedale treten, da erkannte er die Luftleere in beiden Reifen und schmiss das Rad zur Seite. Für Reparaturbestrebungen war keine Zeit, bestand doch das hohe Risiko, dass die Schläuche beider Reifen unbrauchbar waren, war das Rad doch sechs Jahre lang ungebraucht und verwahrlost im Schuppen gestanden. Milo machte sich daran, zu Fuß zur Siedlung hinter dem Fuchswald zu gehen. Drei Kilometer Marsch erschienen Eszter nicht bewältigbar, bedachte man den Zustand ihres Sohnes, doch hatte sie vor langer Zeit davon gehört, dass Glaube, Hoffnung und Sehnsucht Berge versetzen kann. Sie selbst glaubte nicht an diesen Mythos, denn für sie war die Welt dunkelgrau. Zwar hatte sie in den Jahren von Milos Exil immer ein Fünkchen Hoffnung am Leben erhalten können, doch Eszter war der Pessimismus in Person, und sie wusste, dass Milo nicht von seinem Vorhaben abgehalten werden konnte.

Eszter blickte ihrem Sohn noch lange nach, als er die Straße entlangging, wankenden Schritts, aber zielsicher und mutig, hatte er doch vor Augen, wie er seine Freundin umarmen würde. Milo hatte sich diesen Tag herbeigesehnt, hatte ihn geistig auf sein Nachtkästchen gebettet, um ihn stets griffbereit zu haben. Und jetzt, nach sechs Jahren, schienen seine Hoffnungen erfüllt zu werden.

Als er so dahinging, bemerkte er all die Veränderungen, die das Dorf im Laufe der letzten Jahre durchlaufen hatte. Vieles war für ihn neu. Häuser standen, wo früher grüne Wiesen gelegen waren, Straßen waren asphaltiert, wo sich früher bei Regen Schlammlöcher die Hände gereicht hatten. Menschen, die er noch nie gesehen hatte, kreuzten seinen Weg. Menschen, die er kannte, blickten ihn fragend an, als würde ein Fremder die Straßen entlang gehen.

Die Müdigkeit zog ein in den Körper des jungen Mannes, der zielstrebig seinen Weg bestritt, und er musste am Rande des Fuchswaldes Rast einlegen. Milo setzte sich vor einen Baum und genoss die Sonnenstrahlen, die sein Gesicht angenehm wärmten. Er fühlte Schlaffheit in den Gliedern, war aber guten Mutes, sein Ziel erreichen zu können. Zwei Drittel der Strecke hatte er hinter sich, vor ihm lag noch der letzte Kilometer durch den Wald.

Er erinnerte sich an jenen fatalen Tag vor sechs Jahren, an dem sein Leben völlig aus den Fugen geraten war, als Stunk und er am Waldrand gesessen waren und weinend Arankas Abwesenheit betrauert hatten. Der heutige Tag sollte die Wende bringen, eine Umkehr zu alten Zeiten, zu besseren Zeiten. Doch könnte Milo das Rad der Zeit zurückdrehen?

Wäre alles wieder so wie früher? Würde Aranka ihn in ihrer ihm bekannten Herzlichkeit begrüßen?

Milo setzte seine Wanderung fort und wurde zunehmend nervöser. Er hoffte, dass seine Erwartungen nicht enttäuscht würden und alles so sein würde, wie er es sich während der letzten Kilometer erträumt hatte.

Aus dem Wald herausgekommen, sah er ein Auto vor dem Haus der Sarközis stehen, es schien also jemand daheim zu sein. Zögernd näherte er sich dem Haus, das wie damals eher einer Hütte glich. Er hoffte Geräusche von drinnen zu vernehmen, doch es war still. War vielleicht doch niemand zu Hause und das Auto gehörte einem Nachbarn?

Milo atmete zweimal tief durch, nahm jeglichen Mut zusammen und klopfte an die Tür, zehn Sekunden danach ein zweites Mal, nun heftiger. Er hörte Schritte und sein Herz laut pochen. Erwartungsvoll harrte er dem Öffnen der Tür, in die dann auch Bewegung kam. Der Spalt wurde größer, bis sich eine zierliche Frauengestalt aus der Dunkelheit des Raumes löste. Es war Aranka. Sie erkannte Milo nicht sofort, denn die Sonne schien ihr entgegen und hüllte die Gestalt vor der Tür in dunkle Schatten.

„Ja bitte?"

Milo wusste, dass Aranka ihn nicht wiedererkannte, lächelte und schickte ihr auf seine ihm eigene Weise eine Botschaft. Aranka schrak daraufhin zurück, stieß einen Freudenschrei aus, fiel Milo um den Hals und drückte ihn sosehr, dass er kaum Luft bekam. Er nahm Aranka an der Taille und wollte sie hochheben, aber er war zu schwach. Zu sehr hatten die letzten sechs Jahre an seiner Physis Spuren hinterlassen. Er umarmte sie, die kurze, hohe Piepser von sich gab, voll der

Freude, ihren besten Freund von früher wiederzusehen. Die beiden drehten sich im Kreis und drückten einander fest.

All das wurde von einer Gestalt beobachtet, die einige Meter weiter im Raum des kleinen Häuschens stand. Einer von Arankas Brüdern wollte nur zu gern wissen, wer seine Schwester so in Ekstase bringen konnte. Die Gestalt aus dem Dunkel vermeldete sich zynisch.

„Na da schau her, der Milo. Dich haben wir ja schon lange nicht gesehen. Hab gar nicht gewusst, dass es dich noch gibt."

Aranka und Milo ließen voneinander ab, nach einigen Sekunden der Unschlüssigkeit packte Milo Arankas Hand und zog sie fort von der Eingangstür. Die beiden liefen die Straße entlang bis zu einem passenden Plätzchen am Waldrand, wo sie sich vor einen Baum setzten. Milo schnappte nach Luft.

Hand in Hand saßen die beiden nun da und musterten einander. Arankas begutachtete Milos Körper an allen Stellen, Sorgenfalten formten sich auf ihrer Stirn.

„Milo, du bist so mager, schaust so schwach aus. Was ist los mit dir? Bist du krank?"

Er schüttelte den Kopf, lächelte und versuchte, Aranka seine Lage und all das, was ihn nach ihrem Wegzug aus dem Dorf vor sechs Jahren bewegte, zu erklären. Aranka konzentrierte sich, um ja alles zu verstehen. Langsam verzog sich ihr Gesicht zur traurigen Miene und sie senkte ihren Blick zu Boden.

„Milo, du kannst dir nicht vorstellen, wie mir war, als meine Eltern sagten, wir müssten sofort nach Pressburg, weil meine Großeltern einen Unfall hatten und es ihnen so schlecht ging. Sie waren an der Kippe zum Tod. Wir sind dann von einem Tag auf den anderen fortgefahren, ich konnte dich nicht erreichen, wir hatten ja kein Telefon."

Aranka begann zu weinen. Milo versuchte seiner Freundin mitzuteilen, dass sie sich kein schlechtes Gewissen machen dürfe, dass es eben so war, wie es gewesen ist. Milo wollte seine Freundin fröhlich sehen und es gab ja auch einen Grund zur Freude, denn sie hatten einander wieder getroffen nach der langen Zeit des Freundschaftsentzugs. Er nahm Arankas Kopf in die Hände und gab ihr einen Kuss auf die Stirn. Sie wusste, dass er keinen Groll mehr hegte, ja sogar nie Groll gegen sie gefühlt hat. Sie kannte ihren besten Freund und wusste, dass Milo stets ein gütiger und verzeihender Mensch gewesen ist. Sie hätte das Schlimmste aller schlimmen Sachen gegen ihn anstellen können, hätte ihn beleidigen oder gar vorsätzlich verletzen können, Milo wäre ihr nie böse gewesen. Aranka wusste, dass sie in ihm den besten Freund auf Erden hatte.

Sie beugte sich nach unten und legte ihren Kopf auf seine Oberschenkel. Milo begann ihre Haare zu kraulen, die wunderschönen schwarzen Haare, in die er sich bereits vor zehn Jahren verliebt hatte. Er musterte ihren Körper, ließ seine Blicke entlang ihrer zarten Hüften streifen und staunte über ihre schlanke, wohlgeformte Gestalt und die dunkle Hautfarbe, die ihm früher nie so recht aufgefallen war. Jetzt war er am Ende seiner Pubertät angelangt und sollte dem weiblichen Geschlecht nur zu gut zugeneigt sein, doch er hatte die letzten Jahre von all diesen aufregenden, schönen Gefühlen nichts wissen wollen. All das war spurlos an ihm vorübergegangen und erwachte jetzt in diesem Augenblick zum Leben.

Milo kraulte die Haare, sein Blick hing aber an Arankas schönen, von einem kurzen Rock umsäumten Beinen und sie genoss diesen Augenblick wie keinen seit ihrem Wegzug nach Pressburg.

Sie hatte Liebeleien in der Zwischenzeit, hatte ein paar Freunde, wie es eben schon immer war, wenn mitten in der Pubertät steckende junge Menschen das andere Geschlecht entdecken. Doch all das hatte nicht viel bedeutet, war nur angenehm für Seele und Körper gewesen, denn wie alle jungen Frauen hatte sich Aranka nach Zuneigung und Sexualität gesehnt. Das aber verging so schnell, wie es auch gekommen war, hatte nach den Affären keinerlei Bedeutung mehr gehabt für sie.

An manchen Tagen hatte sie an Milo gedacht, was er wohl gerade machen würde, ob er eine Freundin hätte, die Milo helfen konnte, sie zu vergessen. Aranka war nie von Milo weggekommen. Er hatte sie vor Jahren in den Bann gezogen mit seinem außergewöhnlichen Wesen, das sie so in ihrem Leben noch an keinem anderen Menschen gespürt hatte. Obwohl Milo nicht sprach, fühlte sie sich zu ihm hingezogen. Vielleicht gerade weil er nicht sprach, denn all ihre Freunde, in die sich Aranka ein klein wenig verliebt hatte, redeten zu viel des Guten und des Schlechten, machten sich wichtig, schlugen einem Silberrücken gleich ihre Fäuste gegen die breite Brust. Jeder dieser Angeber wollte ihr zeigen, wer er nicht alles war und was er nicht alles konnte. Alles Protze, laut, extrovertiert und jeden Augenblick bereit, der Umwelt mitzuteilen, dass sie Obacht geben müsse, denn nun war ja er da, der Berggorilla, der auf sein Rudel aufpassen müsse. Aranka hatte von jedem nach kurzer Zeit die Nase gestrichen voll, denn immer steckte die Erinnerung an ihren so angenehm kontemplativen und fürsorglichen Milo in ihr und belehrte sie, dass es auch andere Menschen gab, Menschen, denen es sich hinzugeben lohnte, die nicht wild um sich schlugen, sondern im Stillen ihre Ergebenheit, Freundschaft, ja gar Liebe zeigten.

Milo blickte auf Arankas Körper und ihm fiel auf, dass ihre Haut rein und glatt war, keine Spur von den früher uferlos wuchernden Pusteln. Er schob seine Hand unter ihre Bluse und strich zart über ihre Haut. Keine Anzeichen von Unebenheiten, die makellose Haut einer wunderschönen jungen Dame offenbarte sich ihm. Aranka lag mit dem Kopf auf Milos Oberschenkel, das Gesicht von ihm abgewendet. Als ob sie es ahnen würde, begann sie zu erzählen.

„Ich hatte eine schlimme Zeit in Pressburg. Viele Burschen machten mich runter wegen meiner Krankheit, es war ärger als hier im Dorf. Ich war gekränkt, hatte Depressionen und konnte mich nicht aufraffen, etwas dagegen zu tun. Eine meiner Cousinen machte mir aber Mut und gab mir die Nummer eines in der Tschechoslowakei bekannten Hautarztes."

Milo lauschte und liebkoste Aranka mit seiner Hand.

„Ich hab dann dort angerufen und mich erkundigt. Er war interessiert, wollte mir helfen, sich meine Geschichte zumindest anhören und ich bekam einen Termin. Ohne meiner Familie etwas zu sagen, bin ich dann dorthin gefahren."

Aranka unterbrach die Schilderung für einige Sekunden, denn sie erinnerte sich nicht gerne an die Zeit vor ihrer Genesung, wollte mit diesem Kapitel abschließen. Milo versuchte ihr mitzuteilen, dass sie fortfahren soll, er wollte alles über ihre Geschichte wissen.

„Ich rede nicht gerne darüber, weißt du."
Nach einigen Sekunden der Stille setzte sie dann dennoch fort.

„Er war ein komischer Kauz, ich hab aber Vertrauen gehabt. Ich musste ihm gestehen, dass ich mir eine Behandlung nicht leisten konnte, dass dies alles eh keinen Sinn machte und wollte wieder gehen. Der Arzt aber hat mir angeboten, es unentgeltlich zu machen. Ich weiß nicht, warum er das getan hat, vielleicht war er medizinisch an meinem Fall interessiert oder er wollte jemanden einfach etwas Gutes tun. Jedenfalls begann ich mit einer Injektions- therapie. Keine Ahnung, was da in meinen Körper gefahren ist, aber nach einigen Monaten merkte ich eine Besserung und von dort an war es nur mehr eine Frage von Wochen."
Aranka änderte die Stimmlage und erzählte euphorisch und schwärmend.

„Ich konnte sehen, wie all die Pusteln auf meiner Haut von Tag zu Tag kleiner wurden, wie meine Haut reiner geworden ist. Es war wie ein Wunder! Ich bin diesem Arzt unendlich dankbar, denn er hat mir meinen Lebenswillen wieder gegeben. Milo, du kannst dir nicht vorstellen, wie ich gelitten habe. Und dann kam die Erlösung! Das war der Zeitpunkt, wo ich zu verstehen begann, und ich wollte zurück zu dir."
Aranka drehte ihren Kopf und blickte mit einem zärtlichen Lächeln auf Milo, der ihr einen gedanklichen Liebesgruß schickte.

„Zum Glück hat sich dann nach Jahren auch die Familiensituation gewendet, denn wir haben nicht richtig Fuß fassen können in Pressburg. Mein Vater hat beschlossen, wieder zurück nach Österreich zu ziehen."

Aranka erhob sich und legte ihren Arm um Milos Schultern. Ihre Blicke trafen einander und beiden war klar, dass sie bereit waren für eine große Liebe, der nichts mehr im Wege stehen durfte. Sie näherte sich Milo mit geschlossenen Augen und gab ihm einen Kuss, der stürmisch erwidert wurde. Minuten der Leidenschaft, beschränkt auf einen langgezogenen Kuss, und Milo fühlte sich von allen Bürden befreit, die ihm das Leben in den letzten Jahren auferlegt hatte.

Aranka unterbrach die Innigkeit, zog Milo hoch.

„Komm, ich zeig dir was."

Sie nahm ihn an der Hand und sie begaben sich auf einen Weg in den Wald hinein, den Milo noch nie gegangen war. Er kannte den Fuchswald kaum, hatte in seiner Kindheit diesen Flecken Erde gemieden, da sich die Leute im Dorf Mythen und schlimme Gerüchte über ihn erzählten. Milo hatte die Stopptaste im Alter von zehn Jahren gedrückt, danach war keine Gelegenheit mehr, auch nur irgendetwas zu erkunden, denn er lebte im Exil seiner vier Wände. Nun aber war er offen für Neues, denn seine große Liebe war wieder in sein Leben getreten. Er wollte sich von Aranka überraschen lassen, was immer da kommen mochte.

Sie lief mit ihrem Geliebten im Schlepptau durch den Wald. Milo hieß sie alle paar Minuten eine kurze Rast einnehmen, denn er war ihr konditionell nicht gewachsen. Die sechs Jahre Zurückgezogenheit hatten tiefe Spuren in seinem Körper hinterlassen.

Es ging unentwegt in die Dichte des Waldes. Milo hatte in seiner Kindheit noch nie einen so dunklen, mystischen Wald gesehen. Äste von stämmigen Bäumen bogen sich bis zur feuchten Erde, die Baumkronen voll des dichten

Blätterdschungels verdunkelten den Waldboden. Moosberge erschwerten den beiden ein Weiterkommen, sie stapften durch den Wald, es roch nach Moder. Kein Laut eines Vogels war zu hören, nur Milos Schnaufen, denn er war nahe seinem körperlichen Ende, so sehr zog Aranka an seiner Hand und zwang ihn zum Weiterlaufen. Milo hatte keine Ahnung, was sie vorhatte, auch die höchste Konzentration auf ihre Gedanken machten ihn keinen Deut schlauer. Er musste sich auf das Abenteuer einlassen und seiner Freundin vertrauen.

Nach einer halben Stunde Kampf durch das Dickicht, Milo war am Ende seiner Kräfte, standen die beiden plötzlich an einer Lichtung. Aranka hielt an, ließ ihn zur Ruhe kommen. Die Sonne brach die Schatten der Bäume und streute ihre Lichtflecken auf die kleine Lichtung, die geschützt von allem Bösen da draußen mitten im Wald lag und auf Beachtung wartete. Am gegenüberliegenden Ende der Lichtung stand ein Haus, ruinengleich, teilweise zusammengefallen. Ziegelschuttberge türmten sich vor einer Seite des Hauses, der andere Teil schien begehbar.

„Kennst du diese Bruchbude?"
Aranka blickte Milo fragend an, der verneinte. Noch nie hatte er dieses Haus gesehen, auch nicht davon gehört.

„Als ich ein Kind war, haben meine Eltern erzählt, dass hier vor vielen Jahren ein Mörder Unterschlupf gefunden hat, als er von der Polizei verfolgt wurde. Er hat Frau und Kinder ertränkt."
Aranka deutete auf das andere Ende der Lichtung.

„Dort drüben war ein kleiner Teich, mehr ein Tümpel. Vielleicht gibt es ihn noch. Da hat er sie solange unter Wasser getaucht, bis ihre leblosen Körper auf der Oberfläche getrieben sind. Mein Vater hat gemeint, dass der Mann eine

Erscheinung gehabt hat. Er hat den Teufel gesehen oder irgendwas anderes, wovor er so große Angst gehabt hat, dass er seine Familie davor beschützen wollte und sie deshalb umgebracht hat. Aber das ist alles nur eine Geschichte, ein Gerücht. Wahrscheinlich hat der Mann in einem Gasthaus die Zeche geprellt, ist vor der Polizei geflüchtet und hat sich hier versteckt. Jedenfalls ist das Haus schon uralt, vielleicht schon dreihundert Jahre. Fast alles ist zusammengefallen, aber es gibt einen Teil, zwei Räume, da kann man rein, ohne dass einem die Decke auf den Kopf fällt. Komm!"

Aranka nahm Milo an der Hand und zog ihn Richtung Ruine. Er kam sich vor wie ein Getriebener, jemand, dem das Schicksal zeigte, was es nicht alles zu erkunden gab. Der Eingang schien gefahrlos überwindbar. Die beiden schlichen durch die Pforte und standen in einem Vorraum voller Weben. Milo glaubte, das Getrippel von Tausenden von Spinnen zu hören. Nicht, dass er Angst vor diesen nützlichen Tieren hatte, aber in der Dunkelheit schien es ihm doch ein wenig unheimlich, denn jede Bewegung endete im Kontakt mit einem kunstvoll und mühsam gesponnenen Netz, dessen Beschädigung der Eigentümer ängstlich mitansehen musste.

Aranka kannte dieses Gebäude anscheinend in- und auswendig, so behände steuerte sie durch die teilweise desolaten Räume bis hin zum hinteren Teil des Hauses. Dort angelangt hielt sie inne und ließ Milo ein wenig Zeit, sich an Situation zu gewöhnen. Er war sich in den letzten Minuten vorgekommen wie eine ‚blinde Kuh', die vor vollendete Tatsachen gestellt wurde, ohne Einfluss darauf zu haben.

Der Geruch von Erde, Feuchtigkeit und Staub lag in der Luft. Ein paar Sonnenstrahlen fielen durch die Ritzen der Mauern, durch die Spalte der Holzverschalung und ließen den Raum mystisch und besorgniserregend erscheinen. Am Ende war eine Tür zu sehen, die halbwegs intakt schien. Aranka öffnete diese und zog Milo in den nächsten Raum, der anscheinend der am besten erhaltene des Hauses war. Die Decke dicht, die vier Wände in akzeptablem Zustand, anscheinend der einzige Raum des Hauses, in dem sie sicher waren vor einstürzenden Gebälkteilen oder Dachschindeln. Spinnen hatten diesen Raum aus unerklärlichen Gründen noch nicht in Beschlag genommen, vermutlich aus Rücksicht auf Menschen, die alle Jahre mal hier reinschneiten.

„Ich war schon ein paar Mal hier, hab das Haus zufällig entdeckt. Dieser Platz hat etwas Mysteriöses an sich, etwas Geheimnisvolles. Jedes Mal packt mich der bloße Schauer, wenn ich hier stehe."

Milo versuchte, Aranka seine Bedenken zu vermitteln, seine Frage an sie, warum sie ihn hierhergebracht hat.

Sie blickte ihren Freund liebevoll an.

„Du weißt nicht, wieso ich dir dieses wundervolle Plätzchen zeige?"

Milo lächelte und verdrehte die Augen.

An einer Wand stand ein Sofa, kaum verstaubt und in gutem Zustand. Es schien, als ob dieses Möbelstück in einer Glasglocke Schutz gesucht und gefunden hatte. Der Stoffüberzug war fast wie neu. Aranka klopfte mit einer Hand auf die Polsterung, ein wenig Staub wurde aufgewirbelt, Körnchen schwebten sternengleich blinkend und glitzernd durch den Raum, da die Sonne ihren Weg durch so manchen Spalt fand.

„Komm, setzen wir uns."

Aranka drückte Milo auf das Sofa, gab ihm einen Kuss und nahm neben ihm Platz. Er fand den Ort dem Anlass genehm.

Eine Wiedervereinigung nach sechs Jahren Trennung von seiner geliebten Freundin, die er so sehr vermisst hatte, dass er sich in die vollkommene Abgeschiedenheit zurückgezogen und asketisch gelebt hatte, schrie geradezu nach Pathos. Dieses halbverfallene Haus mit dem einzigen Wohnraum, in dem ein nicht allzu verstaubtes Sofa stand, auf dem man ohne schlechtes Gefühl Platz nehmen konnte, auf das man sich gar zur Rast legen konnte, war der Situation angebracht und hauchte dem Augenblick eine Prise Ehrfurcht ein. Jene Ehrfurcht, die beide Liebenden vor dem Leben hatten, vor ihrem Leben und der ungeheuerlichen Tatsache, sich wieder in den Armen halten zu dürfen.

Milo sah Aranka im Halbdunkel, sah ihre zierliche Gestalt auf dem Sofa sitzend und war von ihr so angetan, dass es ihm eine Träne der Zuneigung aus dem Auge drückte. Liebe, ein hehres Wort, aber was war das schon. Milo hatte schon vor vielen Jahren eine starke Bindung zu Aranka verspürt, konnte es damals jedoch noch nicht deuten, nicht dechiffrieren. Jetzt aber, da sie neben ihm saß und seine Hand hielt, wie noch nie jemand seine Hand gehalten hatte, jetzt spürte er, was wahre und unendliche Liebe mit Menschen machte. Er strich mit der Hand über Arankas Haar, sandte ihr seine Gedanken und empfand einen Lustschwall, dem er sich nicht entziehen konnte. Langsam näherten sich die beiden Köpfe, bis einander ihre Lippen berührten. Sie spürte, dass ihr Liebster keinerlei Erfahrung hatte mit zärtlichen Spielchen und wollte ihn einführen in die Welt der Erotik. Aranka ergriff Milos T-Shirt, strich es über seinen Kopf und drückte ihn auf das Sofa. Er lag nun da vor ihr und flehte um Leidenschaft. Sie zog ihre Bluse aus, ihre wohlgeformten Brüste glitzerten durch den aufgewirbelten

Staub in den Sonnenstrahlen, die gitterförmig auf den Körper fielen. Milo konnte seinen Blick nicht ablassen, nahm Aranka an der Taille und zog sie zu sich runter. Ihre Zunge suchte ihresgleichen, sie küssten einander zärtlich.

„Ich bin so wild auf deinen Körper", flüsterte Aranka lasziv in Milos Ohr.

Geschickt entledigte sie ihn all seiner Kleidung und stand nach wenigen Sekunden selbst nackt vor dem Sofa. Milo wähnte sich im Himmel. Seine Blicke wanderten über Arankas Körper, von Kopf bis Fuß, stets ihre Scham streifend. Er spürte seinen rasenden Puls und die immer höher werdende Atemfrequenz. Das Verlangen der beiden steigerte sich von Sekunde zu Sekunde. Aranka beugte sich über Milo und begann mit seinem Körper zu spielen. Geschickt wusste sie die Lust in ihrem Freund bis zur Ekstase zu steigern. Sie setzte sich auf Milo, ließ das erigierte Glied in sie eindringen und es dauerte keine zehn Sekunden, bis beide gemeinsam in der Vollkommenheit des Höhepunktes endeten. Die durch Spalte und Ritzen der Mauern und des Gebälks blinzelnden Sonnenstrahlen und aufgewirbelte Staubkörnchen gaben dem Augenblick noch einen Hauch von ekstatischer Erotik, die nach Arankas Aufschrei jäh in Stille übergingen.

Die beiden nackten Körper lagen wie leblos aufeinander, Schweißperlen glänzten im Licht, es war schwül und heiß. Milo wusste nicht, wie ihm geschehen war. Er umarmte Aranka, bedankte sich dafür, dass sie ihm das Tor zur körperlichen Leidenschaft geöffnet hatte. Sie lag da und war glücklich, so glücklich wie noch nie zuvor nach einem Liebesakt, denn was früher gewesen war, hatte keine Bedeutung und war nicht vergleichbar mit den Gefühlen, die sie jetzt empfand. Sie wusste nun, wonach sie sich die letzten Jahre stets gesehnt hatte, wusste, dass sie am Ziel angelangt war. Ergeben in der Ruhe nach dem Sturm genossen Aranka und Milo die Zweisamkeit abgeschieden von der Welt und beide wünschten sich die Unendlichkeit des Augenblicks.

Aranka streichelte Milos Wange.

„Weißt du, dass ich dich liebe, wie ich noch nie jemanden geliebt habe?"

Ihre rhetorische Frage blieb unbeantwortet, aber sie kannte Milos Antwort, denn Schwingungen hatten ihr in dem Augenblick, da Milo in der Türschwelle vor ihr gestanden war, spüren lassen, dass dies der Anfang der größten Liebe sein musste, die die Welt je gesehen hatte.

Die beiden lagen noch lang nebeneinander wie schnurrende Katzen den Augenblick genießend. Sie lauschten den Geräuschen des Waldes und jenen ihrer Körper, bis sie sich nach Stunden daran machten, sich anzukleiden und händehaltend den Wald zu verlassen. Das alte Haus war der perfekte Ort, um die Wiedervereinigung zu zelebrieren, dachte Milo und Aranka stimmte ihm zu.

Er brachte seine Geliebte zur Tür ihres Häuschens und verabschiedete sich mit einem Kuss. Sie schworen einander, sich jeden Tag zu sehen, komme, was da wolle.

Auf dem langen Weg nach Hause musste Milo an all die einsamen Jahre denken, die heute ein Ende gefunden hatten. Es war, wie es sein hatte müssen, denn alles hatte Sinn und Bedeutung. Wie vieles im Leben waren auch Zeiten der Enthaltsamkeit und Zurückgezogenheit belehrend. Schluss-endlich zählte nur der Augenblick, Vergangenes und Zukünftiges erschienen vollkommen unwichtig. Milo war glücklich wie nie zuvor und schien über die Straßen zu schweben, als er die Straßen entlang ging.

Er fühlte sich wie ein Tier, dass in den Momenten lebte und sich nicht um das scherte, was früher war oder noch kommen mochte. Zerbrochenen Eiern trauerte man nicht nach und an ungelegte dachte man nicht.

Eszter erwartete bereits ihren Sohn. Sie war die letzten Stunden oft zum Fenster gelaufen, um Milo heimkommen zu sehen. Schwer ertragbar war für sie der Tag gewesen, denn sie hatte sich Sorgen gemacht um ihn. Nach sechs Jahren der Zurückgezogenheit ein jäher Ausbruch in eine für ihn kaum mehr bekannte Welt, das musste für Milo eine Zäsur gewesen sein, bangte Eszter um ihren Sohn.

Als sie ihn in die Arme nehmen durfte, kamen ihr die Tränen vor Freude, denn er strahlte wie die Sonne an diesem Tag. Milos Zustand hatte sich schlagartig geändert, er mutierte von einem verbarrikadierten Autisten zum fröhlichen Jugendlichen, der die Welt umarmen wollte. Eszter hatte so auf diesen Moment gehofft all die Jahre, doch im Laufe der Zeit schwand diese Hoffnung bis zu dem kleinen Häufchen, das an diesem Tagesmorgen noch übriggeblieben war.

„Milo, wie geht es dir? Hast du Aranka getroffen?"
Eszter bohrte, wie eine Mutter es gerne tat. Und Milo verweigerte die Aussage, wie es ein Sechzehnjähriger eben auch tat, wobei der Begriff ‚Aussage verweigern' so gar nicht angebracht war, denn das hatte Milo schon all die Zeit seit der Flucht seines Vaters gemacht, was schließlich schon zehn Jahre zurücklag. Milo hatte keine Lust, seiner Mutter den Tag zu erklären. Es ging sie nichts an, und sie würde es auch nicht verstehen. Was er ihr aber vermitteln wollte, war der

Wunsch nach einem ausgiebigen Abendessen, denn sein Magen knurrte wie ein Kettenhund.

Eszter war glücklich, endlich die Aufgaben erfüllen zu dürfen, die einem verdammt normalen Mutterleben zustanden.

Unwohlwollen

Der heiße Frühling ging über in den milden Sommer. Der Regen bestimmte die Wochen in der Jahresmitte, die Bauern des Dorfes beklagten das zu feuchte Wetter. All das ging spurlos vorüber an der großen Liebe zwischen Aranka und Milo. Die Menschen im Dorf tuschelten hinter vorgehaltener Hand, was da wohl abginge. Sie hatten Milo natürlich gesehen, wie er jeden Tag durch die Straßen zog, immer dieselben Wege einschlagend, um schließlich im Fuchswald zu verschwinden. Milo war groß im Gerede. Man munkelte, dass er Drogen nahm oder in großen Mengen Alkohol trank, um sich genug Mut anzutrinken, seine eigenen vier Wände zu verlassen.

Eszter wurde es von Tag zu Tag peinlicher, aus dem Haus zu gehen. Wenigstens hatte sie keine Verpflichtung mehr, in der Bücherei zu erscheinen, doch notgedrungen musste sie für Essbares sorgen, und da waren Einkäufe im Lebensmittelladen unumgänglich. Sie konnte förmlich Blicke in ihrem Nacken spüren, wie sie vom Hinterhaupt entlang der Falte nach unten krochen, sich einen Weg zwischen Bluse und Haut suchten, um dann endlich in ihrem Herzen das zu finden, was die Leute erhaschen wollten: Gram, Angst und das schlechte Gewissen.

Eszter ging es jetzt gar schlechter als in der Zeit, wo sich ihr Sohn sechs Jahre lang im Haus verbarrikadierte. Damals verbreiteten die Leute Gerüchte über Milo, dass er krank wäre oder einfach nur sonderbar. Jetzt aber machten Geschichten die Runde, dass er ein Verhältnis hatte mit einer Zigeunerin, die er schon aus Volksschulzeiten kannte, dass die beiden Unzüchtiges trieben und die Dorfältesten bezichtigten die beiden der Sünde. All das hatte Eszter nicht verdient, denn viele Jahre hatte sie uneigennützig ihres Sohnes willen im Haus verbracht, ihn versorgt, ihm jeden Wunsch von den Augen abgelesen. Und nun das!

Sie verstand nicht, wie die Leute im Dorf auf solch unsinniges Zeug kamen. Ja, Milo und Aranka hatten einander sehr gern, schon seit der Schulzeit. Sie liebten einander. Was aber war das Besondere daran?

Milo bekam von all dem nichts mit. Bis zu ihm drangen die Gerüchte nicht vor, denn die Verbreiter taten alles daran, fast jedem im Dorf zu erzählen, was sie von der Geschichte hielten, aber tunlichst nicht jenen beiden, um die es ging. Indes wuchs die Liebe zwischen Aranka und Milo von Tag zu Tag. Sie hatten alle Zeit der Welt füreinander. Milo ging nicht zur Schule und hatte auch keine Arbeitsstelle. Aranka wurde von Eltern und Brüdern zwar gedrängt, endlich was für das Wohl der Familie zu verdienen, aber das perlte an ihr ab wie Regentropfen an versiegelten Dachschindeln. Nichts sollte ihre Zuneigung zueinander trüben. Woher nahmen sich die Menschen um sie herum das Recht, über ihr beider Leben zu bestimmen? Die sollten zuerst vor der eigenen Türe kehren, es gab genug Dreck wegzuwischen.

„Hast du gehört, was die Leute über uns reden?"

Aranka gab ihrem Geliebten einen Kuss und wusste, dass er es weiß. Ihm hatte zwar niemand etwas zugetragen, auch nicht seine Mutter, doch Milo hatte Begabungen. Was immer im Dorf über ihn gemunkelt und getratscht wurde, Milo bekam es mit.

„Mir ist das egal."

Aranka tat das Gerede als belangloses Zeug ab, wusste aber, was für Auswirkungen es für sie haben könnte, denn kaum von ihrer Familie aufgeschnappt, käme die Strafe Gottes über sie. Ihre Eltern duldeten kein Verhältnis mit jemandem außerhalb ihres ‚Stammes', geschweige denn ihre Brüder. Sie hatten in Pressburg die Gunst der Stunde am Schopf packen und Aranka mit einem ihrer Cousins verkuppeln wollen. Selbst vor Inzest schreckten sie nicht zurück, solange das Blut verschiedener Völker nicht gemischt wurde. Aranka hatte Glück gehabt, denn die Umstände hatten die Sarközis wieder nach Österreich geführt.

„Ich habe mich im Laufe der letzten Jahre sehr verändert, ich meine im Kopf. Körperlich natürlich auch, schon alleine dadurch, dass ich meine scheiß Pusteln losgeworden bin, die ich schon so sehr gehasst hab. Nein, ich meine, ich habe meinen eigenen Kopf und lasse mir von meiner Familie nichts mehr dreinreden."

Aranka blickte traurig zu Boden, packte dann Milo an der Hand und ging mit ihm im Schlepptau weiter in den Wald hinein. Sie wollten wieder zu ihrem Liebesdomizil, das ihnen schon sehr ans Herz gewachsen war.

Milo genoss die Zweisamkeit mit Aranka. Er war noch nie so glücklich gewesen, nicht einmal damals, als er sich vor zehn Jahren das erste Mal in Vaters neues Auto gesetzt hatte und einen rücksichtslosen Fahrer mimte. Die Liebe zu Aranka öffnete ihm so viele wunderschöne Wege in sein neues Leben, die es alle zu erforschen galt. Er wunderte sich, wie er die letzten Jahre ohne seine Geliebte überleben konnte, doch hatte auch sogleich eine Erklärung parat: In Untiefen der menschlichen Traurigkeit gefallen, suchte er nach einem Überlebensweg, den er nur in der Askese finden konnte. Und wenn Aranka nie mehr aufgetaucht wäre, er hätte bis zu seinem Tode an jedem Tag ein Buch gelesen und wäre nie mehr ans Tageslicht gekommen.

Die beiden kamen an ihr zerfallenes Häuschen und machten sich auf dem Sofa breit. Die Abdrücke des vortägigen Liebesaktes waren noch zu sehen, wurden aber alsbald von neuen abgelöst. Dies war die Ära einer großen Liebe, doch auch Ären hatten Ablaufdaten, Milo und Aranka verschwendeten nur keinen Gedanken daran, dass ihre Liebe einmal ein Ende finden könnte. Und so nahm die Leidenschaft ungebrochen ihren Lauf und gab der Erotik einen Tag mehr, zwei Menschen zu beglücken.

Milo fuhr am Abend mit dem Rad nach Hause und kam dabei am Fußballplatz vorbei. Ein paar bekannte Gesichter gaben sich dem runden Leder hin und knallten einen Schuss nach dem anderen ins Netz. Milo blieb kurz stehen und sah den Burschen zu. Früher hatte auch er gespielt, hatte auch er Freunde, die ihn mochten. Diese Zeit war vorbei, denn es interessierte ihn nicht, mit seinesgleichen um die Häuser zu ziehen. Milo war anders, gelinde ausgedrückt. Er konnte sich gar nicht mehr als einem Menschen widmen, er vermochte nicht, seine Zuneigung unter Freunden zu verteilen, denn in autistischer Manier hatte er begrenzte Liebe zur Verfügung, die gerade für einen Menschen reichte. Aranka verdiente all diese Liebe, denn ihr gehörte sein Leben schon seit zehn Jahren, seit ihrer ersten Zusammenkunft.

Die Burschen erkannten den Beobachter auf dem Fahrrad.

„Hej, Milo, schau nicht so blöd!", rief einer, den Milo von der Volksschule kannte.

„Verzupf dich, wir können so einen nicht brauchen. Behinderte und Arschlöcher dürfen nicht mitkicken!"

Milo schwang sich aufs Rad und fuhr weiter. Genauso hatte er die Rückkehr in das Dorfleben befürchtet. War er früher nicht einer von ihnen gewesen? Hatten sie ihn damals in der Schule nicht alle so akzeptiert und wertgeschätzt, wie er war? Was war nun anders?

Es war schlicht das bekannte Verhalten von Rudeltieren. Ehemalige Mitglieder wurden nicht mehr aufgenommen, da sie schon zu lange abwesend waren und einen rudelfremden Geruch angenommen hatten. Dazu kam noch, dass eine nun Rudelfremde als Partnerin auserkoren war, was gar nicht Gefallen fand. Milo wusste Bescheid, er kannte die Gedanken der Burschen und die Gründe ihrer Abneigung. Er musste es akzeptieren, denn auf Konfrontation wollte und durfte sich Milo nicht einlassen. Es würde auf eine gebrochene Nase und blaue Flecken hinauslaufen. Erschwerend kam hinzu, dass Milo nicht sprach, was den Leuten im Dorf Furcht einflößte. Nicht sprechen und im Kopf matschig, das mochten sie ja noch akzeptieren, aber nicht sprechen, intellektuelle Gefahr seiend und eine Liebschaft mit einer Zigeunerin? Das überstieg den gesellschaftlichen und ethischen Horizont der Bürger.

Daheim angekommen, erwartete ihn seine Mutter wie üblich mit dem Abendessen. Er wusste ihre Fürsorge zu schätzen, nahm es wohlwollend hin, doch spürte er keine Dankbarkeit oder gar Zuneigung zu Eszter. Es war, wie man im Dorf oft sagte, ihre verdammte Pflicht.

Milo ging zu Bett und hatte einige Stunden vor dem Einschlafen über sein Leben nachzudenken.

Vertreibung aus dem Paradies

Sechs Monate schon waren Milo und Aranka wieder ein Herz und eine Seele. Sie genossen ihre Gemeinsamkeit in vollen Zügen, hatte sich jeden Tag getroffen und keiner der beiden konnte sich ein Leben ohne den anderen vorstellen. Auch die Dorfbewohner hatten sich an ihren Anblick gewöhnt. Es kam niemandem mehr befremdlich vor, wurde das Liebespaar Hand in Hand die Straßen entlanggehend beobachtet. Die beiden gehörten zum Straßenbild wie Verkehrszeichen und Gehsteige.

Der Herbst hatte Einzug gehalten, es wurde merklich kühler. Das tat jedoch Arankas und Milos Abstecher in ‚ihr‘ Haus keinen Abbruch. Wie immer begaben sich die beiden auch an diesem Tag zu ihrem Sofa und setzten sich um ihrer Liebe zu frönen.

Doch an diesem Tag war es anders. Milo bemerkte Arankas Zurückhaltung. Seine Liebesbezeugungen fanden nicht wie üblich sofortige Übereinstimmung, denn Aranka zögerte. Milo fragte in der ihm eigenen Art, was sie denn hätte, sie käme ihm heute anders als sonst vor. Er konnte ihre Gestik und ihr Verhalten nicht deuten, vermochte auch nicht ihre Gedanken zu entziffern.

Aranka entzog sich Milos Umarmung, setzte sich aufrecht und unüblich sittsam neben ihn, so als ob sie Gedanken sammeln wollte, um diese nach Erreichung einer satten Anzahl loszuwerden. In Milo kam eine unbekannte Angst auf, Angst vor der Offenbarung, dass Aranka nicht mehr länger mit ihm zusammen sein wollte, Angst vor dem Bruch ihrer Liebe, was ihn in den Tod treiben würde. Doch Aranka begann zu lächeln, wie es nur eine Liebende vermochte. Zwar rang sie nach Worten, aber Milo wusste, dass alles gut war. Nach Sekunden, die sich wie Stunden anfühlten, begann sie sich zu öffnen.

„Milo, mein geliebter Milo. Du bist verwirrt, ich sehe das. Ich muss dir etwas beichten, suche aber noch nach den richtigen Worten."

Milos sorgenvolles Gesicht machten Aranka Mut, nun endlich reinen Tisch zu machen.

„Es muss raus: Ich bin schwanger!"

Arankas Blick blieb unverändert ernst. Milo tat, als ob er nicht verstanden hatte.

„Milo, ich bin schwanger, hörst du? Ich hab schon seit acht Wochen meine Tage nicht bekommen, und da bin zum Arzt. Der hat mir bestätigt, dass in mir ein Kind heranwachsen wird."

Langsam kam Milo ein Lächeln ins Gesicht, mehr ein Grinsen, dass einen erfasst, wenn Unglaubliches vernommen wird, etwas, dass man nie erwartet hätte.

„Und ja, es ist von dir, was für eine Frage."

Milo verzog das Gesicht und teilte Aranka mit, dass er keine Zweifel hatte.

„Tut mir leid, ich dachte nur, du…"

Milo umarmte die Mutter seines Kindes und gab ihr einen Kuss. Sie wusste, dass seine Freude ehrlich und aufrichtig war. Nie hatte er einen Gedanken daran geheftet, irgendwann mal Vater werden zu können. Das hatte nicht in sein Weltbild gepasst. Doch jetzt, nach Arankas Beichte, war ihm plötzlich warm ums Herz geworden.

„Ich weiß nur nicht, ob…", Aranka verstummte.

„Ich weiß nicht, ob es gut wäre, das Kind zu behalten."

Milo fuhr entsetzt zurück. Natürlich wollte er das Kind, keine Frage. Was brachte Aranka nur auf den Gedanken einer Abtreibung? Er würde schon schauen auf sein Kleines, er hätte ja genug Zeit und Liebe.

„Milo, lass mich ausreden. Du weißt nicht, in welchen Verhältnissen ich lebe. Ich muss es meiner Familie sagen. Und du kannst mir glauben, das wird fast der schwierigste Schritt sein, den ich je machen musste. Du kennst meine Eltern und meine Brüder nicht. Für sie wird die Welt einstürzen. Wir sind Zigeuner."

Milo vermittelte Aranka, dass er sie in allem nach Leibes- und Seelenkräften unterstützen werde.

„Ich weiß das, Milo. Aber es geht da nicht um dich und was du denkst. Es geht um mein Leben in meiner Familie."

Milo nahm Arankas Hand und drückte sie zärtlich. Er versuchte ihr mitzuteilen, dass sie gar nicht wisse, wie stark er sein konnte. Und doch vernahm er plötzlich Zweifel. All seine Gewohnheiten, die er sich in den letzten Monaten liebevoll aneignen konnte, würden gestürzt werden. Sein Leben käme aus den Fugen. Aber war es nicht immer so, wenn Liebende Kinder bekamen? Erfuhr ihr Leben durch dieses einschneidende Ereignis nicht immer eine Zäsur und einen Umsturz, ja eine Revolution? Würde er darauf vorbereitet sein und mit allen Kräften Aranka unterstützen können, um ein guter Vater zu werden?

„Du würdest ein guter Vater sein, hab darüber keine Zweifel. Es geht aber um mich und mein Eingebettetsein in die Familie. Ich müsste mit allen und jedem brechen. Meine Eltern und Brüder würden es nie übers Herz bringen, dich den Vater meines Kindes zu nennen. Du kennst meine Familie nicht!"

Der letzte Satz brach nur so aus Aranka heraus, denn sie wollte Milo warnen. Sie befürchtete Schlimmes.

Das Liebespaar verbrachte noch eine Weile im halbverfallenen Haus, sie tauschten Gedanken, Hoffnungen und Befürchtungen aus. Die beiden Leben hatten sich von einem Augenblick auf den anderen schlagartig geändert, mit den Konsequenzen mussten sie nun klarkommen. Meist war es eine frohe Botschaft, die Nachricht schwanger zu sein. Jene Paare, die sehnlichst Kinderwünsche hegten und dann erfuhren, dass die Frau schwanger war, wurden auf Wolke sieben gehoben. Dennoch hatte es viele Fälle im Dorf gegeben, wo die Nachricht übles heraufbeschwor, wo es um Existenzen, Liebschaften und Karrieren ging. Nicht selten hatte das Umfeld so starken Einfluss genommen, dass es um Leben und Tod gegangen war, dass Menschen sich in den Suizid flüchteten, um Unbill zu entfliehen.

Milo und Aranka verließen ihr Liebesnest und begaben sich auf den Heimweg. Aranka sprach kaum ein Wort, was bei ihr ein Zeichen von Unsicherheit war. Und unsicher würde nun auch ihre Zukunft sein. Viele Fragen mussten beantwortet, viele Probleme gelöst werden. Es lag nun an den beiden, einen Weg mit den gegebenen Tatsachen zu finden, um ihrem Kind die Möglichkeit eines wert- und sinnvollen Lebens zu bereiten.

Als Milo nach Hause kam, merkte Eszter sofort, dass etwas vorgefallen war. Milo verhielt sich anders, er mied den Kontakt zu seiner Mutter, eilte unmittelbar nach seiner Ankunft in sein Zimmer. Eszter wurde in die Zeit vor Arankas Rückkehr versetzt, in die Zeit von Milos Exil in den eigenen vier Wänden. Sie würde solch eine Lebensphase nicht noch einmal durchstehen, diese Kraft würde sie nicht aufbringen können, zu sehr hatte ihr das Leben diese schon entzogen. Schweigend ging in Eszters Haus der Tag zu Ende, ohne ein von einer Mutter ausgesprochenes Wort, ohne einen von einem Sohn ausgesprochenen Gedanken.

Auf der anderen Seite des Dorfes, hinter dem Fuchswald, spielten sich Szenen der Gegensätzlichkeit ab. Worte, Sätze, Flüche machten lauthals die Runde. Aranka hatte ihrer Familie die Schwangerschaft gebeichtet. Ohne zu sagen, wer denn der Vater ihres Kindes war, wurde ihren Eltern und Brüdern auf die Sekunde klar, dass diese Schwangerschaft unakzeptabel sei für die Familie. Der Vater war schon von Anfang an gegen die Liebschaft mit Milo gewesen, hatte es seiner Tochter viele Male gesagt, ihr gar gedroht. Aranka hatte auf all das gepfiffen, denn sie wollte über ihr Leben selbst bestimmen, ohne jegliche Einflussnahme der Familie. Zu viele Repressalien waren bis zum Tage der Rückkehr ins Dorf vorgefallen. Sie hatte es satt, Teil einer Zigeunerfamilie zu sein, voll von Familiendünkel und Ehrerweisungen. Aranka sehnte sich nach ruhender Geborgenheit, ohne ständig unter Beobachtung durch ihre Brüder zu stehen. Manchmal hatte sie sogar ihr Leben mit dem Milos gedanklich tauschen wollen, nur für ein paar Tage, nur um zu sehen und zu spüren, wie es denn wäre, den Tag ohne großes Aufsehen, Gerede und Streit zu verbringen. Nicht dass Aranka sich nach einem wortlosen Leben sehnte, aber ein geringes Maß an Stille schien ihr erstrebenswert.

Nun aber stand sie da mit Tränen in den Augen, musste Fluchtiraden über sich ergehen lassen. Sogar ihre Mutter, die Aranka sonst immer verteidigt hatte, stimmte ein in den Reigen der männlichen Familienmitglieder und drangsalierte sie auf eine Art, die Aranka maßlos übertrieben schien. Ja, es war passiert, sie war schwanger. Aber in ihren Augen gab es Schlimmeres. Sie und Milo würden das Kind schon schaukeln, im wahrsten Sinn des Wortes. Sie hätte sich Mitgefühl, Verständnis und vielleicht sogar Freude auf das Kind erwartet. So aber stand sie da, umzingelt von Menschen, die es nicht wert waren, als ihre Familie bezeichnet zu werden. Sie kam sich nutzlos und als der letzte Dreck vor.

Der Vater schalt lauthals umher, als ob es kein Morgen gäbe.

„Ich hab ja mitbekommen, dass du mit diesem Idioten jeden Tag in den Wald gegangen bist."

Aranka wollte ihren Vater unterbrechen.

„Sag bitte nicht Idiot zu Milo! Du kennst ihn gar nicht."

Er wütete unterdes weiter.

„Halt deinen Mund! Hier im Haus geschieht, was ich bestimme! Hast du gehört?"

Stille. Aranka blickte zu Boden.

„Ob du gehört hast, will ich wissen!"

„Ja, schon gut", flüsterte Aranka kleinlaut.

Die beiden Brüder hatten sich in der Zwischenzeit hinter ihrem Vater aufgestellt und standen da wie Leibwächter, die in jeder Sekunde einen Zugriff erwarteten. Arankas Mutter saß am Küchentisch, beide Hände das Gesicht verdeckend.

„Das Kind muss weg! Du musst abtreiben!", forderte der Vater.

Aranka schreckte hoch und wollte entgegnen, doch einer ihrer Brüder schrie aus dem Hinterhalt.

„Vater hat recht, das Kind muss weg! Oder ich tu Milo was an!"

Aranka trieb es Tränen in die Augen, sie musste sich setzen. Wie konnte ihre Familie nur so unbarmherzig sein.

Der Vater hatte die weiteren Schritte schon beschlossen.

„Deine Mutter wird ins Krankenhaus fahren und alles in die Wege leiten. Ich dulde es nicht, dass dieser, dieser Irrsinnige, bleichhäutige Idiot unsere Familie untergräbt. Das ist eine Schande."

Aranka erhob sich und flüchtete in das Zimmer, wo sie und ihre Brüder schliefen. Sie ließ sich auf ihr Bett fallen und weinte sich in einen Albtraum.

Am nächsten Tag aufgewacht lag Aranka noch eine Stunde lang im Bett und versuchte, eine Lösung zu finden für ihre verbohrte Situation. Sie konnte es nicht fassen, dass ihr Eltern und Brüder Prügel, nein, Baumstämme vor die Füße warfen und sich gegen ihr Glück stellten. Sollte das ‚Familie' sein? Sie hatte sich ihr Leben nach der Rückkehr aus Pressburg anders vorgestellt, erfüllender und lieblicher.

Obwohl Aranka schon lang wach im Bett lag, war es erst sechs Uhr morgens. Sie musste zu Milo, mit ihm alles besprechen und die Weichen stellen für eine gemeinsame Zukunft. Aranka wollte das Kind zur Welt bringen und mit Milo gemeinsam für es sorgen. Sie freute sich darauf und hatte vor, eine gute Mutter zu sein. Aranka war gerade jetzt in dieser vermaledeiten Situation ihrem Alter weit voraus. Die der Lage angebrachte Ernsthaftigkeit und Vernunft brachte sie in die Gänge, sie stand auf und zog sich an, all das ohne ein Geräusch von sich zu geben, denn was sie tunlichst vermeiden musste, war, ihre Brüder aufzuwecken. Aranka verließ an diesem Tag um sechs Uhr vierzehn das Haus und machte sich auf den Weg zu ihrem Geliebten. Ab diesem Tag sollte sich ihr Leben zum Guten wenden, nahm sie sich vor.

Nach einer Dreiviertelstunde des Fußmarschs kam Aranka bei Milos Haus an. Sie ging zur Stelle, wo über ihr das Fenster von Milos Zimmer lag, nahm ein paar Steinchen in die Hand und begann, diese ans Fenster zu werfen. Nach dem dritten Wurf öffnete sich diese und Milo lugte fragend heraus. Aranka versuchte leise, aber dennoch verständlich zu sein.

„Milo, komm runter. Ich möchte mit dir reden. Am besten ist, wir besprechen alles auf dem Sofa."

Milo verstand die Botschaft. Er zog sich in Windeseile an und stand nach einer Minute vor dem Haus. Aranka nahm ihn an der Hand und sie liefen auf schnellstem Wege zu ihrem Refugium.

Leise öffnete Milo die Eingangstür, wie immer mussten sie beim Begehen der Räume darauf achten, nicht durch die teilweise morschen Bretter der Böden in den Keller zu fallen. Es war der übliche Spießrutenlauf, mittlerweile wussten sie aber beinah blind, wo sie ihre Tritte zu setzen hatten. Am Sofa angelangt ließen sich die beiden in die Polsterung fallen und atmeten auf. Aranka beugte sich zu Milo und küsste ihn innig.

„Ich liebe dich, mein Schatz. Liebst du mich auch?"

Milo nickte und antwortete in Gedanken.

„Ich weiß. Unsere Liebe ist gegenseitig, und ich weiß, dass du mich aufrichtig liebst. Und deinetwegen hab ich den Entschluss gefasst, von zu Hause auszubrechen und mit dir abzuhauen. Irgendwohin, wo uns kein Mensch finden kann und wir in Sicherheit unser Kind zur Welt bringen können."

Milo lächelte, umarmte seine Geliebte und teilte ihr mit, dass er mit ihrem Plan einverstanden war.

Ein Knacken war zu hören, das aus dem allseits vorherrschenden Vogelgezwitscher auffällig heraussprang. Milo und Aranka schreckten hoch, widmeten ihre Aufmerksamkeit nach ein paar Sekunden aber wieder einander.

„Ich könnte für den Anfang zu dir ziehen. Euer Haus ist groß genug. Für mich wäre das Luxus, verglichen mit unserer Hütte. Gar nicht davon zu reden, dass ich mit meinen Macho-Brüdern das Zimmer teilen muss. Ich ekle mich geradezu vor ihnen."

Milo verstand Aranka und konnte sich mit dem Gedanken anfreunden, mit seiner Geliebten unter einem Dach zu leben. Seine Mutter hätte nichts dagegen, wusste er.

Aranka glaubte, plötzlich Stimmen zu hören und flüsterte Milo ins Ohr.

„Hast du das gehört? Ich glaub, da draußen ist wer."

Milo hob den Kopf, um sich auf verdächtige Geräusche konzentrieren zu können. Was er jedoch vernahm, waren keine Geräusche, sondern Wellen von Gedanken. Üblicherweise konnte er solche nur aus geringer Entfernung vernehmen, folglich musste jemand in der Nähe sein. Er erhob sich und ging zur Tür. Kein Laut war zu hören. Milo teilte seine Vermutung Aranka mit, die sich an seine Seite stellte, seine Hand hielt und flüsterte.

„Glaubst du wirklich, dass da jemand vor dem Hause ist?"

Milo nickte.

Wieder ein Knacken von Ästen, dann leise Schritte, scheinbar schon im Haus.

„Milo, ich hab Angst. Wer mag das wohl sein?"

Aranka begann zu zittern. Milo versuchte sie zu beruhigen, da öffnete sich langsam die Tür. Die beiden standen im unsichtbaren Winkel und versuchten, sich hinter der Tür zu verschanzen. Milo ergriff einen Ast, der glücklicherweise am Boden lag. Er war bereit, Aranka mit Leibeskräften zu verteidigen. Sie konnten eine Hand sehen, die die Tür umgriff, um sie hinter sich zuzumachen. Im Halbschatten standen zwei Gestalten, Milo und Aranka konnten nicht erkennen, wer ihnen nachstellte. Mucksmäuschenstill verharrten die beiden hinter der Tür in der Hoffnung, nicht entdeckt zu werden. Milo hob den Ast langsam an, bereit zuzuschlagen, doch plötzlich, wie aus dem Nichts fuhr ein Arm von einer der beiden Gestalten an den Ast, hielt ihn fest. Milo hatte keine Kraft mehr und ließ los. Die Gestalten wendeten sich den beiden zu. Aranka erkannte, dass es ihre beiden Brüder waren, die ihr hinterherspionierten.

„Habt ihr uns einen Schreck eingejagt, seid ihr verrückt?" Erleichtert trat Aranka aus dem Türwinkel hervor, Milo hinter ihr.

„Da ist euer Versteck also. Gemütlich, gemütlich, muss man wohl sagen."
Einer der Brüder machte sich lustig über das Liebesgemach, das Aranka und Milo so zu Herzen gewachsen war. Aranka versuchte die Fassung wiederzufinden.

„Was soll das? Wieso spioniert ihr mir nach?"
Der andere Bruder ergriff das Wort.

„Aranka, wir spionieren dir nicht nach. Wir sorgen für Recht und Ordnung. Du weißt, was unser Vater gesagt hat. Mit diesem Idioten…", er deutete auf Milo, „machst du heute, jetzt sofort Schluss. Hast du verstanden?"

„Ihr habt kein Recht, über mich so zu urteilen", verteidigte sich Aranka.

„Ich bin alt genug, um über mich selbst bestimmen zu können. Und ob ich mein Kind behalte oder nicht, ist allein meine Entscheidung."

Arankas Brüder waren nicht gewillt, ihrer Schwester den freien Willen zuzuschreiben, denn sie war Teil der Familie und noch minderjährig. Und mit dem Verrückten an ihrer Seite herumzulaufen, schlug dem Fass den Boden aus.

„Meine liebe Schwester", erwiderte einer der beiden, „du hast absolut gar nichts zu sagen. Wenn du ein Mitglied unserer Familie bleiben willst, verabschiedest du dich von dem Idioten und gehst mit uns mit. Wir kümmern uns dann um alle notwendigen Schritte, um den Bastard in deinem Bauch den Garaus zu machen."

Milo wollte seine Freundin verteidigen und fuhr Arankas Bruder an die Gurgel, doch seine Attacke wurde rasch im Keim erstickt. Sein Körper konnte nicht mithalten mit den kräftigen jungen Männern, die voll im Saft standen. Milos Arm wurde nach unten gedrückt, er schrie innerlich vor Schmerzen auf und ging in die Knie. Aranka wusste, dass sie keine Chance hatten gegen ihre Brüder, die voreingenommen waren durch die Gehirnwäsche, die sie seit Wochen von ihrem Vater erhalten hatten.

„Hört auf, bitte! Ich flehe euch an, lasst uns in Ruhe! Wir haben euch nichts getan, schon gar nicht Milo. Er kann am allerwenigsten dafür. Wir werden das alles schon regeln. Geht nach Hause und ich komme bald nach."

Die Beschwichtigungsversuche schienen nicht zu wirken, die Brüder wollten reinen Tisch machen. Einer der beiden nahm Milo an einer Hand und zog ihn weg von Aranka. Dieser wehrte sich, landete aber durch eine geschickte Finte von Arankas Bruder am Boden. Milo konnte sich aus der Umklammerung befreien, kroch entlang der Mauer, übersah dabei jedoch die Stelle, wo die Bodenbretter dem Alter des Hauses Tribut gezollt hatten, brach unter krachendem Getöse ein und fiel eine Etage tiefer in den Keller. Arankas Bruder konnte sich gerade noch an einer Planke festhalten und einem Sturz entgehen. Ein weites, tiefes Loch offenbarte sich Aranka und ihren Brüdern, durch das Milo gefallen war. Aus dem Loch kam kein Laut. Aranka begann hysterisch zu schreien.

„So helft ihm doch, ihr Arschlöcher! Er liegt da unten und ist wahrscheinlich schwer verletzt!"

Arankas Brüder robbten zu der eingebrochenen Stelle und lugten nach unten. Milo lag auf einem Haufen Bretter und Ziegelsteinen, aufgetürmt zu einem Haufen Schutt. Der Fall aus drei Metern Höhe war wohl mit schlimmen Verletzungen verbunden, denn Milo rührte sich nicht. Aranka kam ihren Brüdern hinterher und sah den regungslosen Körper ihres Geliebten schemenhaft im Dunkel des Kellerraumes. Aranka begann weinend und schreiend auf ihre Brüder mit Fäusten einzuschlagen.

„Ihr verdammten Arschlöcher, was habt ihr nur getan! Ihr habt Milo umgebracht!"

Die Brüder hielten Arankas Arme fest, sie fiel ihnen schluchzend entgegen. Einer der beiden versuchte zu beschwichtigen.

„Aranka, das wollten wir nicht, glaub uns."

Sie war verzweifelt wie noch nie in ihrem Leben. Vor ihr im Keller lag Milo, ziemlich sicher schwer verletzt, vielleicht tot, und ihre Brüder rührten keinen Finger, um ihm zu helfen. Aranka schrie aus Leibeskräften.

„Verdammt noch mal, steigt jetzt da runter und schaut nach Milo. Habt im Namen Gottes Einsehen mit uns, mit mir, eurer Schwester! Ihr Mörder, ihr verfluchten Mörder, ihr habt den Vater meines Kindes umgebracht!"
Aranka schlug auf ihre Brüder ein, die sich wehrten und sie zur Räson zwingen wollten.

„Du alleine hast ihn auf dem Gewissen, lass dir das gesagt sein. Hättest du mit ihm nichts angefangen, wäre all das nicht passiert!"
Aranka war außer Rand und Band, schlug um sich, war verzweifelt und schrie. Ihre Brüder versuchten sie zu beruhigen, doch nach einer halben Minute mussten sie einsehen, dass sie nicht bei Sinnen war. Sie packten ihre Schwester an den Armen und zogen sie aus dem Raum und aus dem Haus. Es hatte wohl lange gebraucht, um die zutiefst verzweifelte junge Frau nach Hause zu bringen.
Langsam wurde es still im halbverfallenen Haus. Arankas Schreie wurden leiser und verstummten schlussendlich, als ihre Brüder sie schon Hunderte von Metern weggeschleppt hatten. Der durch den Kampf und Milos Fall aufgewirbelte Staub schwebte gemächlich zu Boden, es zog wieder Alltag ein in das Leben im Walde. Die Vögel zwitscherten, als ob nichts geschehen wäre, manches Geräusch war zu hören, das Rehe und Hasen hinterließen. Die Sonne senkte sich zum Horizont und machte sich daran, für diesen Tag zu verschwinden, als plötzlich ein Mark und Bein durchdringender Schrei die Tiere im Wald und Menschen im Dorf erschreckte. Es war der letzte Lebensbeweis eines sechzehnjährigen Jungen, dem keiner mehr einen Ton zugetraut hätte, und die

Nacht legte ihr schwarzes Tuch über den Leichnam im Keller des halbverfallenen Hauses.

Geburt

Polizei und Justiz taten ihre Pflicht. Aranka selbst hatte ihre Brüder angezeigt und des Totschlags an Milo bezichtigt. Hätte sie nicht ihr Kind im Bauch getragen, wäre sie wohl durchgedreht. Doch die Verantwortung hielt sie bei Vernunft. Nach einem Monat waren Arankas Brüder hinter Schloss und Riegel. Es war ein Verfahren, dass keine Zweifel hinterließ, die Täter mussten ihrer gerechten Strafe entgegentreten.

Aranka durfte sich nicht mehr blicken lassen bei ihren Eltern. Aus Sicht ihres Vaters hatten nicht ihre Brüder, sondern sie selbst Schande über die Familie gebracht. Er warf seine Tochter aus dem Hause und Arankas Mutter war eine gebrochene Frau, ihre beiden Söhne für viele Jahre hinter Gittern und ihre Tochter des Hauses verwiesen und für immer ihrem Leben entzogen.

Für ein paar Wochen kam Aranka bei Milos Mutter unter, denn sie wusste nicht wohin sonst. Eszter verfiel zusehends, denn ihr geliebter Sohn war von ihr gegangen. Wohl tat es ihr gut, dass Aranka eine Zeit lang bei ihr wohnte, und sie hatte auch ein klein wenig Freude über das Enkelkind, das in dieser heranwuchs, doch zog sie sich immer mehr zurück und verstummte schließlich gänzlich, als Aranka auszog.

Die Geburt stand an. Aranka hatte im Nachbardorf ein Zimmer gefunden, in das sie sich einmieten konnte. Sie stand vor dem Nichts und erwartete ein Kind. Existenzängste machten ihr das Leben schwer. Wenigstens hatte sie die Gewissheit, dass im Falle des Reißens aller Stricke der Staat für ihr Kind sorgen würde, aber sie blickte einer unsicheren Zukunft entgegen.

Aranka wachte auf und verspürte starke Schmerzen in der Lendengegend. So mussten sich Wehen wohl anfühlen, durchfuhr es sie. Sie kroch aus dem Bett und setzte sich auf den Boden, den Oberkörper nach vorne gebeugt. Niemand hatte sie auf die Geburt ihres Kindes vorbereitet. Von der Familie verstoßen war da keine Mutter, die sonst der Tochter Beistand leistete. Auch hatte Aranka keine Hilfe bei den offiziellen Stellen gesucht. Somit wusste keine Menschenseele, wie es ihr gerade ging.

Sie fasste den Entschluss, ihr Kind dort zu gebären, wo es gezeugt wurde. Ein mutiger Schachzug mit unsicherem Ausgang, aber Aranka hatte von Frauen gehört, die sich für die Geburt in den Wald zurückgezogen und ihren Selbsterhaltungs- und Selbstheilungskräften vertraut hatten. Wieso sollte sie es nicht auch schaffen. Es war ihr innigster Wunsch, das Kind an einem Ort in die Welt zu setzen, der von einer hehren Mystik erfüllt war, und welcher Ort war besser dafür geeignet als das halbverfallene Haus, in dem sie so viele wunderschöne Stunden mit ihrem geliebten Milo verbringen durfte.

Aranka spürte, dass nicht mehr viel Zeit war bis zur Geburt. Sie rief ein Taxi, das sie bis zum Waldrand brachte. Der Fahrer fragte noch, ob das wohl das richtige Ziel der Fahrt war, denn hier würden sich Fuchs und Hase gute Nacht wünschen. Aranka versicherte ihm ihre geistige Zurechnungsfähigkeit, stieg aus und begab sich langsam und schweren Schritts mit einem Rucksack bepackt in den Wald hinein. Sie spürte, dass ihr kaum mehr Zeit blieb, versuchte sich zu beeilen und erreichte nach einer Viertelstunde das Ziel.

Sie zögerte, war nicht sicher, ob sie in das Haus eintreten sollte, hatte sie doch schlimme Erinnerungen daran. Doch sie wusste, sie war es Milo schuldig, hier ihr gemeinsames Kind zu gebären. Langsam trat sie ein, ging gebückt vor Schmerzen bis in den letzten Raum, wo das Sofa stand. Aranka hatte Tränen in den Augen, als sie das Loch im Boden sah, durch das ihr Geliebter vor Monaten fiel. Allen bösen Gedanken zum Trotz musste sich Aranka daran machen, die Geburt vorzubereiten. Sie hatte nicht viel mitgenommen, eine Decke, ein Tuch, Wasser in Flaschen und ein Foto von Milo, das sie neben das Sofa stellte.

Es war eine der kürzesten Geburten, die die Welt je gesehen hatte. Milos Wünsche und Gedanken aus dem Jenseits waren wohl bei Aranka, denn die Geburt verlief ohne Komplikationen. Instinktiv tat sie in allen Schritten das Richtige. Sie wusch ihr Neugeborenes sparsam mit Wasser, wickelte es in das Tuch und durfte ihre Tochter nach zwanzig Minuten in den Armen halten.

Das Glück aller Welten verhieß dem neuen Erdenbürger nur Gutes, Gott erbarmte sich der Mutter und gab ihr die nötige Kraft, wieder aufzubrechen in ein zufriedenes Leben voller Sicherheit und Geborgenheit für das Baby.

Aranka machte sich mit der Neugeborenen im Arm daran, das Haus zu verlassen, als sie plötzlich einen Schrei hörte. Sie erschrak, wusste aber, dass sie keine Angst haben müsse, denn es war Milos Schrei der Erleichterung, der ihr aus jener Ecke des Universums kam, in der er noch viele Jahre auf Geliebte und Tochter warten würde.

Aranka und ihr Baby begaben sich danach auf den Weg in die gemeinsame Zukunft.

Mann für eine Nacht

Ein Schrei reißt Eszter aus dem Albtraum. Ihr Oberkörper schnellt ruckartig und schweißgebadet hoch, der Puls läuft auf hundertdreißig und sie spürt ihr Blut durch die Adern schießen. Was verdammt noch mal hat sie jetzt bloß geträumt? Sie greift sich an die Stirn, wischt den Schweiß in das Bettlaken und versucht sich zu erinnern. Da war doch ein Schrei, aber woher kam der, wer hat geschrien? Eszter hat keine Sekunde des Traumes mehr im Kopf. Alles weg. Wie gelöscht. Sie ist froh, aufgewacht zu sein. Die Realität, so arg sie auch manchmal sein kann, ist immer besser als die schlimmen Albträume, obgleich Eszter kaum welche hat. Da muss sie auf Holz klopfen, Albträume kommen verdammt selten vor. Vermutlich auch deshalb, weil ihr Leben bisher kaum Tiefpunkte gehabt hat. Die andere Seite der Medaille ist, dass sie die Höhepunkte ihres Lebens an einer Hand abzählen kann. Genau betrachtet war da kaum etwas Nennenswertes in ihrem Leben, weder gut noch schlecht, außer vielleicht die Hochzeit mit und die Scheidung von ihrem Mann und das liegt schon einige Jahre zurück. Sonst gibt es da nichts, was wert ist, erwähnt zu werden, was sie ihren Kindern, so sie welche haben wird, vor dem Schlafengehen erzählen können wird. Ihr Leben gleicht der EKG-Kurve eines soeben Verschiedenen, flach wie Flunder, mit ein paar klitzekleinen Hügeln vielleicht, der ungarischen Tiefebene gleich.

Eszter rappelt sich auf, zieht die Jalousien des Schlafzimmerfensters nach oben. Die ersten Sonnenstrahlen des kalten Februarmorgens ermuntern sie aufzustehen und den Tag zu genießen. Sie geht langsam ins Bad, noch immer an den Traum denkend, der sie nicht in Ruhe lässt. Sie steht leicht vorgebeugt mit beiden Armen am Waschbecken abgestützt und blickt minutenlang in ihr Antlitz. Wenn ihr Leben wie bisher verlaufen sollte, wäre von ihr nichts zu erzählen. Ein weißes, unbeschriebenes Blatt Papier. Vielleicht ein paar Kritzeleien in hartem Bleistift, zart und unscheinbar, kaum merkbar. Da hat sich jemand bemüht, Sinnvolles zu Papier zu bringen, aber außer Unverständliches ist nichts zu sehen. Ein hohles Leben, das ihrige. Vergeudete Zeit, für die Nachwelt ohne jegliches Interesse. Wer wird nach ihr krähen?

Eszter bringt die Morgentoilette ohne nennenswerte Vorkommnisse hinter sich, schleift ihren müden Körper in die Küche und versucht mühevoll, sich ein Frühstück zu richten. Abgekämpft kommt sie sich vor, der Albtraum hat sie physisch und psychisch an ihre Grenzen gebracht. Nur langsam streicht Eszter Butter auf eine Scheibe Schwarzbrot, legt danach vorgeschnittene Käseblätter drauf. Sie stellt eine Kaffeeschale unter die Auslassöffnung der Espressomaschine und drückt auf ultrastark. Am liebsten würde sie sich den Schuss Koffein intravenös geben. Eszter hat schon oft daran gedacht, wie man das bloß bewerkstelligen könne, hochwirksamen, zähen Kaffee in der Spritze, aufziehen und los. Das könnte zum allerletzten Höhepunkt in ihrem Leben werden. Eine Viertelstunde Kampf und dann Pustekuchen. Die Inschrift auf ihrem Grabstein müsste ihr Ableben beschreiben.

,Das Koffein, Lebenselixier und Tor zum Himmel'

Zischend und dampfend rinnt die dunkelbraune Flüssigkeit in die Schale und bildet einen ansehnlichen Schaumring an der Oberfläche. Der Duft steigt Eszter in die Nase und lässt den Tag in der nach oben offenen Skala der Bedeutsamkeit um eine Stufe höher steigen. Nicht auszumalen, was Kaffeeverweigerer versäumen.

Eszter sitzt also am Küchentisch, kaut in Zeitlupentempo an ihrem Käsebrot, schlürft Espresso, starrt in den kalten Wintermorgen und fokussiert das Vogelhäuschen vor dem Fenster, an dem schon reges Treiben den Tag einläutet. Vögel haben es gut, kommt ihr in den Sinn. Vögel schwelgen nicht in der Vergangenheit und machen sich keine Sorgen um die Zukunft. Vögel kennen nur das Jetzt, erfreuen sich am vollgedeckten Frühstückstisch. Das für Eszter chaotisch anmutende Zwitschern der Spatzen im Gebüsch zeugt von hoch sozialen Wesen, die gerade vereinbaren, wer denn was und wann heute noch zu erledigen hat. Ein Leben voller Aufgaben und keine Zeit nachzudenken. Vögel sinnieren nicht darüber, was sie nicht alles in ihrem Leben versäumt haben und machen keine Pläne. Ihnen gehört das Himmelreich. Eszter beneidet ihre gefiederten Freunde vor dem Haus.

Ein Blick auf den Kalender an der Küchenwand erinnert Eszter daran, dass heute Samstag ist, das Wochenende des örtlichen Maskenballs. Von ihren Freundinnen hat sie erfahren, dass sich ein paar gut aussehende Männer des Nachbarortes für den Ballabend angesagt haben. Sie beschließt hinzugehen, hat sie doch ihr Wochenendleben in der letzten Zeit sträflich vernachlässigt. Die Verkleidung als Domina erscheint Eszter angebracht, denn schließlich gibt es etwas zu feiern. Heute vor fünf Jahren ließ sie sich von ihrem Ex-Mann scheiden. Und seit diesem Tag hat sie Körper und Seele nichts Gutes zukommen lassen, hat sie geradezu verstauben lassen. Dem muss nun ein Ende gesetzt werden. Eszter fällt ihr aufreizendes rotes Kleid ein, das sie vor unendlich langer Zeit in einem Anflug von Laszivität in einer Boutique gekauft hat. Dieses Kleid scheint trefflich gewählt für den heutigen Abend. Schminke und Lippenstift bis zum Abwinken werden das ihre dazu beitragen, um den ersten Aufriss seit vielen Jahren zu machen. Es wäre doch gelacht, würde Eszter nicht jemand an ihre Seite ziehen können, obgleich sie keine Übung mehr in solchen Dingen hat. Das Rouge aber wird ihre Aufgeregtheit und Tollpatschigkeit übertünchen, sodass einem erfolgreichen Abschluss nichts im Wege stehen wird.

Eszter nimmt sich vor, an diesem Ballabend den Mann ihres Lebens zu treffen. Gut, der Mann für ein paar Jahre wird auch reichen, oder für ein paar Wochen? Nein. Eszter nimmt sich vor, den Mann für eine Nacht zu treffen! Eine angenehm aufregende Freude kommt in ihr hoch, stellt sie sich das Aufwachen vor in den Armen eines gutgebauten, feschen Mannes, an den sie sich anlehnen, dem sie vertrauen wird können, der ihren Sorgen und Bedürfnissen Gehör schenken wird und den sie in dieser Nacht auf Händen tragen wird. Sie sehnt sich danach, seinen langgezogenen Schlafatem im Ohr zu spüren, seinen an Schweiß und Testosteron erinnernden Geruch in der Nase zu empfangen, der sie in den zumindest fünften Himmel heben wird. Eszter macht den letzten Schluck ihres Kaffees, tut sich auf in den Tag und nimmt sich vor, in der kommenden Nacht wollüstig in den Himmel voller Sterne zu schreien, um die dunklen Geister der Einsamkeit und Traurigkeit auf immer zu vertreiben.

Es kann ja nicht sein, dass sie bis an ihr Lebensende kinderlos bleiben werde.

Das Glück ist ein Vogerl, jeden Augenblick bereit davonzufliegen. Die Zufriedenheit jedoch ist wie ein Baum, der, sobald gepflanzt, gehegt und gepflegt, dir in ewiger Treue beisteht.

FSC
www.fsc.org
MIX
Papier | Fördert
gute Waldnutzung
FSC® C083411

Zeitfracht Medien GmbH
Ferdinand-Jühlke-Straße 7
99095 Erfurt, Deutschland
produktsicherheit@kolibri360.de